Académie du Vin

La Dégustation

Académie du Vin

La Dégustation

Académie du Vin

La Dégustation

Steven Spurrier   Michel Dovaz

Préface
d'Emile Peynaud

Introduction de
Michael Broadbent

Bordas

Edition originale: *Académie du Vin Wine Course*
© 1983 Robert Adkinson Limited
All rights reserved
ISBN 0-7126-0163-5

Direction éditoriale :
Clare Howell

Direction artistique :
Christopher White

Conception graphique :
Martin Atcherley

Cartographie :
John Mitchell

Edition française : *Académie du Vin : la dégustation*

© 1984, Bordas, Paris.
ISBN 2-04-012718-6

Réalisation :
Paola Miglietti

Coordination technique :
Bernard Fasbender

Composition, montage, films :
Optigraphic s.a.
91 av. de Roodebeek - 1040 Bruxelles

Imprimé en Italie sur les presses de L.E.G.O., Vicenza.

Achevé d'imprimé en septembre 1984
Dépôt légal : octobre 1984

Sommaire

Préface

Un des phénomènes pour moi les plus étonnants de la dernière décennie est la forte poussée de l'intellectualisation du vin. Œuvre humaine, le vin était déjà perçu par la philosophie œnologique comme une sorte de miroir du savoir et du mode de vie. Et voilà que naît et se développe depuis peu une vive curiosité pour tout ce qui touche le vin, chez l'amateur averti et jusque chez le simple consommateur. Roland Barthes l'avait bien ressenti : « Le vin devient pour nombre d'intellectuels une substance médiumnique qui les conduit vers la force originelle de la nature. »

Mieux connaître le vin pour mieux l'apprécier, savoir l'associer par la pensée à un paysage de vignes, à un groupe humain, faire de sa consommation non plus une habitude mais une véritable dégustation dans laquelle on applique son intellect, on s'arrête sur les sensations olfactives et gustatives que le vin nous offre : cela fait partie du code du nouveau savoir-boire. Le buveur moderne a soif aussi de connaissance. Le vin donne à apprendre, donc à enseigner; il délie les langues et sans doute l'esprit. La bonne science rejoint la poésie, et l'imaginaire du vin, qui fut de tous les temps, est toujours aussi vivant.

Hemingway estimait que le vin est une des choses les plus civilisées du monde. Le vin nous oblige, en effet, à être doublement civilisés : d'abord pour le faire, ensuite pour le boire. Cela n'allait pas de soi. Il a fallu d'abord qu'existent des vins qui s'y prêtent et qui restituent l'image nette du terroir. Il a fallu créer des méthodes de travail, mettre la technicité au service de la pureté des flaveurs, et savoir faire le vin aussi franc, sincère et savoureux que l'est le fruit. L'œnologie a établi de nouvelles règles du jeu et on peut dire aujourd'hui que le vin est véritablement du raisin transcendé. Dès l'instant où furent formulés les lois générales et les articles techniques, où fut édifiée la matière à professer, l'enseignement de l'œnologie se développa dans les universités, dans les écoles d'ingénieurs, et les professionnels du vin, chacun dans sa spécialité, purent accéder à la bonne doctrine. On voit depuis des années les producteurs, les maîtres de chai, les sommeliers et les autres affluer sur les gradins des amphithéâtres.

Restait à chasser l'ignorance tapie à l'autre bout de la chaîne. A quoi servirait l'œuvre d'art sans l'éducation artistique de ceux à qui elle est destinée ? Il est évident qu'on ne peut apprécier, même le sublime, si l'on n'a pas reçu un minimum de formation. Le sens artistique s'apprend comme tout le reste; il y a partout des conventions à admettre et une orthodoxie à retenir. Nous avons tous besoin au début qu'on nous dise pourquoi c'est beau ou pourquoi c'est bon. C'est cela l'initiation. On ne peut déchiffrer le vin, le comprendre et donc l'aimer pour lui-même, avec un odorat et un goût incultes.

C'est à ce point de mes réflexions que je désirais vous amener pour rencontrer enfin Steven Spurrier et Michel Dovaz, les auteurs de ce livre, et leur très parisienne « Académie du Vin ». Les fondateurs ont noms Steven Spurrier, Jon Winroth; la directrice s'appelle Patricia Gallagher. C'est en 1972, dans un décor d'échoppes et de marché de plein air, enclave provinciale comme on en trouve encore au cœur du Paris monumental, que débutèrent les

cours de dégustation de l'Académie de la Cité Berryer. D'abord en langue anglaise, ils étaient destinés aux *winelovers* de passage, à ceux qui considéraient les vins français comme des éléments indispensables de culture, et l'occasion belle, étant sur place, de les assimiler. Il est bien connu que tout étranger a deux patries, la sienne et la France vinicole.

Quant à mes compatriotes, ils avaient cru longtemps tout savoir sur le vin, en quelque sorte par héritage de plein droit, la France étant la fille privilégiée de la vigne. Mais avoir eu quelque aïeul vigneron, avoir peut-être vendangé une fois dans sa jeunesse, ne pas refuser un verre à l'occasion, ou encore le dimanche décacheter une bouteille en famille, ne confère pas pour autant la compétence. Les plus chauvins sur la prééminence des vins français étaient souvent ceux qui les connaissaient le plus mal. Sur ce rapport, le comportement de mes concitoyens ne tournait pas à leur avantage. Consommateurs habituels, ils s'accoutumaient aux vins d'une région, d'une marque, au point de n'en pouvoir démordre. Buveurs occasionnels, ils se perdaient aisément dans les subtilités des étiquettes et ne s'aventuraient jamais en terroir inconnu. En réalité, si je médis des Français mes frères, c'est au passé que je parle, car les voilà à leur tour saisis par la passion d'apprendre le vin. Ils commencent à savoir acheter et suivent mieux le rapport qualité/prix. Ils tiennent leur verre par la jambe, y font tourner le vin, le hument, et procèdent par petites gorgées gourmandes. La science de boire est devenue un plaisir nouveau. De plus en plus ils accèdent aux bons crus et aux livres savants. Aujourd'hui, plus de la moitié des leçons de l'Académie du vin se donnent en français pour des Français. Des sommeliers réputés, des écrivains spécialisés, comme Michel Dovaz, participent à l'enseignement. Il y a plus : les auditeurs apprennent l'internationalité du vin et ne craignent plus de comparer des vins de tous pays. Le racisme vineux serait-il en voie de disparition ? Beau résultat que d'avoir ouvert à tous les bouteilles des vins du monde et divulgué leurs secrets.

L'ambition inavouée d'un enseignant est d'aboutir, quand sa pédagogie a suffisamment mûri, à la forme la plus accomplie de la pensée : le texte imprimé. Le livre double ainsi la leçon et permet la diffusion vers le plus grand nombre. Les professeurs de l'Académie du Vin n'ont pas failli à la règle. Ils nous offrent dans un livre attrayant, pratique, clair et complet (à la fois coulant et corsé, allais-je dire), la somme de leur déjà longue expérience. C'est un livre d'initiation pour le débutant et un livre de référence pour l'amateur éclairé. Il contient tout le nécessaire du dégustateur au travail : les rites et les préceptes de son art, les éléments de géographie vinicole, les types de vins et leurs cépages, les modes de vinification, sans oublier en annexe le service et le bon usage du vin et le glossaire indispensable à l'emploi du mot juste.

Il ne me reste plus qu'à souhaiter à cette édition française tout le succès qu'elle mérite. Les auteurs ont fait une bonne et belle œuvre et rendu un grand service à la cause du vin. A vous, lecteurs œnophiles, de les en remercier.

Emile Peynaud

Introduction

Si vous êtes débutant, ce livre vous mettra dans le droit chemin; si vous êtes déjà un amateur éclairé il vous permettra une compréhension plus profonde. C'est un livre pratique et pertinent.

Derrière ce livre il y a une réalité tout à fait extraordinaire. Il faut un personnage très singulier — surtout s'il est étranger — pour ouvrir une boutique au cœur de Paris et apprendre aux Français comment apprécier leurs propres vins. Et par la suite n'est-ce pas le comble de la provocation que cet Anglais très anglais ait introduit des vins de Californie en concurrence directe avec ceux de France dans des dégustations à l'aveugle. Avoir ainsi permis à Steven Spurrier de jouer le rôle de l'avocat du diable, cela en dit long sur la tolérance du vieux monde civilisé; le triomphe discret de Steven, de son côté, en dit long sur le personnage.

Mais l'influence a joué dans les deux sens. Il est parfaitement clair à tout lecteur que l'auteur, comme moi-même, considère la France comme le berceau de la culture vinicole. Le nombre considérable d'années où il a vécu et travaillé en France a, de toute évidence, eu sur lui une grande influence. Les Français à leur tour devraient être reconnaissants envers quelqu'un qui a tant fait pour rehausser l'appréciation de l'extraordinaire gamme de vins divers produits dans leur pays. Cependant, ce livre n'est pas exclusivement voué aux vins français, loin de là. Personnellement, je trouve que le mélange insolite d'impartialité britannique avec une approche française permet à l'auteur et à ses lecteurs de situer les vins d'autres pays dans une perspective plus vraie. C'est, à mon avis, l'intérêt principal du livre.

L'aspect pratique est plus facile à expliquer. La méthode s'appuie sur l'expérience acquise en organisant les cours qu'il a créés à Paris à l'Académie du Vin. Ayant perfectionné la méthode, la transition à New York allait de soi et il semble que la greffe de l'Académie du Vin sur le Christie's Wine Course à Londres soit aussi réussie que celle d'un greffon de cépage noble sur un porte-greffe favorable. En bref, ce livre est fondé sur une manière pratique et réussie d'expliquer les vins.

En fait, la meilleure façon d'apprendre est d'enseigner. En tant que conférenciers, Steven et moi-même avons bénéficié au long des années de l'expérience acquise en expliquant les vins, et en cherchant à analyser et à décrire leur goût. Nous sommes les premiers à admettre que l'enseignement, étant une affaire de communication, fonctionne dans les deux sens; le conférencier apprend beaucoup de la réaction de ses auditeurs et des questions posées. En tant qu'enseignant Steven est allé beaucoup plus loin : il a transformé ses conférences en leçons et il publie aujourd'hui la quintessence de ses cours.

Grâce à ce livre nous bénéficions tous de son approche systématique, en sachant qu'il s'agit de la transcription, mise en forme et soucieuse du plaisir de la lecture, de cours à vocation essentiellement pratique. C'est l'œuvre d'un éducateur à la fois remarquable et modeste.

Michael Broadbent
Christie's, été 1983.

Avant-propos

Le but de l'Académie du Vin est d'apprendre aux gens à mieux connaître les vins. La méthode suivie consiste en une série de cours qui contiennent des renseignements précis alliés à des travaux pratiques de dégustation.

Bien qu'une certaine connaissance théorique soit nécessaire pour apprécier les différents vins (et plus cette connaissance est profonde plus le dégustateur sait ce qu'il peut chercher dans un vin donné), rien ne peut remplacer l'expérience pratique de la dégustation, qui seule permet de déterminer le comment et le pourquoi du goût de chaque vin. Les vins sont aussi divers, aussi variés que les hommes eux-mêmes. Ils devraient, selon leur lignée ou « appellation », respecter un certain style et se comporter d'une certaine façon. Cépage, sol et vinification ne sont pas seuls responsables du caractère du vin : les conditions climatiques interviennent pour beaucoup ; c'est ce qui explique les différences existant pour un même vin dans des millésimes différents. L'explication de ces variations, qui sont infinies, comporte en elle-même la réponse aux questions sur le caractère de chaque vin. A l'Académie du Vin, tout en présentant les conditions de naissance d'un vin, nous le soumettons à la dégustation des participants afin qu'ils confrontent leur opinion personnelle avec les informations qui leur ont été fournies.

Depuis la création de l'Académie du Vin à Paris en 1972 nous nous sommes presque exclusivement consacrés aux vins français. Les cours de l'Académie du Vin à New York et ceux de Christie's à Londres , donnés en collaboration avec l'Académie du Vin, traitent des vins d'autres pays, tout en puisant largement dans notre expérience de l'enseignement des vins français. Bien que ce livre accorde une place prépondérante aux vins français, d'autres régions vinicoles d'importance y figurent, aussi bien dans les cours théoriques que dans les dégustations commentées. Mais les cours reproduits ici n'ont pas la prétention d'être une étude détaillée des vins du monde entier ; notre livre cherche à apporter au lecteur une compréhension à la fois plus grande et plus subtile de tous les vins, quelle que soit leur origine.

L'Académie du Vin est une institution privée. Elle ne reçoit aucune subvention et fonctionne grâce à la participation des élèves et des stagiaires. Elle leur est reconnaissante ainsi qu'à tous ceux, producteurs, négociants, sommeliers et organismes viticoles, impossibles à nommer tous, qui lui ont apporté aide et encouragement. Je ne puis manquer de mentionner et de remercier Jon Winroth qui a fondé avec moi l'Académie du Vin, Patricia Gastaud-Gallagher, ma co-directrice, qui se décrit elle-même très justement comme l'« architecte de notre politique » et Isabelle Bachelard qui poursuit cette politique avec un dévouement inlassable.

Je ne saurais terminer cette brève présentation sans citer deux collaborateurs de l'Académie du Vin, Muriel de Potex pour sa contribution dans la quatrième partie et surtout Michel Dovaz, co-auteur, qui a assuré une importante part de la réalisation.

Steven Spurrier

Académie du Vin

Cité Berryer
25, rue Royale
75008 Paris

1

Cours d'initiation
Les principes de la dégustation

2

Cours intermédiaire
Les cépages et les régions

3

Cours supérieur
La dégustation comparative

4

Etudes
Du bon usage du vin

Les principes de la dégustation

Ce premier cours apporte une réponse aux principales questions relatives à la dégustation, à la vinification, à la vigne, à l'achat, au transport et à la garde du vin.

Avant d'aborder ces sujets, il nous paraît nécessaire de dire quelques mots de l'identification des vins. Bien avant l'institutionnalisation de la notion de défense des consommateurs, la nécessité de définir, puis de préserver l'authenticité des différents vins s'est imposée. Le respect de la vérité nous oblige à reconnaître qu'à l'origine, il ne s'agissait pas de défendre le vin ou le consommateur mais le producteur. Celui-ci était lésé par des imitations qui nuisaient à son image de marque et à son négoce.

Très vite il s'est avéré que la meilleure défense devait s'appuyer sur la région. Parce que les producteurs s'étaient fédérés régionalement, parce qu'ils étaient en butte aux mêmes problèmes, parce qu'ils usaient de techniques semblables sur des sols proches et cultivaient les mêmes cépages. Enfin, mais c'est la conséquence de tout ce qui précède, parce que leurs vins partageaient des caractères communs.

La région peut être très vaste ou minuscule. On comprend aisément que plus la région est petite, localisée, définie, plus on peut espérer un vin de haute qualité, et inversement. La région la plus vaste n'est même pas nommée.

Les vins sans origine sont des vins de marque, ils n'ont d'autre justification, ce sont des vins de table. En revanche, l'appellation d'origine contrôlée (AOC) s'applique à des régions plus petites qui dépassent rarement la surface d'une province ou d'un département (par exemple l'Alsace ou le département de la Gironde : Bordeaux). En vertu de ce qui est affirmé plus haut lorsque la surface diminue, la qualité augmente. Ainsi une fraction de région est supérieure à la région. Ainsi l'appellation communale serait-elle supérieure à l'appellation régionale ou demi-régionale.

Ainsi le cru, le clos, le Château sera-t-il supérieur à l'appellation communale. On pourrait exprimer cela dans une autre formule : plus un même vin bénéficie d'appellations différentes, plus il est présumé grand. Nous en donnerons deux exemples, l'un bordelais, l'autre bourguignon. Une bouteille de Château Lafite a la possibilité légale d'être étiqueté Pauillac, Haut-Médoc, Médoc, Bordeaux Supérieur, Bordeaux. Une bouteille de Romanée Conti peut être étiquetée Vosne Romanée, Côtes de Nuits, Bourgogne, Bourgogne Grand Ordinaire.

S'il est important de savoir situer un vin en lisant l'étiquette, il est essentiel de le bien déguster. C'est tout à la fois un art et une technique. Nous allons les découvrir.

Déguster : pourquoi ?

Il faut distinguer au moins deux types de dégustation : l'une, technique, l'autre, hédoniste.

La dégustation technique concerne les professionnels, qui doivent juger les qualités commerciales du vin : il est marchand ou il ne l'est pas, cela est éliminatoire; s'il est atteint de défauts, il importe de les préciser; s'il est malade, il faut savoir pourquoi. Au second stade il faut déterminer s'il est conforme à son appellation et s'il atteint la qualité de celle-ci. Cette dégustation technique tend le plus possible vers l'objectivité. Pour cela, le dégustateur se conforme à un questionnaire (voir fiches de dégustation pages 210-211) qu'il remplit point par point. Le plaisir n'intervient pas, ou fort peu, dans cette dégustation, si ce n'est *in fine*. Généralement, les vins sont tastés à la température uniforme de 15 degrés, c'est-à-dire bien souvent trop froids ou trop chauds, cela pour augmenter le nombre de paramètres communs entre les vins et parce que cette température favorise leur exploration gustative.

La dégustation hédoniste poursuit un tout autre dessein où le plaisir se taille la première place. Il s'agit pour qui goûte un vin d'en tirer la quintessence, de le placer dans les meilleures conditions possibles. Il s'agit de boire intelligemment et même, pour être trivial, de faire une bonne affaire puisque tout ce que

peut offrir un vin parviendra au dégustateur. Il en tirera le maximum de plaisir, d'où la meilleure rentabilité de son investissement.

A l'Académie du Vin nous avons constaté que ces deux dégustations se chevauchaient, que la simple attention face à un verre de vin ne suffisait pas, que l'acquis technique et l'acquis culturel étaient indispensables.

L'acquis technique, c'est la possession de la pratique de la dégustation, ensemble d'opérations qui deviennent à l'usage naturelles, automatiques, inconscientes. Très rapidement, cette pratique rituelle conduira le consommateur à goûter pleinement bouquet, puissance aromatique, longueur en bouche, etc.

L'acquis culturel exige un apprentissage plus long. Il suppose la connaissance des appellations, la détermination des caractères des vins de chacune d'entre elles, l'appréciation de l'influence du millésime. Dans le plaisir issu de l'acquis culturel entrent aussi la découverte de la patte du vinificateur, l'étonnement ou parfois l'émerveillement devant l'exploitation des possibilités du cépage, du sol, du climat et des techniques de vinification.

C'est à ce stade que le dégustateur découvre un nouveau plaisir : celui de la conformité du vin à son type. Seule une longue pratique alliée à une bonne mémoire permet d'atteindre ce niveau.

Page ci-contre, une dégustation professionnelle à l'Académie du Vin.

Ci-dessous, dégustation hédoniste : les membres de la coopérative vinicole de Vaux-en-Beaujolais (village dont s'est inspiré Gabriel Chevallier pour son roman Clochemerle) goûtent le vin de la récolte précédente en attendant le début des vendanges.

Déguster : comment ?

Le verre est le seul outil dont use le dégustateur, mais d'autres conditions sont indispensables. Les unes concernent le dégustateur lui-même, les autres le milieu où se déroule la dégustation. Pour bien apprécier un vin, il faut être en bonne condition physique. Une personne enrhumée ou grippée en est totalement incapable. Il faut un palais frais, ne pas avoir mangé de plats relevés, du chocolat, de la menthe, etc., ne pas avoir bu de boisson forte ni avoir fumé. On ne déguste jamais mieux que vers dix heures du matin, après avoir bu une tasse de thé. Le lieu importe tout autant. Une pièce bien éclairée, naturellement aérée pour chasser toute odeur parasite, des murs clairs, une table et une nappe blanche forment un endroit propice. Il va de soi que les parfums, les odeurs de tabac ou de cuisine seront bannis. Toutes ces considérations s'appliquent à la salle à manger où l'on veut dîner et boire des vins dignes d'estime. Pour les expertises techniques, le local normalisé (AFNOR) doit être silencieux, maintenu à une température de 20 à 22 degrés et une humidité de 60 à 70 %.

Le verre de dégustation doit répondre à des critères bien définis, qui ont été mis au point par des commissions de spécialistes de l'Institut national des appellations contrôlées (INAO) à la demande de l'Association française de normalisation (AFNOR). Il fallait en effet qu'en cas d'expertise, de procès, un outil de travail indiscutable, le mieux à même d'exprimer le vin, soit mis à la disposition des experts désignés.

Ce verre parfait et universel, conforme aux normes de l'International Standard Organization (voir dessin ci-contre), a été adopté dans le monde entier. En verre incolore de faible épaisseur, il convient aussi bien aux Champagne, aux mousseux, aux vins de toutes couleurs qu'aux Porto et autres vins vinés, aux eaux-de-vie de vin, de fruits et de céréales. Sa forme en tulipe, d'exactes proportions, permet tout à la fois un emprisonnement des arômes et du bouquet et des échanges oxygénation-oxydation avec l'air ambiant. Son pied et la tige qui le soutient permettent aux dégustateurs de le tenir sans échauffer le liquide. En outre, il facilite les divers gestes rituels qui précèdent la dégustation.

Le verre de dégustation (type INAO)

Hauteur totale 115 mm ± 5
Hauteur du gobelet 100 mm ± 2
Hauteur de la tige et du pied 55 mm ± 3
Diamètre de l'ouverture 46 mm ± 2
Diamètre de la partie convexe la plus large 65 mm ± 2
Epaisseur de la tige 9 mm ± 1
Diamètre du pied 65 mm ± 5
Capacité totale 215 ml ± 10
Ne remplir qu'au tiers

L'œil 1

Le verre sera posé sur une surface blanche et rempli au tiers.

L'œil

Les premières constatations intéressent l'œil, c'est l'examen visuel. Il est rare de nos jours que des vins présentent des défauts repérables seulement par la vue. Néanmoins, toute dégustation comporte d'abord l'examen du disque, puis de la robe et enfin des jambes.

Le disque

Le disque est la surface supérieure du vin dans le verre. Il doit être examiné en vue plongeante et en vue latérale. La surface du disque doit être brillante, exempte de toute poussière et de toute matière solide. Un disque mat est presque toujours le fait d'un vin malade.

L'examen latéral

L'examen latéral permet de déceler les floculations et les dépôts. La présence de flocons dans le verre — de *voltigeurs* — d'éléments à tendance colloïdale en suspension est rédhibitoire. C'est le signe certain d'un vin mal vinifié dont l'évolution est compromise et qui est pour le moins *louche*.

Le repérage de dépôt au fond du verre ne présente aucun caractère de gravité. Il s'agit généralement de cristaux insolubles, d'un précipité de bitartrates de potassium, signe que le vin a subi un coup de froid après sa mise en bouteilles et que le vinificateur n'a pas — ou a insuffisamment — précipité lesdits bitartrates. Le vocabulaire relatif à ces premiers examens visuels est des plus simples. Les bons vins sont **limpides**, **brillants**, ils ont de l'**éclat**; les autres sont **troubles**, **louches**, **opaques**, **flous**, **laiteux**, **floconneux**, **voilés**, **plombés**, etc.

La robe

On appelle robe la couleur dont se pare le vin. Cette robe doit être appréciée pour sa teinte et l'intensité de cette teinte. Ces deux éléments qui se modifient avec l'évolution ou le vieillissement du vin sont souvent révélateurs de son état et de sa qualité. Que les vins soient blancs, rosés ou rouges, leur robe, déterminée par les composants colorants qui les teintent, permet généralement de situer la concentration du millésime pour les vins rouges, d'évaluer leur âge et parfois de déceler un vieillissement excessif. La robe des vins blancs qui passe du jaune clair au bronze apporte les mêmes informations relatives à leur évolution.

La couleur des vins rouges est très importante. Un célèbre négociant du Bordelais avait fait peindre en blanc un mur dans sa cour, sur lequel il projetait le contenu d'un verre de tous les échantillons qu'on lui apportait. Il achetait le vin qui colorait le plus son mur, qu'il faisait repeindre régulièrement. Par ce procédé apparemment élémentaire, entre les millésimes 1960 et 1961 ou entre les millésimes 1969 et 1970, il aurait certainement choisi les bons (1961 et 1970). L'importance de la couleur est telle qu'on plante des cépages n'ayant d'autre qualité que celle de teinter les vins. Les grains de ces raisins contiennent un jus coloré foncé. Ces cépages sont appelés *teinturiers*. L'Alicante Bouschet en est le meilleur exemple. En France, les divers Bouschet couvrent plus de 60 000 hectares ! Un autre procédé, plus ancien, consiste à ajouter au vin le jus noir de baies de sureau. Mais ces pratiques ne concernent pas les grands vins.

Le vocabulaire des amateurs de vin est essentiellement analogique et emprunte les

Ci-contre, le verre à dégustation normalisé (type INAO) permet d'examiner la robe et le disque du vin dans les meilleures conditions. Le verre est incliné pour faciliter l'examen visuel.

Apparence et couleur

Pour les vins blancs : *incolore, jaune,* jaune associé aux mots *pâle, paille, citron, vert, doré, foncé, or* puis *or blanc* et les nuances *or pâle, or vert, or rouge, or bronze*; et, s'ils sont encore plus vieux : *topaze, topaze brûlée, madérisé, ambré, brun, caramel, acajou, noir.*

Pour les vins rosés : *gris, clairet, œil de perdrix, rose violet,* etc., et, quand ils vieillissent : *rose jaune, rose orangé, roux, pelure d'oignon, rose saumon.*

Pour les vins rouges : *clair, violacé, foncé, grenat, rubis, vermillon, pourpre, noir,* et, quand ils vieillissent : *bisque, orange, tuilé, marron.*

L'œil 2

Page ci-contre, *le dégustateur incline son verre, puis le ramène à la verticale pour faire couler le vin sur les parois internes. Les jambes descendront plus lentement.*

teintes des fleurs, des fruits, des bois, des pierres précieuses. Néanmoins, les termes les plus communs et consacrés par l'usage sont ceux que l'on trouvera dans l'encadré de la page 19.

Ce vocabulaire concerne les nuances, les teintes. Or celles-ci peuvent être plus ou moins intenses; on ajoutera donc que ces robes sont **profondes**, **soutenues**, **amples**, **denses**, **riches**, **accusées** ou au contraire **légères**, **faibles**, **pauvres**. La description de la teinte d'un vin prend souvent en compte une évaluation de son âge, qui peut être précisée davantage en ajoutant les qualificatifs suivants : **vive**, **fraîche**, **franche**, **nette**, **typique**, ou au contraire **défraîchie**, **évoluée**, **passée**, **usée**, **oxydée**, **madérisée**.

De nos jours, les teintes se mesurent scientifiquement à l'aide du colorimètre (spectrophotomètre), mais l'œil du dégustateur demeure le moyen le plus sûr. Dans les salles de dégustation professionnelles, quatre échantillons de vin représentant quatre degrés d'intensité sont disposés en face des dégustateurs devant une source lumineuse. Il n'y a plus qu'à situer le vin soumis à examen en le comparant aux vins témoins.

Les jambes

C'est le troisième examen visuel : le dégustateur incline son verre ou lui imprime un mouvement circulaire afin de répandre le vin sur les parois. En coulant le long du verre, le vin forme des *jambes* — ou des *larmes* — qui descendent lentement selon la conjugaison de deux phénomènes : le premier est dû aux tensions superficielles relatives de l'eau et de l'alcool qui créent un effet d'ascension capillaire; le second contribue à l'indice de viscosité proprement dit, les glycérols et le sucre résiduel formant avec l'alcool ces fameuses jambes ou larmes.

La discussion reste ouverte sur les relations à établir entre la qualité gustative d'un vin et sa faculté de *pleurer dans le verre*. Pour simplifier à l'extrême, remarquons que les jambes ne garantissent aucunement l'équilibre ou l'harmonie d'un vin. Trop d'alcool ou un excès de glycérol contribueront à l'apparition de belles jambes. Néanmoins, un petit vin faible en extrait et faible en alcool paraîtra très fluide et ne développera pas de jambes alors que, *a contrario*, un grand cru de Bourgogne, par exemple, ne serait-ce qu'en fonction de sa teneur en alcool obligatoire, indispensable pour l'obtention de son appellation, pleurera à souhait.

Le vocabulaire se rapportant à la fluidité, ou au contraire à la viscosité, est des plus limités : **aqueux**, **liquide**, **fluide**; à l'opposé **gras**, **sirupeux**, **onctueux**, **glycériné**, **faisant des jambes**, **faisant des larmes**, **pleurant**. Les termes **huileux**, **visqueux**, **épais** décrivent des vins malades, en particulier atteints de la **ma-**

ladie de la graisse, défaut rare d'origine bactériologique.

Cas des vins mousseux et sur lie

Les vins qui ne contiennent pas de gaz carbonique (moins de 100 mg/l) sont dits **vins tranquilles** alors que ceux qui en contiennent sont appelés vins **tumultueux** ou vins **effervescents**, ou encore vins **mousseux**. A noter qu'il existe tous les degrés entre le vin tranquille et le vin mousseux : **bullé**, **perlant**, **moustillant**, **pétillant**, le gaz carbonique (CO_2) étant décelable à partir de 1,5 à 2 grammes par litre. Les vins contenant du gaz carbonique exigent un examen particulier, la présence de ce gaz étant un défaut ou une qualité selon qu'elle est conforme ou non au type de vin.

Pour nous limiter provisoirement à l'examen visuel, nous nous intéresserons au diamètre des bulles, à leur nombre et à leur renouvellement. Ces bulles créent au-dessus de la surface du vin une crème, c'est-à-dire une mousse très fine et peu abondante (Champagne Crémant) ou au contraire une mousse importante mais toujours composée de l'accumulation de petites bulles, toutes égales en diamètre — qui doit être faible — et dont la vie ne doit pas dépasser quelques secondes. Le regroupement de petites bulles en grosses bulles n'est admissible que dans la bière. Une fois la mousse proprement dite résorbée, la crème forme une couronne bordant la paroi du verre; ce collier de mousse s'appelle le *cordon*. Le renouvellement incessant des bulles assure la permanence du cordon (se reporter aux pages traitant des vins tumultueux) dont la vie est plus ou moins longue, plus ou moins brève selon l'âge du Champagne; les plus vieux Champagne sont ceux qui donnent le moins de mousse.

Il est très important de tenir compte du verre dans l'appréciation de la mousse. Un verre humide, un verre dans lequel on a versé à deux ou trois reprises du Champagne ne favorise pas du tout le développement de la mousse. La température joue également un rôle dans la formation et la nature des bulles. Lorsqu'on verse un Champagne ou un mousseux dans un verre, la température relativement élevée du verre par rapport au vin favorise la naissance de bulles de gros diamètre.

Il faudra donc attendre que contenant et contenu aient atteint la même température, soit une trentaine de secondes avant d'apprécier les bulles. Il ne faut jamais tenter de refroidir le verre avec un glaçon, ce qui reviendrait à humidifier les parois, donc à diminuer ou supprimer les bulles et la mousse.

Ci-dessous, *l'effet de* jambes *ou de* larmes *sur la paroi intérieure du verre.*

Le nez 1

Après l'œil, le nez : c'est la phase olfactive de la dégustation. Avec un peu d'habitude ou lors de dégustations purement hédonistes — au cours d'un repas, par exemple — il ne sera pas nécessaire de verser un nouveau verre du vin à étudier, les phases visuelles et olfactives se superposant. Dans le cas présent, nous mettons de côté le verre précédent auquel nous reviendrons et nous emplissons au tiers un nouveau verre. Cela nous permettra d'apprécier un *premier nez* et de comparer la tenue du vin dans les deux verres.

Le premier nez

Ce deuxième verre est posé sur la table. Le dégustateur expire l'air de ses poumons et hume le vin, le nez dans le verre.

L'expérience montre que ce premier nez se différencie du deuxième nez dont nous allons parler ensuite. La dégustation ayant pour but d'extraire du vin un maximum d'informations, ce premier nez ne doit pas être négligé, même si, bien souvent, il n'est que la préfiguration à faible intensité du deuxième nez. Il permet de déceler les produits hautement volatils, souvent d'une délicatesse extrême et toujours fugitifs, les éléments chimiques en très faible quantité qui disparaissent au contact de l'air ou se transforment rapidement par oxydation ou par combinaison. Dans de très nombreux cas, ce premier nez sera perturbé, pour ne pas dire dominé, par des odeurs parasites dues à l'emprisonnement du vin dans la bouteille et à

la présence de gaz que le vinificateur cherche à évacuer avant la mise en bouteilles : odeurs d'anhydride sulfureux (SO_2), odeurs résiduelles de fermentation, de lies, de mercaptan, d'hydrogène sulfuré, de réduit, etc.

Le deuxième nez

Le deuxième acte de l'exploration olfactive débute par un geste bien connu. Le dégustateur saisit le verre par le pied, lui imprime un mouvement de rotation afin d'oxygéner le liquide et d'accélérer les processus d'oxydation. L'oxygénation, ou aération, a pour effet de débarrasser le vin des gaz dissous, l'oxydation de révéler les constituants aromatiques; on dit que le vin ou le nez *s'ouvre*.

Le troisième nez

N'oublions pas que l'oxydation est constante : à chaque instant la composition chimique organique très complexe d'un vin se transforme par perte d'éléments volatils, par oxydation de produits volatils et par l'interaction de ses composants en évolution. C'est pour cela que nous humerons de nouveau le premier verre servi — ou que nous laisserons reposer quelques minutes le second afin de pouvoir mesurer l'évolution des constituants aromatiques et la fragilité ou la résistance du vin à l'oxydation. Les professionnels complètent cet examen par un essai de la tenue dans le verre. Cela consiste à prolonger l'expérience pendant douze heures et plus. Une

Page ci-contre, le premier nez : *le dégustateur aspire profondément, le nez dans le verre.*

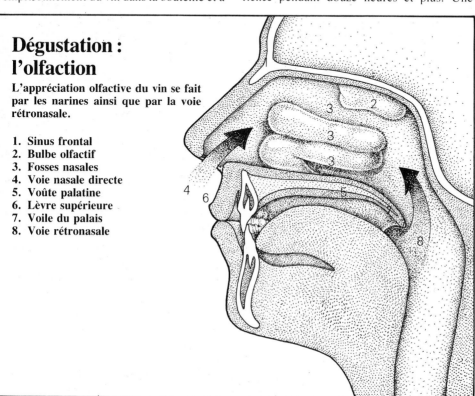

Dégustation : l'olfaction

L'appréciation olfactive du vin se fait par les narines ainsi que par la voie rétronasale.

1. **Sinus frontal**
2. **Bulbe olfactif**
3. **Fosses nasales**
4. **Voie nasale directe**
5. **Voûte palatine**
6. **Lèvre supérieure**
7. **Voile du palais**
8. **Voie rétronasale**

Le nez 2

autre méthode consiste à vider le verre et à suivre l'évolution olfactive des composants aromatiques qui y demeurent, l'alcool ne les assistant plus dans ce cas. Ce procédé est très intéressant dans le cas des vins riches en alcool (liquoreux, vins vinés) et dans l'examen des eaux-de-vie.

Ces recherches doivent aboutir à situer l'intensité des éléments aromatiques, leur qualité et leur type. L'intensité sera exprimée en termes de force ou de faiblesse avec les gradations intermédiaires. Les mots les plus usités sont les suivants dans le sens de l'accroissement : **nul**, **faible**, **petit**, **pauvre**, **court**, **creux**, **fermé**, **moyen**, **normal**, **fort**, **riche**, **développé**, **intense**, **ample**, **généreux**. Cette terminologie recoupe quelque peu celle s'appliquant au jugement qualitatif. A noter que de descriptive et objective, la dégustation devient subjective, les mots s'en ressentent. Le nez peut être **ordinaire**, **vulgaire**, **sans intérêt**, **simpliste**, **sans complexité**, **banal** ou au contraire **raffiné**, **fin**, **sophistiqué**, **racé**, **distingué**, **exemplaire**.

En outre, les dégustateurs ont l'habitude de

c'est-à-dire sont nés de la transformation du moût en vin. Des fermentations sont issus un certain nombre de composants qui n'existent pas dans le moût, tel l'acide succinique. Ces arômes dépendent de la nature des moûts (cépages, terroirs), des levures et de la conduite des fermentations.

Les *arômes tertiaires* n'apparaissent que lors de la maturation en tonneau de bois (milieu oxydatif) et (ou) après un certain vieillissement en bouteilles, donc dans un milieu réducteur. Les arômes tertiaires sont parfois appelés *post-fermentaires*.

On pourrait dire que le dégustateur repère la plupart des impressions olfactives qu'il peut recevoir d'un verre de vin en le passant sous son nez et en inhalant légèrement. En réalité il n'est pas utile de prolonger cette première analyse, puisqu'un examen prolongé contribue à l'oxydation du bouquet. Il est préférable de passer aux étapes suivantes de l'examen olfactif qui fourniront une appréciation plus générale des différents arômes libérés par le vin.

Page ci-contre, *un mouvement circulaire du verre permet l'aération du vin et libère ses divers éléments aromatiques.*

Odeurs et arômes

La description des types aromatiques est essentielle. Le vin ne se définit jamais par un seul composant aromatique, fût-il dominant, mais par une somme. Par commodité on a cherché à classer les odeurs en huit catégories principales :

Les odeurs animales : *gibier, venaison, faisandé, viandé, musc, pipi de chat, fauve;*

Les odeurs balsamiques : toutes les *résines, genièvre, térébinthe, vanille, pin, benjoin;*

Les odeurs empyreumatiques : tout ce qui est *sec, fumé, grillé, pain, amande, foin, paille, café, bois,* **mais aussi** *cuir, goudron;*

Les odeurs chimiques : *alcooleux, acétone* (vernis à ongles), *acétique, phénolé, phéniqué, mercaptan, soufré* (et dé-

rivés), *lactique, iodé, oxydé, levure, ferment;*

Les odeurs épicées : toutes les épices, mais plus souvent *clou de girofle, laurier, poivre, cannelle, muscade, gingembre, romarin, truffe, réglisse, menthe;*

Les odeurs florales : toutes les fleurs, mais plus souvent : *violette, aubépine, rose, citronnelle, jasmin, iris, géranium, acacia, tilleul.*

Les odeurs fruitées : tous les fruits, mais plus souvent *cassis, framboise, cerise, fraise, grenadine, groseille, pruneau, amande, coing, abricot, banane, noix, figue;*

Les odeurs végétales (et minérales) : *herbacé, foin, infusion, feuilles mortes, truffe, champignon, paille humide, mousse humide, terre humide, sousbois, craie, fougère, lierre, feuilles vertes.*

classer les arômes en trois catégories : les arômes primaires, les arômes secondaires et les arômes tertiaires.

Les *arômes primaires* sont ceux qui rappellent le fruité du raisin. C'est à ce stade que la variété du cépage est le plus sensible. Cas des vins très jeunes et cas des vins issus de cépages aromatiques que l'on boit jeunes (Alsace, Allemagne, par exemple).

Les *arômes secondaires* (parfois dits fermentaires) appartiennent typiquement aux vins,

A ce stade de la dégustation quelques remarques s'imposent : l'apparition des arômes tertiaires permet d'augurer la dégustation d'un vin de qualité. Il peut arriver qu'un vin soit *fermé*, terme caractérisant un vin qui n'a pas encore atteint un stade évolutif qui lui permette de s'exprimer.

Il appartient au dégustateur de déterminer par l'examen en bouche si le vin ne présente que peu d'intérêt. De grands vins bus trop jeunes sont parfois difficiles à situer.

La bouche

On appelle cette phase la phase gustative et, plus précisément, gusto-olfactive. On oublie généralement que le vin « se boit » beaucoup plus par le nez qu'avec la bouche, d'abord parce que l'appréhension purement nasale du vin est importante, ensuite parce que la quasi-totalité des arômes du vin en bouche nous parvient par voie rétronasale : c'est la rétro-olfaction.

La rétro-olfaction : les muqueuses olfactives, après avoir été alertées directement par voie nasale, le sont de nouveau lorsque le vin est dans la bouche par voie rétronasale. C'est sous forme de vapeur que les éléments aromatiques excitent l'un ou plusieurs des 50 millions de cils olfactifs.

La connaissance de ces mécanismes permet de mieux comprendre le rituel de la dégustation en bouche et de saisir pourquoi il faut favoriser la diffusion du vin dans la cavité buccale. Le dégustateur prend une petite quantité de vin dans sa bouche, il ne l'avale pas, le laisse reposer dans le creux de la langue et le fait traverser par un filet d'air. La diffusion du vin est facilitée par son échauffement dans la bouche et par sa vaporisation grâce à l'air.

Une autre méthode consiste à le mâcher et à le faire tournoyer dans la bouche. La muqueuse olfactive ainsi stimulée complète les informations déjà enregistrées lors de la phase nasale. Les sensations ne sont pas identiques puisque le vin a été chauffé en bouche. Une gamme de molécules moins volatiles vont être décryptées, d'où la découverte d'une série complémentaire d'arômes. Leur description exige le même vocabulaire que celui énoncé par les perceptions nasales. Nous demandons au lecteur de s'y reporter.

Les saveurs en bouche proprement dites

La langue ne perçoit en tout et pour tout que quatre saveurs : le sucré, à la pointe de la langue ; le salé, latéralement un peu en arrière ; l'acide, sur les côtés ; l'amer, au fond. A ces saveurs, il faut ajouter les sensations perçues par la langue et la cavité buccale dans son entier : d'ordre thermique, la température ; d'ordre tactile, la consistance (fluidité, onctuosité, etc.) ; d'ordre chimique, l'astringence et le gaz.

Les défauts d'ordre tactile et d'ordre chimique ont souvent pour origine des vinifications hasardeuses. Le dégustateur est plus sensible aux défauts d'un vin qu'à ses qualités, surtout aux défauts que l'on pourrait qualifier de « mécaniques » : manque de pureté (dépôt en suspension), astringence excessive (fermentations mal conduites), gaz (soutirage insuffisant, fermentations malolactiques inachevées).

La longueur en bouche

On pourrait croire que le dégustateur, après avoir regardé, humé puis analysé ses sensations en bouche, avale et que tout est dit. Ce serait une erreur car il manque la touche finale, celle qui à elle seule pourrait permettre de distinguer un petit vin d'un grand. C'est la longueur en bouche ou persistance en bouche. C'est à la fois très simple et très compliqué. Lorsqu'on avale une gorgée de vin, la puissance aromatique envahit la bouche puis s'estompe petit à petit. La durée de cette perception correspond à la *longueur* en bouche. On la mesure en secondes — ou *caudalies*. Plus un vin est long, plus il est grand. *A contrario*, un vin court n'est jamais totalement réussi. Cette mesure est à la portée de tous, mais une petite difficulté surgit : les sensations sont toujours mêlées, les constituants aromatiques d'un vin s'appuient sur sa charpente, or dans l'estimation de la longueur en bouche la sensation de charpente n'entre pas en compte. Interviennent dans cette dernière l'acidité, certains tanins appuyés par l'alcool. Nous ne donnerons qu'un exemple : le vinaigre laisse un souvenir durable en bouche, or il n'est pas long au sens où nous l'entendons, seul l'acide acétique persiste. Ce qui rend néanmoins la mesure des caudalies facile, c'est l'équilibre des vins qui méritent l'attention : lorsqu'un vin est réussi, charpente, chair, constituants aromatiques vont de pair, ils s'épanouissent et s'évanouissent de concert.

Harmonie et temporalité

L'harmonie recherchée suppose un enchaînement sans heurts des impressions successives : l'œil doit annoncer le nez que la bouche confirmera. Un vin rouge qui aurait une bouche de vin blanc ne saurait convenir, un Champagne qui aurait un nez de Bordeaux et une bouche de Blanquette de Limoux ne présenterait aucun intérêt.

En bouche la première impression est l'attaque. Il faut qu'elle soit nette, franche, précise. De nombreux vins du Sud ou d'années trop chaudes, faibles en acidité, n'ont pas d'attaque ou ont une attaque molle. Se produit ensuite l'épanouissement : la bouche est irradiée aromatiquement sans trou ni creux, avec constance et continuité. Suit la longueur en bouche : les impressions doivent prolonger sans hiatus l'épanouissement.

Les dégustations comparatives présentées dans le cours supérieur permettront de se familiariser avec le vocabulaire de l'amoureux du vin.

L'équilibre des sensations

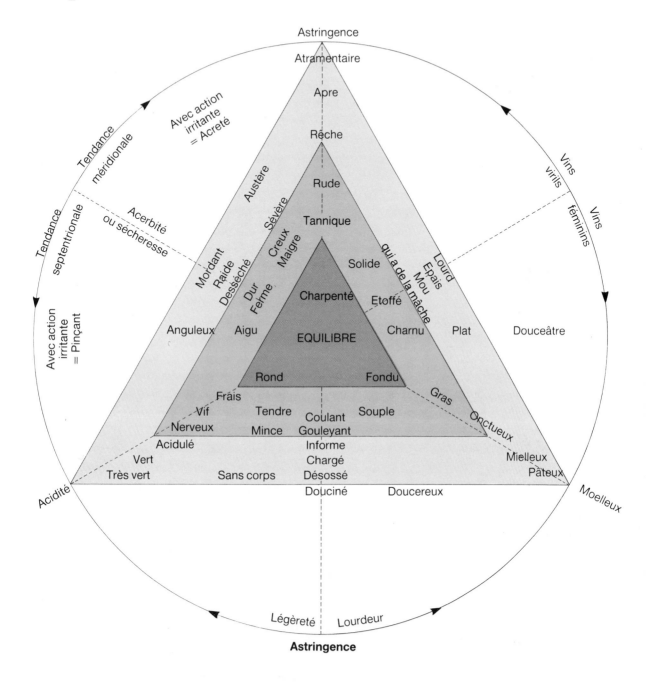

Dans les pages précédentes nous avons appris à déchiffrer une partition, nous savons reconnaître les instruments, les hauteurs de son, les timbres; sommes-nous mélomanes pour autant? Non. Il nous faut maintenant savoir distinguer cacophonie d'harmonie, il nous faut déterminer quels sont les composants indispensables, imaginer ceux qui sont complémentaires et ceux qui sont incompatibles.

Le vin de qualité est celui qui donne le sentiment d'équilibre; ce point central où les forces s'annulent après s'être conjuguées est représenté dans le schéma ci-dessus (cas des vins rouges).

Le cycle de la vigne

Ci-contre, *la vie de la vigne, des premières feuilles aux raisins mûrs.*

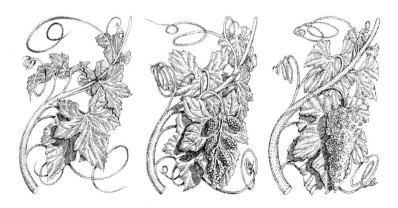

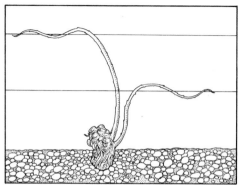

La vigne est une plante modeste, une liane sauvage domestiquée. Elle pousse facilement dans divers sols, même pauvres pour peu que le climat soit tempéré et que ses racines ne pourrissent pas dans une humidité excessive. Nous ne nous intéressons pas à la vigne en tant que telle mais en tant que plante pouvant produire des raisins vinifiables. Dans cette manière de voir la question change profondément. En effet, l'expérience montre que les meilleurs vins sont issus de vignes qui souffrent, au sens végétal du terme. Ce n'est pas dans les terres riches et bien irriguées, soumises au meilleur ensoleillement, que naissent les grands vins. Ce n'est pas non plus dans les terres impropres à toute culture, constamment à l'ombre et à la pluie, que peut croître la vigne. Des études précises montrent que les vins les plus fins naissent à la limite septentrionale de la culture de chacun des cépages dont ils sont issus, étant entendu que les diverses variétés de cépages ne suivent pas toutes le même cycle végétatif, donc n'occupent pas tous les mêmes régions. Le deuxième cours consacré aux cépages (p. 68) approfondit ces questions.

Le cycle végétatif de la vigne contraint le vigneron à des travaux constants. Ne dit-on pas qu'il passe trente-six fois par an dans sa vigne ? Comme toutes les plantes la vigne se repose en hiver. C'est une adaptation au climat tempéré car, sous les tropiques, les cycles végétatifs se superposent et la vigne porte en même temps des fleurs, des raisins verts et des raisins mûrs. Seule une taille rigoureuse rétablit dans ce cas un cycle. Dans les pays tempérés, c'est le réchauffement du sol qui réveille la vigne. Durant l'hiver, le froid et le gel ont suspendu la vie de la plante. La vigne résiste bien au gel encore que les années très froides, en 1956 par exemple, où des températures continuellement inférieures à − 20 degrés centigrades ont été relevées, puissent la tuer. A la fin de l'hiver ou au début du printemps, le sol se réchauffe. Lorsqu'il atteint 11 degrés, la sève monte et on peut la voir couler des sarments taillés : on dit que la vigne *pleure*. C'est à ce moment que les bourgeons se développent; leur éclatement s'appelle le *débourrement* car il crève la bourre qui le protégeait du froid. Ce débourrement est plus ou moins précoce selon les cépages. Le gel guette les bourgeons à tel point qu'on les protège en chauffant l'air ambiant ou en arrosant la vigne, la glace qui emprisonne les bourgeons les isolant du froid (Chablis, Champagne).

Le deuxième moment périlleux pour la vigne se situe vers le mois de mai au moment de la floraison. Pour que les fleurs donnent naissance à des baies ou grains de raisin, il

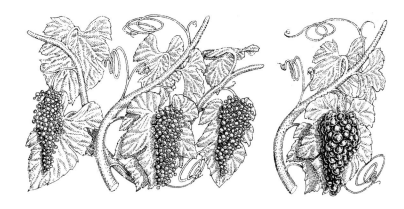

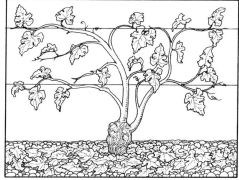

Ci-dessous, chaufferettes antigel à NapaValley, en Californie : la vigne a besoin d'être protégée contre les conditions météorologiques défavorables.

faut qu'il y ait fécondation, c'est ce que l'on appelle la *nouaison*. Dans de mauvaises conditions atmosphériques, la nouaison ne se produit pas, il y aura donc peu de raisins. Parfois de petites baies sans pépins se développent, ce sont les *millerands*, et l'on dit qu'il y a eu millerandage. Le rendement de l'année se décide en grande partie à ce moment.

Entre la fleur et la vendange s'écoulent cent jours. C'est pendant cette période que l'ensoleillement est capital. Des températures de 30 degrés sont favorables, si possible associées à une petite pluie vers le 15-20 août. Il est rare qu'un grand vin naisse de vendanges pluvieuses même si les conditions préalables étaient parfaites (Bordeaux 1964, par exemple).

Le développement de parasites est également important. A ce sujet de grands progrès ont été réalisés depuis quelques années. Les nombreux traitements, en particulier les traitements préventifs systémiques, sauvent des récoltes et des millésimes et permettent au raisin de traverser sans dommage de néfastes périodes qui les eussent pourris autrefois et d'atteindre leur plein mûrissement. Ce fut le cas des beaux millésimes tardifs 1978 et 1979 dans le Bordelais.

Après les vendanges, les feuilles roussissent, tombent et le vignoble entre dans sa léthargie hivernale.

La culture de la vigne

Actuellement on arrache la vigne lorsqu'elle atteint l'âge de trente à cinquante ans. Plus une vigne est vieille, moins elle donne de raisin, mais plus elle est vieille, meilleur est le vin. Pour le propriétaire le dilemme est d'importance : il doit choisir entre quantité et qualité. Plus il vend son vin cher, plus il peut laisser vieillir son vignoble. C'est le cas de tous les premiers crus bordelais. En fait, les choses ne sont pas si simples. Le renouvellement se fait par tranches afin de régulariser la qualité de la production.

Une vigne doit atteindre l'âge de quatre ans pour que ses raisins puissent être légalement incorporés à une cuvée de vin d'appellation contrôlée. Les grands châteaux craignent la légèreté des vins issus de jeunes vignes, aussi attendent-ils huit ans avant de leur permettre de participer au *grand vin*.

La décision de replantation suppose résolu le choix de la variété du cépage et de la densité de plantation, qui peut varier de 5 000 à 10 000 pieds à l'hectare. Il faut également avoir déterminé quel sera le porte-greffe que l'on mettra en terre puisque les vignes post-phylloxériques sont composées d'un porte-greffe, racine qui alimente le greffon, producteur de raisin (voir plus bas, p. 34-35)

Culture, traitements

On répète souvent que les terrains pauvres conviennent à la vigne ; cela est vrai mais on oublie l'énorme quantité d'engrais dont le vignoble est comblé, à commencer par 25-30 tonnes par hectare de fumier auxquelles s'ajoutent près d'une demi-tonne d'engrais phosphaté et une tonne d'engrais potassique enfouis à la plantation. Tous les quatre ans un amendement semblable enrichira le sol. Nous ne nous étendrons pas sur les très nombreux travaux qu'exige la vigne : labour d'automne ; buttage pour protéger le pied de vigne ; labour de printemps ; débuttage pour dégager le pied ; décavaillonnage (enlèvement de la terre entre les ceps) ; mise à plat du sol en mai et binage d'été. Les adeptes de la non-culture et de l'enherbement s'abstiennent de ces travaux, les autres, les plus nombreux, répandent des désherbants. Tous, en revanche, doivent constamment lutter contre les maladies de la vigne, celles nées des carences du sol, celles bactériennes, celles, très nombreuses, d'origine cryptogamique (mildiou, oïdium, blackrot, pourriture), combattues par les fongicides, celles, nombreuses également, d'origine animale (charançon, pyrale, cochylis, chenilles, phylloxéra et araignées). A chaque

Ci-dessous, le vignoble de Châteauneuf-du-Pape. La vigne pousse dans un sol de cailloux roulés caractéristique.

Ci-dessous, à droite, pulvérisation manuelle dans un vignoble du Jurançon : des pulvérisations répétées sont nécessaires pour protéger la vigne des ravages des bactéries, des champignons et des insectes.

maladie correspond un traitement spécifique. Certaines d'entre elles exigent plusieurs passages dans le vignoble (lutte préventive anti-pourriture, par exemple).

La taille

La qualité du vin dépend de la qualité du raisin. « Donnez-moi de bons raisins et de bonnes cuves, je vous fais un grand vin », dit Jean-Paul Gardère, directeur de Château-Latour. Les traitements que nous venons de mentionner contribuent à l'état sanitaire du raisin. La taille y contribue également. Si l'on ne taille pas, les sarments s'allongent et la fructification diminue, les vieux bois n'étant pas porteurs de grappes. Si l'on taille mal, la production peut être énorme, mais les raisins seront fragiles et insipides.

La taille d'hiver

Les cépages ne sont pas tous taillés selon la même méthode. On distingue — nous simplifions — premièrement la taille *gobelet* appliquée dans le Midi, dans la vallée du Rhône, en Beaujolais et en Bourgogne ainsi qu'en Champagne. D'une façon générale, le cep supporte trois à cinq bras, lesquels portent un ou deux coursons taillés à deux yeux.

La taille Chablis est une variante de la taille gobelet (quatre bras partant directement du cep). C'est la taille en usage en Champagne appliquée aux vignes blanches.

Deuxièmement, la taille en cordon de Royat (Pinot champenois) et la taille Guyot simple ou double (Bordeaux) : le bras du cep (les deux pour la Guyot double) suit le fil de palissage et comporte six à huit yeux (2x3 ou 2x4 pour la Guyot double). La taille a pour but également de faciliter l'ensoleillement de la vigne, de simplifier les travaux culturaux et de permettre la vendange mécanique.

Les tailles vertes et d'été

Ce sont l'ébourgeonnage (suppression des bourgeons inutiles), l'écimage (coupe des cimes), le rognage, ablation de l'extrémité des rameaux, et l'effeuillage, juste avant les vendanges.

Cet effeuillage dégage la grappe, facilite la vendange et diminue les risques de pourriture. Il doit être tardif car la vigne capte le soleil par les feuilles : pas de feuilles, pas de sucre dans le raisin.

Ci-dessous, *la taille de la vigne en Champagne.*

Sol et climat

On ne répétera jamais assez que la qualité du vin dépend de quatre éléments : la **géologie**, la **climatologie**, l'**encépagement** et la **vinification**, dans laquelle nous incluons élevage et garde. On pourrait y ajouter les conditions de dégustation. L'Académie du Vin s'intéresse à tous ces paramètres qui contribuent à la définition de la qualité et du type.

Sous-sol, sol

Il est difficile de distinguer le sous-sol du sol. Où finit l'un, où commence l'autre ? Il arrive que les racines de la vigne, quand elle le peut et quand cela lui est nécessaire, aillent puiser leur nourriture à de grandes profondeurs. On a pu le constater du côté de Saint-Emilion, à Château-Ausone et à Château-Pavie par exemple où, dans les caves creusées à 10 ou 15 mètres sous le vignoble, apparaissent les racines de vieilles vignes. Ainsi que

nous l'avons dit, la vigne se développe mal dans des terres très humides, malgré cela les racines plongent dans le sol à la recherche de l'humidité. Ces simples constatations permettent de définir les meilleures terres à vignes. Il faut que le drainage naturel soit efficace et que les racines ne rencontrent pas dans leur descente d'obstacles incontournables. Cela correspond à la description des graves profondes et, à un moindre degré, du calcaire à astéries (exemple : Médoc et Saint-Emilion). Dans les graves, l'eau ne s'accumule pas et les racines ont la possibilité de se développer; dans le calcaire à astéries, les racines s'encastrent très profondément dans les fissures entre les blocs de calcaire. Les terres sablonneuses et siliceuses donnent souvent des vins fins mais trop légers; à l'opposé, les sols calcaires et argilo-calcaires sont à l'origine de vins plus robustes que fins. La présence de cailloux fa-

Ci-contre, les vignes de Châteauneuf-du-Pape croissent souvent sur des coteaux en éboulis; les cailloux facilitent le drainage et l'aération du sol; en outre, ils accumulent la chaleur pendant la journée et la restituent la nuit.

cilite non seulement le drainage et l'aération du sol, mais répartit aussi la chaleur qu'ils accumulent pendant le jour et qu'ils restituent pendant la nuit. C'est à Châteauneuf-du-Pape que la vigne pousse dans un véritable pierrier. L'autre élément thermique dont il convient de tenir compte est la couleur du sol. Les terres claires, marnes kimeridgiennes (argilo-calcaires), craie, tuf conviennent aux vignes blanches, les terres foncées sont plus propices aux vignes rouges.

Climat

Le climat est défini par l'**ensoleillement**, la **pluviosité**, la **température**, le **régime des vents** et leur répartition temporelle. Les régions trop ensoleillées produisent des raisins riches en sucre mais trop pauvres en acidité. Un excès d'ensoleillement se traduit par un manque de finesse des vins. Inversement, les vins maigres, trop acides et faibles en alcool, sont la preuve d'un ensoleillement trop faible.

La vigne a besoin de 400 à 600 millimètres de précipitations annuelles. Les chutes de pluie, utiles en hiver et au début du printemps, sont nuisibles en été et au début de l'automne. Au-dessous d'une moyenne annuelle de 10 degrés, la culture de la vigne est précaire. La qualité du millésime se décide en août et en septembre. Des températures supérieures à 30 degrés donnent des millésimes de bonne qualité. Les vents du nord sont favorables dans les régions chaudes, ils assainissent le vignoble. Des vents trop violents cassent les sarments.

Ci-contre, un vigneron examine le sol sablonneux dans un vignoble de Napa Valley, en Californie.

Les greffages

Toutes les maladies que nous avons mentionnées jusqu'ici sont, certes, préjudiciables à la qualité du vin. Mais il en est une qui faillit avoir raison du vignoble et du vin européens au XIX° siècle. Cette maladie fut provoquée par un puceron (la *Dactylosphoera vitifolii*) venu d'outre-Atlantique vers 1860. Il avait été transporté des Etats-Unis probablement sur des plants ou des grappes de raisin. En 1863 le phylloxéra fit son apparition dans les vignobles du Gard. Très rapidement l'épidémie se propagea vers le nord, à Orange, dans le Vaucluse et dans la Drôme. Les vignobles du Bordelais et du Portugal en furent atteints dès 1868.

Tout le vignoble européen producteur de vin fut touché et plus jamais, semble-t-il, ne renaîtra de vignoble préphylloxérique. Personne ne se doutait de sa présence car les vignes américaines (*vitis Lambrusca*) sont immunisées contre ce fléau. En un demi-siècle, il détruisit la totalité du vignoble européen, le seul traitement que l'on ait découvert pour le détruire étant difficilement applicable : le sulfure de carbone.

La première idée qui vint aux vignerons fut de planter des vignes américaines puisque celles-ci résistaient au phylloxéra. Malheureusement ces plants se révélèrent incapables de produire des vins de qualité. La solution s'imposa lorsqu'on comprit qu'il fallait additionner la résistance des racines américaines et la qualité des raisins européens, c'est-à-dire greffer sur une racine américaine appelée porte-greffe un greffon européen. Aujourd'hui les vignes de qualité du monde entier sont greffées ainsi. Seuls les ceps plantés dans le sable peuvent être *francs de pied* (non greffés) car le phylloxéra ne supporte pas cet élément.

Depuis la reconstitution du vignoble, les experts et les amateurs discutent et parfois se disputent afin de déterminer l'influence du greffage sur la qualité du vin. Les comparaisons sont difficiles car les vins préphylloxériques remontent à plus d'un siècle ! Le dernier vignoble de qualité à n'avoir conservé que des vignes franches de pied fut la Romanée-Conti (jusqu'à la fin de la guerre). Actuellement Bollinger (Champagne) vinifie séparément deux petites parcelles de Pinot Noir non greffé (dit *vieilles vignes françaises*).

Pour tenter de se faire une opinion, il faut tenir compte des données suivantes : le grand avantage de la vigne franche de pied est sa longévité. Sa vie se prolonge sur près d'un siècle; or on se souvient que plus l'âge de la vigne est grand plus la qualité du vin est remarquable, plus un bouquet s'affine et plus sa complexité s'accroît. En regard de cela, quels sont les avantages et les défauts des vignes greffées en dehors de leur résistance au phylloxéra ? Alors que les vignes franches de pied admettent tous les types de sol hormis ceux humides, trop argileux ou trop salés (chlorose), les vignes américaines, donc les racines du vignoble actuel, supportent mal le calcaire, qui les chlorose (jaunissement des feuilles). En outre, les vignes greffées ont le défaut de vivre moins longtemps. En revanche, le vigneron dispose de nombreux porte-greffes différents (hybridés ou non), une trentaine en France, qui lui permettent de bonnes adaptations aux greffons et aux terrains, et qui lui offrent la possibilité de choisir le type de raisin qu'il souhaite. En effet, suivant le porte-greffe, la vigueur, le taux de sucre, le rendement, la résistance aux maladies varient.

Dans tous les pays, des pépiniéristes créent régulièrement de nouveaux porte-greffes, aux qualités sans cesse améliorées et toujours mieux adaptés au sol, en particulier au calcaire. Le dernier en date est le Fercal, dont on attend beaucoup à Saint-Emilion et en Champagne.

En France, plus de 4·000 hectares sont consacrés à la production des porte-greffes.

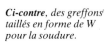

Ci-dessus, le puceron du phylloxéra (Dactylosphoera vitifolii).

Ci-contre, des greffons taillés en forme de W pour la soudure.

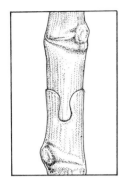

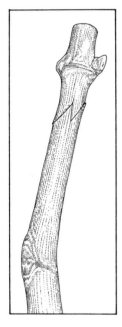

Ci-dessus, en haut, de nos jours les greffons sont taillés en forme de U (dite aussi greffe omega). Cela permet d'effectuer la greffe à la machine.

Ci-dessus, la greffe traditionnelle en W (greffe Phénix).

Ci-contre, la taille et l'assemblage du porte-greffe américain (tiges foncées) au greffon français (tiges pâles).

La culture mécanique

Ce n'est qu'après la dernière guerre que la mécanisation des travaux de la vigne s'est imposée. L'invention du tracteur enjambeur a transformé la vie du vigneron et permis la multiplication des traitements administrés au vignoble. Les enjambeurs ont un écartement variable et les plus perfectionnés sont pourvus de correcteurs hydrauliques d'assiette afin de pouvoir travailler sans risque dans les vignobles de coteaux dont les *règes* ne suivent pas la pente.

Lorsque celle-ci est trop forte et que les rangs sont dans son axe, on peut utiliser des treuils. Cette mécanisation particulière a per-

mis de remettre en culture des vignobles abandonnés, les travaux et le remontage manuels de la terre exigeant trop de main-d'œuvre (Sancerre, vignoble suisse). Sont actuellement à l'essai de nouveaux enjambeurs pour vignobles très pentus et difficiles d'accès, des enjambeurs non pas munis de roues mais de jambes et de pieds articulés qui s'adaptent à l'inclinaison du sol tout en maintenant le corps de l'appareil horizontal. Ce type d'enjambeur est spécialement destiné aux vignobles en terrasses qui sont exclusivement tributaires de la culture manuelle.

Sur les tracteurs enjambeurs se montent

Ci-dessous, un tracteur enjambeur au travail dans un vignoble de Savoie. Ce type de tracteur facilite les travaux de la vigne.

toutes sortes de charrues adaptées aux divers travaux qui permettent en particulier de butter et de débutter les ceps, des décavaillonneuses munies de palpeurs afin de ne pas les abîmer. Les enjambeurs transportent également les poudreuses et les pulvérisateurs qui projettent sur la vigne les mille et un fongicides, acaricides, insecticides ou herbicides nécessaires.

Aucune machine ne peut assurer la taille; en revanche, l'usage de sécateurs pneumatiques ou de sécateurs hydrauliques supprime les efforts et augmente le rendement horaire du travail. Une machine automatique ramasse et broie les sarments taillés, les incinère ou les enfouit dans le sol pour le fertiliser. L'écimage est également mécanisé, des écimeuses rotatives montées sur le tracteur enjambeur rognent et éciment, donnant au vignoble la régularité d'un jardin à la française. Il convient de rogner avec discernement car c'est par la photosynthèse assurée par les feuilles que les raisins se chargent en sucre. Enfin, avant de vendanger, surtout si la vendange est mécanisée, le tracteur enjambeur se

transforme en effeuilleuse pneumatique afin de dégager les grappes et d'éliminer les feuilles fragiles.

La mécanisation des vendanges

Ces machines sont de plus en plus employées. A la suite d'une taille appropriée, les grappes sont régulièrement disposées à des hauteurs normalisées. Des batteurs font tomber baies et grappes qui sont ramassées par un tapis roulant. Les feuilles éventuelles sont éliminées par ventilation. La qualité du travail dépend de l'encépagement, de l'état sanitaire du raisin et de la vigne, du réglage et de la vitesse de la machine. Dans des conditions normales, la machine travaille aussi bien sinon mieux qu'une équipe de coupeurs.

En outre, ces machines peuvent travailler jour et nuit si le temps menace. Enfin, la rapidité aidant, elles offrent au vigneron la possibilité de commencer et d'achever le ramassage du raisin à sa pleine maturité. Les machines à vendanger toutefois sont interdites en Champagne et ne permettent pas le ramassage des raisins atteints de pourriture noble.

Ci-dessous, une machine à vendanger dans un vignoble de Cahors.

Introduction à la vinification

On appelle vinification l'ensemble des opérations nécessaires à la transformation des raisins en vin consommable. Lorsqu'on se réfère aux ouvrages consacrés au vin écrits avant la dernière guerre, on constate que la vinification n'est pas mentionnée. Depuis, tout a changé, l'art du vinificateur s'est développé, un nouveau personnage est entré en scène : l'*œnologue*. Aujourd'hui, les amateurs de vin savent que, aux pouvoirs du cépage, du sol et du climat, s'est ajouté un nouveau pouvoir né de la maîtrise des techniques de vinification. Celles-ci se sont beaucoup développées depuis un demi-siècle, surtout si on les compare à ce que décrivaient les moines au XVIIe siècle dans leur traité de *L'art de gouverner les vins*. Ces quelques constatations nous permettent de saisir toute l'ambiguïté de ce nouveau maître du vin qu'est l'œnologue. Ce technicien doit connaître la physique et la chimie, mais c'est aussi un artiste puisqu'un grand vin est un chef-d'œuvre. Il y a de bons et de mauvais œnologues. Les mauvais produisent de mauvais vins, même avec d'excellents raisins. Les bons se divisent en deux catégories, l'une à tendance technique, l'autre à prédominance artistique.

Les œnologues techniciens créent des vins froids, sans défauts mais sans charme ; les œnologues artistes se divisent eux-mêmes en deux catégories. Dans la première, l'œnologue impose sa personnalité, signe son vin, souvent au détriment du terroir ; dans la seconde, l'artiste s'efface derrière son vin, tout son effort tendra à magnifier le terroir et les caractères des cépages.

L'Académie du Vin, accordant une grande importance aux problèmes de vinification, tient compte de l'opinion des vignerons. Ceux-ci nous ont affirmé à plusieurs reprises que la vinification intervenait pour plus de la moitié dans la qualité d'un vin. Nous ne pouvions négliger un élément aussi important. Nous ne pouvions ignorer non plus des pratiques qui déterminent le type d'un vin. Avec les mêmes raisins rouges, il est possible de produire un vin léger, frais, rouge clair, plus fruité que corpulent, à boire dans sa jeunesse ou dans son extrême jeunesse ; ou bien un vin riche, très sombre, chargé en *extrait*, d'une grande complexité aromatique, imbuvable avant dix ans de garde ; ou encore un petit rosé pour l'été ; ou encore, à la rigueur, un vin blanc tout à la fois fin et vineux.

De même, avec des raisins blancs identiques, le vinificateur peut embouteiller un vin fruité-floral aux bouquets primaires séduisants ; un vin sec facile pour le début d'un repas ; un grand vin blanc aux arômes secondaires évolués d'où le goût du raisin s'est enfui ; un vin moelleux ou doux ; un vin blanc sec perlant ou mousseux.

Le type et la qualité du vin sont entre les mains du vinificateur. A l'Académie du Vin, par la seule dégustation, nous prenons plaisir à deviner le chemin suivi par le vinificateur, à comparer des vins de même provenance et de même origine communale mais de propriétés différentes. Cette approche complexe du vin dépasse la vision hédoniste et suppose une connaissance des principes de vinification.

Ci-contre, dégustation du vin tiré du fût en Beaujolais : la qualité d'un vin dépend en grande partie de la compétence et du goût du vinificateur.

Page ci-contre, pesage à Margaux

La cuverie

La *cuverie* proprement dite est le local où le moût se transforme en vin. Elle est située à l'arrière du local de réception des raisins qui comprend en général un *fouloir* ou *égrappoir*. Elle précède la cuverie de conservation et les chais de vieillissement (ou d'élevage). Le vin est *collé*, *filtré*, mis en bouteilles; celles-ci sont alors habillées et réunies en caisses.

Chacune de ces opérations a suscité la création d'un matériel spécifique. Le fouloir a pour fonction de fouler le raisin, d'en libérer le jus en faisant éclater la peau. Autrefois on foulait aux pieds, mais de nos jours les baies passent entre deux rouleaux suffisamment rapprochés pour rompre la peau des baies. L'égrappoir ou érafloir est un appareil qui sépare la rafle, partie ligneuse qui supporte les baies, des baies elles-mêmes. Quelques rares châteaux, Palmer par exemple, éraflent encore à la main sur une grille.

Les cuves de fermentation peuvent être en bois, en ciment, en matière plastique, en métal émaillé ou en acier inoxydable. Elles peuvent être ouvertes (Bourgogne) ou fermées (Bordeaux). Leur volume est très variable, de 9 à plusieurs milliers d'hectolitres. Certains vins blancs fermentent dans des tonneaux de 2 hectolitres ! La température du moût doit être surveillée et contrôlée. Les températures de fermentation doivent être régulées par aspersions d'eau froide; l'intervention de pompes à chaleur ou des échangeurs thermiques à serpentin permettent la conduite des températures de fermentation. Des pompes font circuler le vin du bas de la cuve pour le rejeter au sommet de celle-ci, c'est le *remontage*, prati-

que déterminante pour la qualité des vins rouges. Les pompes servent également à transférer le vin d'une cuve dans l'autre, c'est l'*écoulage*. Le « gâteau » de marc recueilli dans la cuve est transféré dans un pressoir. Les raisins blancs ne subissent pas d'écoulage et sont directement acheminés au pressoir.

De nos jours, la plupart des pressoirs sont horizontaux, pneumatiques ou électriques à pression contrôlée. Il est très important que les pépins des baies ne soient jamais écrasés : il s'en dégagerait une huile amère, fatale à la qualité du vin. A l'intérieur du pressoir, deux

Ci-contre, en haut, à Château-d'Yquem, pressoir vertical traditionnel toujours en usage dans les grands châteaux sauternais.

Ci-contre, pressoir à Château-Beychevelle, dans le Médoc.

plateaux commandés par une vis compriment le raisin ou le marc. Une nouvelle génération de pressoirs, dits à baudruche (photo ci-contre), pressent le raisin sur une grille cylindrique par le gonflement d'une poche caoutchoutée. Le pressurage se fait en plusieurs fois : entre chaque presse, le marc ou la vendange est émietté par l'éloignement des plateaux et un système de chaînes (voir dessin page 47) ou par dégonflement de la baudruche et rotation du cylindre. Lorsque tout le jus est exprimé, le pressoir est vidé et ses marcs secs se transforment en engrais ou sont livrés à une distillerie (marc, alcool vinique). Le vin est ensuite logé dans un cuvier isotherme qui peut être chauffé pour faciliter la *fermentation malolactique* (dégradation de l'acide malique en acide lactique à la suite de l'intervention des ferments lactiques) ou refroidi fortement pour favoriser la précipitation du bitartrate. Après cela le vin sera logé dans de grandes cuves dans l'attente de sa mise en bouteilles ou transféré dans le chai d'élevage dans des tonneaux en bois.

Dans les paragraphes suivants consacrés aux diverses vinifications, nous allons nous intéresser aux conséquences gustatives de ce long cheminement qui préside à l'élaboration du vin.

Ci-dessus, cuves en acier inoxydable dans une cave de vinification moderne en Californie. Ces cuves sont utilisées aussi bien pour la fermentation que pour le stockage des vins. On remarque au premier plan un pressoir horizontal moderne pneumatique à baudruche.

Ci-contre, des fûts de chêne dans le chai de vieillissement. L'âge, le bois et son traitement jouent un rôle dans le goût qu'acquerra le vin.

Les vins rouges

Le vin rouge est obtenu par cuvaison de raisins rouges, quelques raisins blancs pouvant être joints à la vendange. Ce sont des tolérances en Bourgogne, des usages dans la vallée du Rhône et une obligation fâcheuse dans le Chianti. Pour qu'un vin soit rouge, il faut que les pigments qui teintent la peau soient dissous dans le jus incolore des raisins. Cette dissolution est possible sous l'effet de la chaleur ou de l'alcool, ou bien des deux ensemble.

Si nous accordons une attention particulière à la vinification à l'Académie du Vin, c'est parce que, à tout moment, le vinificateur, tel un peintre en face de sa palette, a la possibilité de créer le vin de son goût. Nous allons suivre la vinification à travers les possibilités dont dispose le vinificateur et les conséquences de ses divers choix.

Tri et pressurage

Lorsque le raisin arrive au cuvier, il peut être plus ou moins trié. Il l'est fortement en Champagne, il l'est obligatoirement dans la vallée du Rhône (5 % de rebut à Châteauneuf-du-Pape, par exemple) d'où un premier choix qualitatif. La vendange peut être foulée et (ou) éraflée. Il s'est pas impossible de soutenir qu'un éraflage manuel, tel celui pratiqué à Château-Palmer, permet un tri supplémentaire. Toutes les vendanges sont foulées, sauf cas particuliers décrits pages 54-55. La question de l'éraflage est plus compliquée. Selon la variété du cépage, les *rafles* peuvent être bénéfiques ou nuisibles. Ainsi les rafles de Pinot ou de Merlot peuvent-elles contribuer à la qualité de la cuvaison alors que celles de Cabernet ou de Carignan n'apportent guère que des caractères herbacés désagréables. D'une façon générale, l'éraflage contribue à la finesse du vin. Dans d'autres cas, de bonnes rafles peuvent renforcer son caractère tannique et contribuer à sa longévité.

Fermentation

Ces raisins, éraflés ou non, ou partiellement éraflés, foulés sont déposés dans la cuve de fermentation. A ce stade, le vinificateur peut jouer sur trois éléments : la durée de la macération, la température et les remontages. Au-dessous de 10 degrés, la fermentation cesse; au-delà de 35 degrés, les levures sont tuées par la chaleur. Les faibles températures favorisent les arômes primaires, apanages des vins qui doivent être bus jeunes, les fermentations chaudes contribuent à l'extraction des polyphénols et des *tanins* indispensables à l'élaboration des grands vins de garde. Même remarque concernant les durées de cuvaison; courtes : production de vins légers et gouleyants (certains vins sont baptisés vins d'une nuit), cuvaison de 24 à 36 heures; longues : jusqu'à un mois, production de vins ambitieux.

Ici encore le vinificateur tiendra compte des potentialités du millésime, du cépage et de son goût personnel. Il peut renforcer le degré alcoolique par l'adjonction de sucre au moment de la cuvaison (*chaptalisation*). Cette pratique, souvent discutable, est réglementée (2 degrés). Dans les années médiocres, il faut allonger les temps de cuvaison, mais si le raisin n'est pas sain (pourriture), il faut l'abréger, d'où contradiction ! L'influence du cépage est très importante : les variétés bordelaises, par exemple, exigent une cuvaison deux ou trois fois plus longue que le Pinot. Il n'est pas rare que le vigneron, au moment de taster le vin, ait l'impression que la cuvaison a été insuffisante; il peut être dangereux de la prolonger et le risque de maladie bactériologique (acidité volatile, etc.) est toujours possible.

Remontage

La troisième carte dont dispose le vinificateur concerne le nombre de remontages. Lors des macérations, les parties solides tendent à faire surface en haut de la cuve. Cela s'appelle le *chapeau*, qui peut être flottant ou immergé. On peut l'enfoncer de temps en temps, cela s'appelle le *pigeage*; on peut l'arroser de vin tiré du bas de la cuve, c'est le *remontage*. Ces manœuvres indispensables augmentent les extractions.

Vin de goutte et vin de presse

Lorsque le vinificateur vide la cuve, c'est l'*écoulage*. Il s'en écoule du *vin de goutte*, un vin fin parfois appelé *grand vin*. Les matières solides retirées de la cuve sont pressées en deux ou trois fois. On en extrait le *vin de presse* (première presse, seconde presse), représentant environ 20 % du volume total. C'est un vin très noir, très tannique, un peu moins alcoolisé et un peu plus acide. Il est moins fin et très désagréable à boire en l'état. En fonction de la constitution du vin de goutte, le vinificateur lui adjoindra de 0 à 100 % de vin de presse. Dans ce cas encore l'art de la vinification est capital car il y a antagonisme et complémentarité entre le vin de goutte et le vin de presse. Il pourrait paraître plus simple de ne pas incorporer de vin de presse au vin de goutte, sans doute gagnerait-on de la finesse, mais un grand vin doit pouvoir se bonifier longuement et lentement et le vin de presse contribue à la longévité du vin auquel il participe. Le vinificateur tiendra également compte des possibilités dont il dispose pour l'élevage de son vin (voir p. 48) pour doser la quantité de vin de presse à incorporer au vin de goutte. Auparavant, vin de goutte comme vin de presse auront fait leur fermentation malolactique.

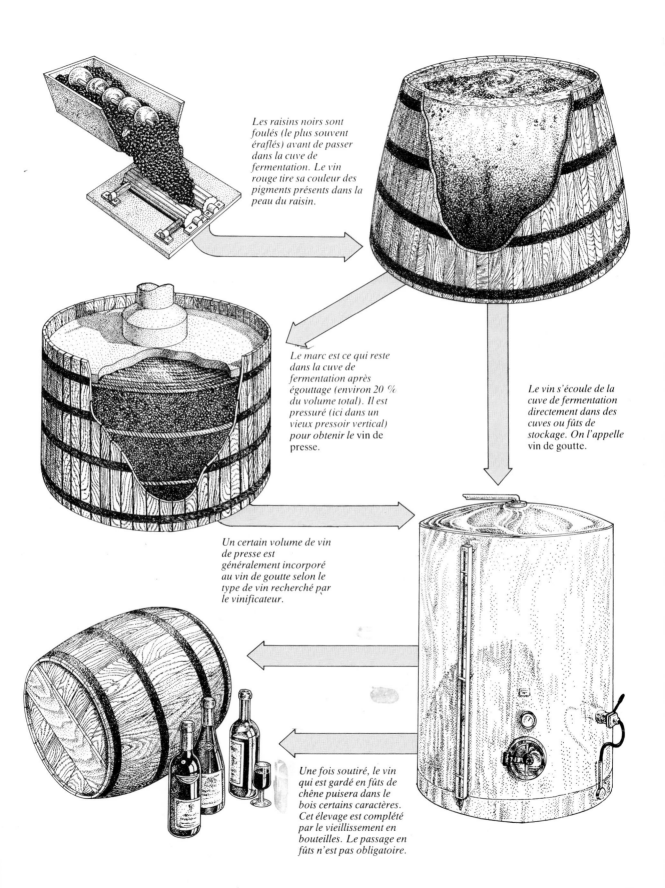

Les raisins noirs sont foulés (le plus souvent éraflés) avant de passer dans la cuve de fermentation. Le vin rouge tire sa couleur des pigments présents dans la peau du raisin.

Le marc est ce qui reste dans la cuve de fermentation après égouttage (environ 20 % du volume total). Il est pressuré (ici dans un vieux pressoir vertical) pour obtenir le vin de presse.

Le vin s'écoule de la cuve de fermentation directement dans des cuves ou fûts de stockage. On l'appelle vin de goutte.

Un certain volume de vin de presse est généralement incorporé au vin de goutte selon le type de vin recherché par le vinificateur.

Une fois soutiré, le vin qui est gardé en fûts de chêne puisera dans le bois certains caractères. Cet élevage est complété par le vieillissement en bouteilles. Le passage en fûts n'est pas obligatoire.

Les vins rosés

L'élaboration de vins rosés par mélange de vins blancs et de vins rouges est interdite en Europe, avec une seule exception : les Champenois peuvent légalement rosifier leur cuvée par adjonction de vin rouge originaire de la même aire d'appellation. Nous distinguerons trois types de rosés, chacun issu d'un type de vinification différent : ce sont les rosés de pressurage, les rosés de saignée et les rosés de raisins rosés.

On pourrait définir le *rosé de pressurage* par la vinification en blanc de raisins rouges, étant entendu que les raisins rouges de qualité sont gorgés de jus incolore. Ces raisins sont foulés, égouttés et pressurés. S'il fait très chaud, une partie des pigments colorant la peau est dissoute sous l'effet de la fermentation alcoolique et de la chaleur. Les pressurages successifs sont de plus en plus colorés ; généralement, le premier pressurage est incorporé au vin de goutte pour lui donner de la couleur. Ces rosés très pâles sont souvent vendus sous le nom de *vin gris*. Au goût, ils sont proches des vins blancs (vin gris de Toul, vin gris d'Orléans). Les Cabernet d'Anjou et de Saumur et les Rosés d'Anjou sont vinifiés selon ce procédé. Le *moût de goutte* et le *moût de presse* sélectionné se retrouvent dans la cuve sans avoir été débourbés (contrairement au cheminement des moûts blancs), ils fermentent dans les mêmes conditions que les moûts de vin blanc, c'est-à-dire à basse température et sévèrement protégés de l'oxydation. Ils font ou ils ne font pas leur fermentation malolactique selon le type de vin souhaité, exactement comme les vins blancs.

Les *rosés de saignée* sont en fait des vins rouges de macération partielle ou de cuvaison courte. Contrairement aux rosés de pressurage, on peut donc les définir comme le produit d'une vinification en rouge de raisins rouges. Foulés, éraflés ou pas, ils macèrent un temps limité de quelques heures à deux ou trois jours, déterminé par la couleur désirée. Ensuite la cuve est *saignée*, c'est-à-dire qu'on en écoule une partie, environ un quart ou un tiers, le reste étant vinifié en rouge. Ce qui est écoulé poursuivra sa fermentation hors du contact des peaux, donc hors de toute substance colorante. Ces rosés, d'une qualité supérieure à ceux obtenus par pressurage, font leur fermentation malolactique.

Le troisième type, *rosé de raisins rosés*, est plus rare ; il ne s'en trouve guère que dans le Jura. Il s'agit de la vinification en rouge d'un raisin très spécial, le Poulsard, qui a la particularité d'avoir une peau et un jus roses. Ces raisins peuvent donc macérer longuement et l'extraction des matières colorantes et aromatiques est importante. On peut facilement soutenir que c'est un vin rouge très clair puisqu'il est vinifié exactement comme un vin rouge.

Alors que les rosés de pressurage doivent être bus rapidement, dans l'année si possible, les rosés de saignée peuvent attendre un peu plus, les cas de bonification étant rares. Quant aux rosés de Poulsard, ils suivent une évolution bénéfique durant plusieurs années, particularité qui les rapproche des vins rouges.

Les rosés ont été en quelque sorte victimes de leur succès. Une clientèle d'indécis qui ne veulent choisir ni blanc ni rouge les a desservis. Pourtant les rosés ont une spécificité. Ils n'ont pas la constitution des vins rouges, ils sont très légèrement plus alcoolisés (0,1 à 0,5 degré de plus) et leur faible extrait sec les rapproche plus des vins blancs que des vins rouges.

Page ci-contre, quelques-uns des cépages utilisés dans l'élaboration du Tavel.

Les vins blancs

Le vin blanc est obtenu par le pressurage direct de raisins blancs ou de raisins noirs à jus incolore. Les grands vins blancs, à l'exception du Champagne, proviennent toujours de raisins blancs.

Foulage et pressage

Lorsque la vendange arrive au cuvier, elle est immédiatement foulée, égouttée, naturellement ou mécaniquement, et pressurée. Les égouttoirs mécaniques permettent d'extraire 75 % de moût de goutte dont la qualité est supérieure au moût de presse. Plus on presse, plus la qualité diminue. Les derniers 10 ou 15 % sont de faible acidité et contiennent beaucoup de tanins et de fer. Ils sont d'ailleurs colorés et ne sont pas incorporés au vin.

Dans tous les cas, le moût doit être protégé de l'oxydation. Pour cela on procédera rapidement en évitant tout brassage, on recourra à la protection assurée par le gaz carbonique, par l'anhydride sulfureux (sulfitage 8-10 g/hl) qui est tout à la fois antioxydant (réducteur) et antioxydasique. Ces *oxydases* (enzymes d'oxydation) sont l'ennemi du vin blanc et peuvent le détruire (casse oxydasique), elles attaquent les composés phénoliques, donnent de l'amertume, de l'âcreté et de la couleur. Elles sont fixées sur la matière solide de la baie. On procède au *débourbage*, séparation avant fermentation des bourbes du jus clair. Ce débourbage peut être naturel (par sédimentation, le moût est refroidi à —10 degrés pour éviter toute fermentation) ou accéléré (par centrifugation, filtration — bentonite —, floculation). Ces techniques, en progrès depuis quelques lustres, ont contribué à l'amélioration des vins blancs.

Ci-dessous, épluchage de raisins Chardonnay à Cramant pour la production de Crémant (Champagne faiblement mousseux).

Fermentation

Le moût clair, véritable jus de raisin non fermenté, est ensemencé (généralement). Des levures sélectionnées sont ajoutées au vin dans la cuve. Selon le type de vin désiré, selon l'importance de la propriété, ces « cuves de fermentation » prennent la forme de barriques de bois de 2 hectolitres environ, ou de cuves de ciment ou d'acier inoxydable de 10 à 1 000 hectolitres. La régulation des températures de fermentation doit retenir toute la vigilance du vinificateur. L'expérience montre que dépasser 19-20 degrés fait courir au futur vin des risques de pertes aromatiques. Les fermentations en petit volume (barrique) n'impliquent pas de refroidissement, contrairement à celles conduites en grandes cuves. Seules les cuves métalliques offrent la possibilité, par ruissellement, d'un contrôle réel et efficace de la température, bien que le refroidissement par échangeur donne d'excellents résultats.

Les fermentations réputées à basse température peuvent durer près d'un mois. Le vin est sec lorsqu'il contient moins de 3 grammes de sucre par litre. On s'en assure par analyse.

Fermentation malolactique

C'est à ce moment que le vinificateur prend une décision capitale : favoriser la fermentation malolactique ou, au contraire, l'interdire. Cette décision dépend de l'acidité totale du jeune vin, donc du cépage et du millésime ainsi que du type de vin souhaité. En Bourgogne, où l'on recherche une forme de souplesse, et en Suisse, en dépit du manque d'acidité du Chasselas, la fermentation malolactique sera recherchée; en Allemagne, en Champagne (parfois) et dans le Bordelais (vin sec et liquoreux), elle sera évitée. Il faut se souvenir que la dégradation de l'acide malique en acide lactique se traduit par un affaiblissement de l'acidité du vin puisque 10 grammes d'acide malique produisent 6,7 grammes d'acide lactique et 3,3 grammes d'acide carbonique qui s'échappent sous forme de gaz. Si l'on décide de favoriser la fermentation malolactique, il faudra réchauffer le cuvier; si, au contraire, on souhaite s'y opposer, le vin sera sulfité (10 g/hl) afin de détruire les bactéries lactiques.

D'une façon générale, le blanc sec standard de 11 à 11,5 degrés est apprécié si son acidité s'élève à 4 ou 5 grammes par litre.

Dans la très grande majorité des cas le vin blanc *ne fait pas de bois* (voir p. 48) afin de le protéger de l'oxydation et de sauvegarder sa fraîcheur aromatique. Mais les grands vins blancs de Bourgogne, des Graves (Bordeaux) et de la vallée du Rhône septentrionale (Hermitage en particulier) sont élevés dans le chêne : ce sont des vins blancs de garde, ils se bonifient pendant cinq années au moins.

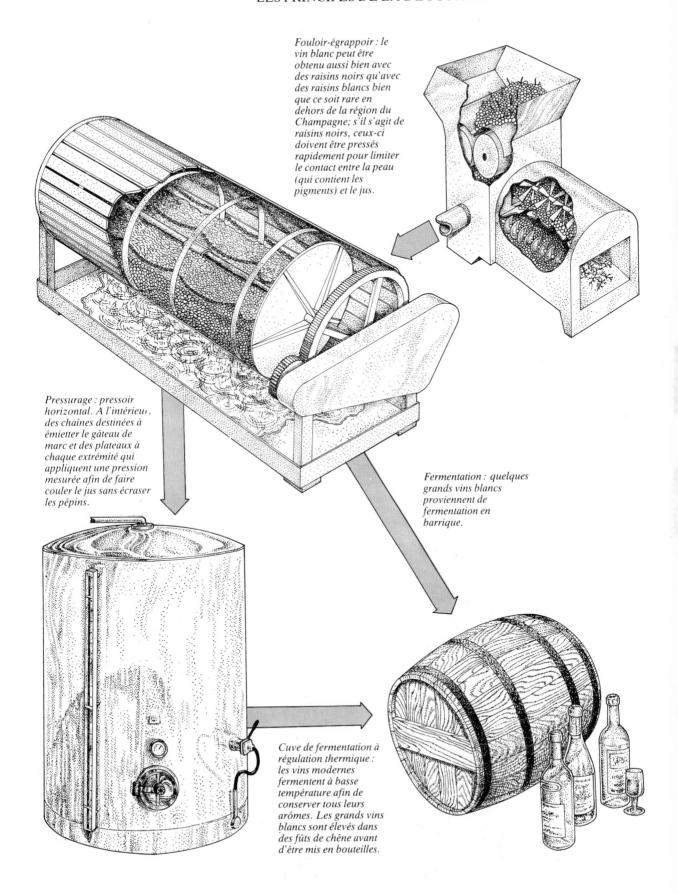

Fouloir-égrappoir : le vin blanc peut être obtenu aussi bien avec des raisins noirs qu'avec des raisins blancs bien que ce soit rare en dehors de la région du Champagne; s'il s'agit de raisins noirs, ceux-ci doivent être pressés rapidement pour limiter le contact entre la peau (qui contient les pigments) et le jus.

Pressurage : pressoir horizontal. A l'intérieur, des chaînes destinées à émietter le gâteau de marc et des plateaux à chaque extrémité qui appliquent une pression mesurée afin de faire couler le jus sans écraser les pépins.

Fermentation : quelques grands vins blancs proviennent de fermentation en barrique.

Cuve de fermentation à régulation thermique : les vins modernes fermentent à basse température afin de conserver tous leurs arômes. Les grands vins blancs sont élevés dans des fûts de chêne avant d'être mis en bouteilles.

L'élevage des vins

Dans les paragraphes précédents, nous avons suivi la transformation du raisin en vin. Mais le rôle du vinificateur ne cesse que lors de la mise en bouteilles. Celle-ci peut être réalisée rapidement ou, au contraire, dans un délai de plusieurs années (la question des assemblages est traitée dans le cours II, p. 72). Nous sommes donc amenés à considérer deux types de vin, ceux qui *font du bois* et ceux qui n'en font pas. On entend par *faire du bois* le séjour plus ou moins prolongé dans des barriques (225 litres) de bois (parfois des foudres), par opposition aux vins logés en cuves neutres, c'est-à-dire métalliques ou émaillées par exemple. Ces cuves sont dites neutres car elles ne modifient en rien le type de vin, qu'il y demeure brièvement ou longuement.

L'influence de la barrique, en revanche, dépend de la nature du bois, de son âge, de sa coupe, ainsi que du laps de temps durant lequel le vin y est stocké (voir page 208). Deux éléments se conjuguent pour faire évoluer le vin : les tanins extraits du bois passent dans le vin (200 milligrammes par litre dans la première année, cas des barriques neuves) en même temps que celui-ci s'oxyde puisque le bois, contrairement au métal, est légèrement perméable. On a mesuré la quantité d'oxygène qui passe à travers le bois, de 2 à 5 cm^3 par an et par litre auxquels il faut ajouter 15 à 20 cm^3 par an et par litre qui entrent dans le vin par contact avec sa surface supérieure. En outre, le vin est *soutiré* (déplacé quatre fois par an d'une barrique dans une autre afin de le séparer de son dépôt, de ses lies et de l'aérer). Lors de chaque soutirage, 3 ou 4 cm^3 d'oxygène par litre sont dissous dans le vin. Cette dissolution, alliée à une légère perte de degré alcoolique, contribue à la transformation des arômes primaires en arômes secondaires et à l'évolution de la couleur : au rouge violacé des *anthocyanes*, qui disparaissent par précipitation, se substitue le rouge brun-jaune des tanins.

Le vinificateur gouverne ses transformations selon son goût pour les vins plus ou moins boisés; selon la constitution du millésime, il choisira des barriques neuves ou usagées, il augmentera ou diminuera le nombre de soutirages et il laissera séjourner plus ou moins longtemps le vin dans les barriques.

Que le vin soit élevé en cuve ou en barrique, quelques manipulations tendant à clarifier le vin précèdent la mise en bouteilles. Les vins blancs seront refroidis fortement durant huit à dix jours — au-dessous de zéro degré centigrade — afin de précipiter les bitartrates de potassium. Les vins y gagnent en souplesse et perdent leur côté acerbe. De plus, cette chute des tartrates évite l'apparition ultérieure dans la bouteille de *gravelle*, sorte de neige cristalline insipide. Qu'ils soient blancs, rosés ou rouges, les vins sont *collés*. On ajoute au vin un produit coagulant (colle de poisson, sang, caséine, gélatine, blanc d'œuf, bentonite) qui, par floculation et sédimentation, en-

Ci-contre, l'échauffement de douelles mouillées déjà cerclées à une extrémité permet le cintrage de l'autre à l'aide d'un câble que l'on resserre.

Ci-contre, à droite, des fûts neufs en chêne à Château-Lascombes, Margaux.

traînera les impuretés. Après le collage, parfois à sa place, les vins peuvent être filtrés à travers des plaques plus ou moins fines (tissu, cellulose, matière minérale). Les installations modernes comportent une filtration stérilisante suivie d'une mise en bouteilles stérile.

Certains vinificateurs contemporains soutiennent qu'il est préférable d'inverser l'ordre des opérations, de filtrer avant l'élevage en barrique (Château-Cos-Labory par exemple). Il est trop tôt pour se prononcer sur les avantages de cette méthode. Signalons que les vins élevés en petit volume (barrique), très longuement, trois années par exemple, se clarifient par sédimentation spontanée. Il est très rare que les vins ne soient ni collés ni filtrés.

Ci-contre, la vélenche *(pipette) sert à goûter le vin pendant le vieillissement en fût. Château-Grand-Puch, Entre-Deux-Mers, Bordeaux.*

Méthodes de vinification 1

Ci-contre, le retroussage du marc dans un pressoir est une pratique spécifiquement champenoise.

On distingue deux types de vins, ceux qu'on appelle tranquilles et ceux dits tumultueux. Les premiers contiennent quelques milligrammes (75/litre) de gaz carbonique en solution, indécelable au palais et à l'œil, alors que dans les seconds le gaz carbonique crée dans le bouteille une pression qui peut atteindre six atmosphères. Toutes les pressions intermédiaires existent. Cela ne concerne que les vins blancs et rosés, gaz et vin rouge se mariant mal (bien que cette règle soit agréablement contredite par certains Barbera italiens).

Les perlants

On peut lire sur les étiquettes de vin blanc à boire jeune : *mis sur lie* ou *mis en bouteilles sur lie*. Un léger picotement sur la langue signale au dégustateur que le vin contient un peu de gaz carbonique. Cela n'est pas dû à une erreur de vinification, mais à la volonté de donner une impression de fraîcheur car ce gaz pallie une acidité faible ou défaillante (Muscadet, vins blancs suisses). Les vins mis sur lie sont mis en bouteilles à la sortie de la cuve de fermentation, alors que le vin se repose encore sur ses lies et qu'il n'a pas été dégazé par plusieurs soutirages. Ce procédé présente en outre quelques avantages : d'une part, soutirer un vin contribue à son oxydation, préjudiciable aux vins blancs; d'autre part, les lies ayant en elles-mêmes un pouvoir réducteur sont anti-oxydantes (Muscadet, vin de Savoie, etc.). On élabore pour les mêmes raisons des rosés perlants ou rosés frisants.

Les mousseux

Des techniques très différentes sont à l'origine de vins mousseux qui se singularisent par leur histoire, leur goût et leur usage. On peut distinguer les vins gazéifiés par apport de gaz carbonique (vins grossiers, sans intérêt et sans appellation), des vins rendus mousseux par la méthode rurale, par la vinification en cuve close ou encore par la méthode champenoise. Dans ces trois cas, il s'agit de dissoudre dans le vin du gaz carbonique issu de la fermentation du sucre du raisin ou du sucre ajouté.

La *méthode rurale* est la plus ancienne; elle est toujours utilisée pour le plus vieux mousseux du monde, le Gaillac, titre que lui dispute la Blanquette de Limoux suivie par Dom Pérignon car ce n'est que dans la première moitié du XVIIe siècle que les Champenois mirent au point un système original de prise de mousse. La méthode rurale est des plus simples. Le vin est mis en bouteilles alors qu'il n'a pas terminé sa fermentation alcoolique. Quand la fermentation cesse, nous trouvons dans la bouteille du vin contenant du gaz carbonique des résidus de fermentation et un dépôt de lie. Ce dépôt peut être chassé par dégorgement après mise sur pointes (voir Champagne) ou bien par transvasement à basse température dans une cuve sous pression, il peut être filtré et mis en bouteilles par *tirage isobare*.

La méthode champenoise exploite également le principe de la dissolution de gaz carbonique produit par la fermentation, mais celle-ci est provoquée par l'adjonction dans le vin en bouteilles d'une liqueur sucrée et de levures, c'est la *liqueur de tirage* (détail p. 97). La fermentation en très petit volume (bouteille) très lente et à basse température (10 degrés) garantit la finesse du résultat. Les bouteilles sont clarifiées par dégorgement.

Les *mousseux de cuve close* sont produits par adjonction de liqueur sucrée et de levures dans une cuve résistant à la pression. Il s'ensuit une seconde fermentation, puis le vin est filtré et mis en bouteilles par tirage isobare. Ce mousseux peut atteindre une qualité suffisante lorsque la seconde fermentation est ralentie par le froid. L'Asti Spumante est un mousseux produit en cuve close appauvri en matière azotée par filtration et centrifugation, puis stérilisé (filtration ou pasteurisation) pour éviter une refermentation du sucre résiduel qu'il renferme. La Clairette de Die — un mousseux très ancien — suit une vinification assez proche (carence azotée) mais fermente en bouteilles comme le Champagne.

Ci-contre, le remuage dans les caves d'une maison de Champagne. Les bouteilles sont mises sur pupitre, inclinées le goulot vers le bas et le remuage fait glisser le dépôt le long du verre jusqu'au bouchon.

Ci-dessous, le dépôt dans une bouteille de Champagne après la deuxième fermentation.

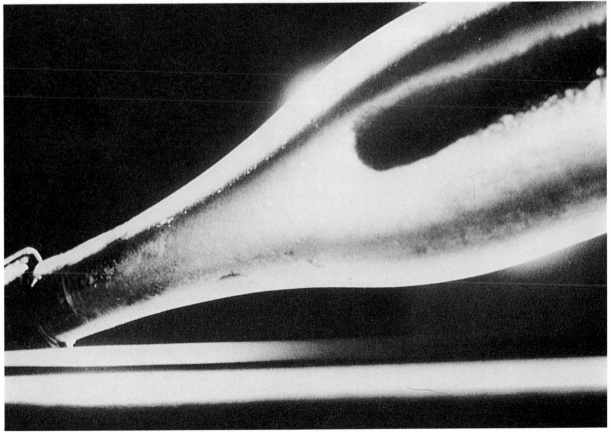

Méthodes de vinification 2

Un vin blanc est réputé sec s'il contient moins de 4 grammes de sucre résiduel par litre, demi-sec (20 g/l), moelleux (40 g/l). Au-dessus de 40 grammes de sucre par litre, on le dira *liquoreux*.

La présence de sucre résiduel ou de sucre non transformé en alcool dans un vin crée de nombreuses difficultés au vinificateur car les levures qui assurent la transformation du sucre en alcool ne supportent pas l'alcool à forte concentration. Elles se multiplient dans des liquides sucrés, à des températures moyennes (10-35 degrés environ), dont la gradation alcoolique oscille entre 0 et 15-16 degrés. Au-delà, les levures meurent tuées par l'alcool. Sachant que 17 grammes de sucre produisent un degré d'alcool, on comprend que les moûts très riches en sucre seraient théoriquement capables d'être à l'origine de vins titrant 20 degrés ou plus. Les levures ne peuvent survivre au-delà de 15 degrés, il reste donc dans le vin 5 degrés d'alcool potentiel sous forme de sucre non transformé. On dira que le vin comporte 15 degrés d'*alcool acquis*

Ci-contre, *vendanges dans les premières Côtes de Bordeaux, rive droite de la Garonne.*

A gauche, *prise d'échantillon d'un Barsac à l'aide d'une pipette.*

Ci-contre, *des raisins Sémillon atteints de pourriture noble passent au pressoir avant de devenir le plus grand des Sauternes à Château-d'Yquem.*

et 5 degrés d'*alcool en puissance* (ou 85 grammes de sucre résiduel).

Autrefois, les vins liquoreux n'étaient produits qu'au hasard de millésimes exceptionnellement riches en sucre. Depuis deux siècles, un peu avant en Hongrie (Tokay), la récolte de *raisins passerillés* (vin de paille du Jura) ou de raisins surmûris atteints de *pourriture noble* (Sauternes) se traduit par un enrichissement du taux de sucre des vendanges. Malgré cela, il est rare que ce taux de sucre soit suffisant. Sauf en cas de millésime rare ou propriété exceptionnelle (Yquem), le vinificateur doit interrompre artificiellement les fermentations pour rechercher un équilibre gustatif sucre/alcool : en général, 14 degrés d'alcool acquis et 4 degrés d'alcool en puissance. L'interruption des fermentations est baptisée *mutage*. On connaît plusieurs techniques pour tuer ou éliminer les levures. La première, la plus simple, consiste à élever la gradation alcoolique du vin (ou du moût) par adjonction d'alcool. Ce procédé appelé *vinage* est interdit dans la production de vin mais autorisé dans le cas des *Vins Doux Naturels* (Porto, Xérès, Banyuls, etc.; voir p. 200). La seconde, la plus employée, utilise l'anhydride sulfureux (SO$_2$) pour tuer les levures. Pour être efficace ce procédé exige un emploi massif de SO$_2$, incompatible avec les règlements en vigueur et qui abîme irrémédiablement le goût. Seuls les

bons vinificateurs parviennent à le doser correctement. A son effet on associe les autres moyens décrits ci-dessous :

— l'épuisement de l'azote (nécessaire à la vie des levures) par filtration et centrifugation;

— la filtration stérilisante qui élimine les levures;

— la réfrigération ou la congélation qui bloquent les fermentations mais ne détruisent pas les levures.

Citons encore pour être complet la *thermolisation* (pasteurisation partielle à 45 degrés), la *flashpasteurisation* et la *pasteurisation* (70 degrés et plus). Ces procédés « barbares » ne concernent pas les grands vins.

Si le mutage d'un vin est une opération délicate, la fermentation des vins liquoreux est elle aussi difficile : la présence d'un excès de sucre et de *botryticine*, un antibiotique dérivé du botrytis, puisque le débourbage est presque impossible, l'oxydation et l'acidité volatile sont toujours à craindre. Les vins liquoreux s'honorent des arômes les plus riches et les plus complexes et sont aussi les plus difficiles à vinifier.

Certains vins demi-secs ou moelleux sont obtenus par l'assemblage de vin sec et de vin muté. Dans ce cas il est évident que le vin sec et le vin doux (muté) doivent avoir la même origine.

Méthodes de vinification 3

Beaujolais, vins de primeur, macération carbonique

Nous avons décrit jusqu'ici les méthodes de vinification traditionnelles. Les grands vins de garde de toutes régions en sont issus. Mais, si l'on considère l'ensemble des vins, une partie considérable est vinifiée selon d'autres méthodes, parmi lesquelles la vinification en grains entiers. Ce fut probablement la première méthode de vinification pratiquée qui fut progressivement remplacée par la vinification traditionnelle.

Les vignerons du Beaujolais n'ont donc pas inventé une vinification particulière mais ont été fidèles à une ancienne pratique qu'ils ont portée à son point de perfection.

Le grand avantage de la vinification en grains entiers est son pouvoir d'extraction aromatique; son défaut majeur est son incapacité à donner au vin la charpente indispensable à un bon vieillissement. Cette vinification doit son nom au fait que les raisins sont déposés délicatement dans la cuve de fermentation (cuve fermée), donc ni éraflés ni, à plus forte raison, foulés. Elle est dite aussi *semicarbonique* car le gaz carbonique qui se développe est emprisonné dans la cuve. Les vins de primeur et la plupart des vins de pays sont tributaires de vinifications dites en *macération carbonique*. Les raisins sont déposés dans une cuve saturée de gaz carbonique venant d'une autre cuve ou d'une bouteille de gaz. Dans cette atmosphère privée d'oxygène, la fermentation ne peut avoir lieu. Il se produit alors des fermentations intracellulaires à l'intérieur de chaque baie. Ce sont des *fermentations enzymatiques* auxquelles les vins de primeur doivent leur type aromatique. Dans chaque grain, deux degrés d'alcool apparaissent alors que disparaît la moitié de l'acide malique et que le jus se colore.

Une semaine plus tard, l'oxygène est introduit dans la cuve et les levures commencent à agir. La fermentation malolactique fait disparaître le peu d'acide malique restant, le vin de goutte et le vin de presse sont assemblés. Ce type de vinification s'étend jusqu'à la vallée du Rhône et à quelques vins d'appellation du côté de Châteauneuf. On peut assembler les vins vinifiés en macération traditionnelle et en macération carbonique (Château-Beaurenard) dans l'espoir de conjuguer la charpente et la rondeur des premiers avec la souplesse et l'exubérance aromatique des seconds. Les vins de primeur vinifiés en macération carbonique doivent être bus dès que possible car le temps ne les bonifie pas.

Vin jaune

A l'opposé des vins de primeur précédemment décrits, nous découvrons un vin très particulier, du type oxydé, un véritable défi de l'œnologie. Il s'agit d'un vin blanc abandonné

Page ci-contre, en haut, moûts en cours de fermentation provenant d'un pressoir traditionnel carré.

Page ci-contre, en bas, le gâteau de marc après le pressurage.

Ci-dessus, des cuves de macération carbonique pour raisins entiers en Beaujolais.

pendant six ans dans un tonneau de 225 litres, bonde ouverte et sans *ouillage* (remplacement du vin perdu par évaporation), la *consume*. Normalement dans ces conditions le vin se pique et se transforme au mieux en vinaigre. Dans le cas du vin jaune, il se forme à la surface un voile qui le protège de l'oxygène. Ce voile de *fleur du vin* est constitué de levures (des *saccharomyces oviformis*); malgré lui ou à cause de lui une part de l'alcool du vin s'oxyde et se transforme en aldéhyde éthylique et contribue au fameux *goût de jaune*, un goût qui rappelle beaucoup celui des noix.

Cette vinification rare et coûteuse, qui ne réussit pas toujours, n'est pratiquée que dans le Jura (une seule exception : un producteur propose un Gaillac jaune). L'exemple le plus célèbre de vin jaune du Jura est le Château-Chalon, un vin jaune sec et fort qui rappelle vaguement le Xérès.

Chauffage des vendanges

Toutes les macérations se font à chaud puis-que la fermentation provoque l'échauffement du moût. Dans le cas de vinifications par chauffage, on « force » cette chaleur « natu-relle » de macération jusqu'à 50-80 degrés. Les raisins peuvent être ou non foulés. A ces températures, l'extraction colorante est augmentée (près du double d'anthocyanes). A cette macération chaude succède, après re-froidissement, la fermentation de la vendange ou du moût pressuré fortement teinté. Puis le vin suit un élevage classique. Cette méthode présente trois avantages : elle détruit les oxy-dases, elles facilite la vinification de la ven-dange pourrie et favorise l'extraction des anthocyanes. Les anthocyanes disparaissent au bout de deux ans et l'on n'a pas fini de discuter des conséquences aromatiques de cette méthode en usage au Château-Beaucastel (Châteauneuf-du-Pape) depuis cinquante ans, bien que le principe en soit connu depuis au moins deux siècles.

Les vendanges et le vin

L'importance du millésime est considérable : un vin qui n'avoue pas de millésime a honte de sa date de naissance. En effet, elle influence sa constitution et son destin. La qualité d'un vin peut varier de 1 à 100 selon son millésime et son prix de 1 à 10, ou même davantage puisque certaines années les vins de grandes appellations ne sont jamais commercialisés sous un nom qu'ils déshonoreraient; ils n'ont donc aucune valeur.

Toutes les régions ne sont pas également victimes ou bénéficiaires de la notion de millésime et du prestige ou de l'opprobre qui s'y rattache. Celles qui bénéficient d'un climat très égal sont privilégiées. Reste à débattre si ce climat très égal doit être assimilé à des conditions moyennes, donc à des millésimes constamment moyens, ou au contraire idéales à l'origine de millésimes perpétuellement parfaits.

A l'Académie du Vin, nous pensons que la diversité des millésimes ajoute très heureusement à la diversité des vins, certains caractères de l'appellation pouvant être révélés à la suite des caprices du temps. Le millésime apporte à la dimension culturelle du vin une nouvelle clé que seuls les initiés possèdent. Il n'y a aucun moyen de deviner la qualité d'un vin sans le voir et le déguster. Pour conseiller ou choisir un millésime il faut le connaître, en avoir gardé un souvenir livresque ou gustatif. Des cotations qualitatives par région et par année aident les mémoires défaillantes. Dans l'ensemble, les esprits sont d'accord sur ces cotations parfois contestées par ceux qui font métier de vendre du vin et qui sont contraints de vendre toute sorte de millésimes. Une cotation de ce genre figure p. 212 et 213. L'amateur de vin doit comprendre les interactions qui s'établissent entre les conditions météorologiques et la qualité d'un vin. Cela l'aidera dans ses choix, toutes les régions, tous les cépages et tous les types de vins ne réagissant pas de façon identique aux variations météorologiques.

Il est évident que plus une région est proche de la mer, plus l'effet de régulation thermique de celle-ci l'influence. Mais la température n'est que l'une des composantes du climat. La mer n'empêche pas la pluie et ne garantit pas le soleil. Une sérieuse connaissance de ces trois éléments, *température, pluviosité* et *ensoleillement*, constitue une bonne approche des possibilités d'un millésime, mais elle est insuffisante. Il faut connaître la répartition horaire de ces éléments : être certain que le soleil brillait en fin d'été, qu'il ne pleuvait pas avant et pendant les vendanges et que les températures étaient suffisantes. Cette répartition est essentielle et rend la lecture des statistiques annuelles de température, de pluviosité et d'ensoleillement presque inutile.

Comment distinguer dans une statistique

s'il a plu tous les jours ou s'il y a eu deux semaines de déluge dans l'année ? Comment déterminer s'il n'a pas fait trop chaud en hiver et trop froid en été ? Il faudrait des chiffres qui ne concernent que la période végétative, de mars à octobre, et qui tiennent compte des besoins très particuliers de la vigne. Des études intégrant toutes ces données, y compris les variables horaires, et leur appliquant des coefficients sont en cours. Il n'est pas exclu que l'on parvienne à chiffrer assez précisément les potentialités climatiques de chaque millésime et que ce chiffre puisse servir de cotation au vin.

On entend parfois affirmer qu'il faut acheter des petits crus dans les grands millésimes et des grands crus dans les petits millésimes. Cela peut se concevoir si l'on songe que les petits crus sont moins bien exposés que les grands (et inversement).

Ci-dessus, le millésime joue un grand rôle quant au caractère, à la qualité et au prix du vin.

Ci-contre, *bouteilles de vin blanc entreposées dans les caves d'un négociant de Bordeaux (Calvet).*

Ce qui influence la récolte

Les conditions météorologiques peuvent marquer le raisin de deux façons : au point de vue végétatif, en favorisant ou en ralentissant la croissance et le mûrissement; au point de vue sanitaire, en créant des conditions favorables ou défavorables au développement des parasites. La quantité et la qualité du raisin en dépendent. On peut affirmer que, au-delà de certains rendements à l'hectare que nous qualifierons d'excessifs, la quantité nuit à la qualité. Cela se produit malheureusement toujours lorsque la pluie se met à tomber peu avant les vendanges alors que la vie végétative du cep est encore intense. Les raisins se gorgent de l'eau pompée par les racines. Dès cet instant, on peut affirmer que le vin manquera de couleur, d'étoffe et de densité, quelles qu'aient pu être les conditions atmosphériques préalables. Ces pluies peuvent avoir des conséquences encore plus catastrophiques si les mois précédents ont été très secs, si les grains de raisin sont petits et si, comme cela arrive, la peau manque de souplesse. Le grain ne pouvant gonfler, il se fend, la récolte est perdue. Les pluies n'ont pas toutes la même nocivité : si elles sont froides, le rendement à l'hectare augmente; les pluies chaudes sont dangereuses car la tiédeur crée des conditions idéales pour le développement de la pourriture grise, néfaste au vin, surtout pour les raisins rouges qui doivent macérer. Les pluies du printemps affectent non seulement la qualité du vin mais son existence même. S'il pleut au moment de la floraison, les pollens seront éliminés et il n'y aura pas de fruits, donc pas de vin.

Il faut aussi tenir compte de la précocité d'une année. Lorsque le cycle végétatif s'anime trop tôt, le vigneron et les amateurs de vin craignent un retour du froid et les ravages des gelées printanières (destruction de bourgeons ou coulure). Si toutefois la vigne passe cette épreuve sans dommages, le pourcentage de réussite augmente sensiblement car les vendanges ont lieu cent jours après la floraison; plus la fleur s'épanouit tôt, plus les vendanges seront précoces. L'équinoxe d'automne (le 21 septembre) est une période souvent pluvieuse, et la perspective de pouvoir vendanger avant cette date laisse augurer du succès.

Jusqu'en 1978, tous les grands millésimes étaient nés de vendanges précoces. Les dernières années ont démenti cette règle car la vigne résiste de mieux en mieux aux parasites et aux mauvaises conditions atmosphériques. C'est une victoire des traitements, sur laquelle nous reviendrons.

S'il est clair que le froid et la pluie ne sont guère favorables à la vigne, un excès de chaleur et d'ensoleillement ne convient pas toujours au vin qui prend certes de la couleur lorsqu'il est rouge, mais manque souvent d'acidité (blanc et rouge) et de finesse. De plus, l'évolution et la longévité des millésimes qui ont subi des chaleurs excessives déçoivent fréquemment.

Ci-contre, *les jeunes pousses des vignes sont particulièrement vulnérables aux gelées de printemps. Ici un lance-flammes réchauffe l'atmosphère pour les protéger.*

Page ci-contre, *des raisins Syrah mûrissent au soleil, dans la région des Côtes-du-Rhône.*

Le choix d'un millésime

Ci-contre, *pulvérisation manuelle contre les parasites en Bourgogne : la vigne est une plante qui exige d'être choyée.*

Plus un vignoble est septentrional, plus la notion de millésime est importante. Les conditions climatiques de l'exploitation des vignobles septentrionaux étant précaires, la sensibilité du vin au millésime est grande. Cela concerne aussi le climat contrasté des vignobles continentaux.

Il faut également tenir compte de l'encépagement, puisque les variétés et les raisins n'offrent pas tous la même résistance aux agressions climatiques. Chaque région a réussi à découvrir les variétés qui conviennent à son climat. Ainsi le Cabernet Sauvignon a besoin de fortes chaleurs. C'est pour cette raison qu'on n'en découvre pas un pied au nord de la Loire; ainsi le Grenache ou le Merlot dont la peau mince résiste mal à la pourriture craignent beaucoup les années pluvieuses. La compréhension de ces diverses sensibilités aidera l'amateur dans ses choix. Il serait également souhaitable qu'il puisse connaître l'âge du vignoble producteur du vin qui l'intéresse. En effet, les jeunes vignes et celles peu âgées réagissent fortement aux conditions climatiques. A tel point qu'en 1976, durant cet été d'une sécheresse exceptionnelle, les très jeunes vignes allèrent jusqu'à dépérir. Cela s'explique parce que les vieilles vignes qui ont développé des racines en profondeur parviennent toujours à pomper quelque humidité alors que les petites racines des jeunes vignes en sont incapables. En cas de grandes pluies, les vieilles vignes rejettent l'excès d'eau et sont mieux armées pour s'accommoder des différentes conditions climatiques.

Un autre facteur qui permet à l'amateur d'orienter son choix lorsqu'il aborde les millésimes difficiles est une bonne connaissance de la géologie. Selon le degré de perméabilité du sol, selon son pouvoir de drainage, il absorbera plus ou moins facilement de fortes précipitations. L'avantage des terrains de graves profondes paraît évident. L'existence de couches imperméables à faible profondeur peut entraîner deux conséquences fâcheuses : interdire un bon drainage et empêcher l'enfouissement profond des racines. Il s'ensuit une grande sensibilité au millésime.

Les traitements qui ont amélioré la résistance des raisins blancs et rouges sont difficilement applicables aux vignobles producteurs de vins liquoreux dont les vendanges ont lieu tardivement : les baies doivent connaître les brumes matinales et le soleil l'après-midi sans que la pluie les affecte jamais. Les vins liquoreux dépendent de la qualité de l'automne. C'est pour cela que certains millésimes sont moyennement cotés pour les vins rouges à cause d'un été terne et notés au plus haut pour les vins liquoreux grâce à un automne brumeux le matin suivi d'ensoleillement. L'année 1967 en est le plus bel exemple.

Ci-dessous, des filets de nylon sont parfois disposés autour des vignes pour les protéger des ravages causés par les oiseaux.

L'achat et le transport

Les achats

Il y a plusieurs moyens d'acheter un vin : directement chez le producteur, ou bien chez un grossiste, chez l'épicier, dans un magasin spécialisé. La même bouteille du même vin vendue dans chacun de ces points de vente peut avoir un goût, une qualité différents. Le vin est vivant; selon le lieu et selon ses conditions d'entreposition, il s'améliorera ou se dégradera. L'amateur doit y penser lors de ses achats.

Chez le producteur, tout ira pour le mieux. C'est là que le vin est né, qu'il a été élevé pour contribuer à la réputation de son éleveur. L'acheteur invité à taster sur place prendra garde à ne pas se laisser séduire par des petits morceaux de fromage ou, pire encore, des noix : ces accompagnements effacent les défauts du vin. Surtout l'astringence des noix.

Les grossistes sont généralement bien équi-

Ci-contre, en haut, achat chez l'éleveur; l'enseigne d'un vigneron à Chinon (Loire).

Ci-contre, en bas, à gauche, vente directe par l'éleveur; Maurice Gousset, l'Aiglerie, Anjou.

Ci-contre, à droite, étalage de vins de la région de Bergerac chez un marchand à Périgueux.

pés pour recevoir et entreposer le vin, mais ils refusent parfois la vente aux particuliers.

Les épiciers n'offrent pas nécessairement toutes les garanties souhaitables. Ont-ils une bonne cave pour garder les vins qu'ils proposent à la vente ? Il est rare qu'un épicier qui vend de tout ait le temps et la compétence de sélectionner les meilleurs fournisseurs.

Le supermarché n'offre guère plus de garanties; il est même entaché d'une tare supplémentaire : les vins sont exposés à la chaleur et à la lumière, ce qui leur est néfaste.

Le marchand spécialisé, cave, etc., présente les meilleures garanties. Son choix sera le plus vaste et de bonne origine. On peut être assuré que les conditions de conservation sont sérieuses.

Le transport

Le déplacement du vin après l'achat est une chose sérieuse. A quoi bon tant de soins préalables si l'on néglige ce maillon de la chaîne ? Si l'on achète le vin chez le vigneron, que ce soit en bouteilles ou en grand volume (fût, bonbonne, etc.), on le déposera avec soin dans sa voiture. Il ne faut pas oublier que le vin déteste être brusqué. Passer d'une cave à 11 degrés à une voiture à 25 degrés lui cause les plus grands dommages. Pour les mêmes raisons, on évitera les arrêts prolongés au soleil en plein été. On s'abstiendra des changements brusques de température.

Si les bouteilles doivent être bues assez rapidement, elles seront transportées verticalement et entreposées de même. L'amateur n'oubliera jamais qu'après un déplacement le vin doit se reposer un jour ou deux. Si par hasard il s'agit d'un vin vieux, il redoublera de précautions afin d'éviter dans la mesure du possible les trépidations. Un repos de huit jours au moins semble indispensable si le vin en vaut la peine.

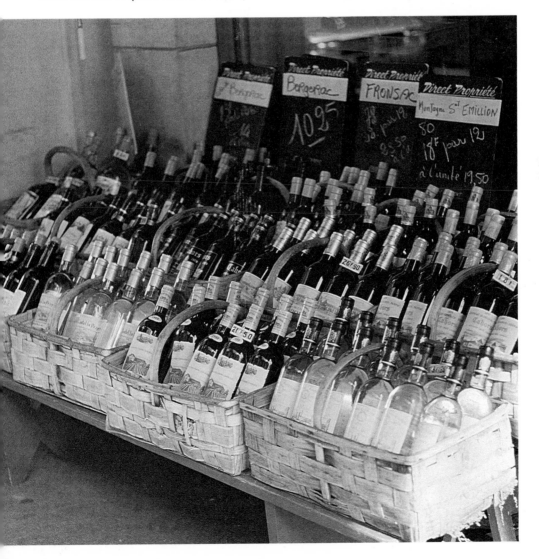

La cave

La mise en bouteilles

L'achat de vin en vrac pour embouteillage à la maison représente toujours une bonne affaire. Si le vin est transporté en conteneur, il sera mis en bouteilles le plus vite possible; s'il est en tonneau, on le laissera reposer de dix à quinze jours en prenant soin de le disposer tout de suite sur le lieu de la mise en bouteilles à une vingtaine de centimètres du sol. La mise en bouteilles se fera par temps sec et clair en période de haute pression. Selon la « sagesse » populaire, la meilleure période serait celle du *cul de lune*. En tout cas, la pluie et l'orage sont néfastes.

La mise en bouteilles ne doit être interrompue sous aucun prétexte. Il faut donc, avant de commencer, posséder le nombre convenable de bouteilles propres et les bouchons appropriés. Les bouteilles seront emplies par siphonnage en faisant couler le vin le long de leur paroi afin d'éviter qu'il ne mousse (oxydation). Les bouchons, de bonne longueur si le vin doit vieillir (38 à 52 millimètres), auront été préalablement préparés — amollis par un passage de dix minutes dans de l'eau très chaude qui ne bout pas — ou, mieux encore, attendris dix minutes à la vapeur (dans un couscoussier, par exemple). Avant d'être introduits dans la bouteille à l'aide d'une bouchonneuse, ils seront rincés à l'eau froide. Il faudra veiller à ce qu'il ne reste pas ou presque pas d'air entre le vin et le bouchon. Après séchage, les bouteilles peuvent être capsulées ou cirées, puis étiquetées.

La cave

La cave sert à entreposer le vin et à lui donner les meilleures chances de se bonifier. Toutes les bouteilles doivent être accessibles pour en faciliter surveillance et consommation. Des casiers standards se vendent un peu partout.

Une cave qui sent le mazout est impropre à la garde du vin, ainsi qu'une cave soumise à des vibrations (métro, circulation automobile, etc.). On peut admettre de lentes variations de températures à la condition de ne pas dépasser 16 degrés. Une cave constamment chaude accélérera le vieillissement et privera le vin de sa plus haute qualité.

Qu'est-ce qu'une bonne cave ? C'est celle qui protège le vin des odeurs parasites, qui l'abrite des vibrations et de la lumière, qui est silencieuse, dont le degré hygrométrique voisine 90 % et qui, surtout, se maintient à une température constante le plus près possible de 10-11 degrés.

Un registre de cave est indispensable si l'on veut bien exploiter ses vins. Il faut non seulement qu'il indique le contenu de la cave mais surtout des notations sur l'évolution des vins, notations que l'on portera après chaque dégustation. C'est grâce à sa lecture que l'on évitera de boire « trop jeune » ou « trop vieux ». Le simple bon sens montre que le livre de cave est un outil indispensable si l'on veut tirer le meilleur bénéfice de son investissement en vin et le maximum de plaisir de sa cave.

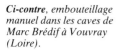

Ci-contre, embouteillage manuel dans les caves de Marc Brédif à Vouvray (Loire).

Ci-contre, une chaîne d'embouteillage dans les caves de la maison de Champagne Pommery et Greno.

Ci-dessous, une gamme de bouteilles de formes traditionnelles pour différents vins; de gauche à droite : Tokay, Verdicchio, Chianti, Alsace/Rhin, Bordeaux, Bourgogne et Champagne.

Composition chimique du vin

Composants et effets

MATIÈRE	POIDS	VIN	REMARQUES
SUCRÉ			
Sucre	1 à 4 g	Blanc sec Rouge Blanc demi-sec Blanc moelleux Liquoreux	Ce qui n'a pas fermenté
Ethanol (Alcool)	70-120 g	Tous les vins	Agent conservateur. Donne du corps
Glycérol	5 à 10 g jusqu'à 18 g	Vins de qualité Liquoreux	Donne du gras (certains contestent cette action)
AMERTUME (et ASTRINGENCE)			
Tanins (leucoanthocyanes) (phénoliques)	1 à 4 g 0,1 à 0,3 g	Vin rouge Vin blanc	Couleur, charpente, diminue avec le temps Soutient mais durcit les vins blancs
Anthocyanes (phénoliques)	0,1 à 0,5 g	Vin rouge	Couleur des vins jeunes Disparaît en deux ans Monoglucide dans les vignes européennes Diglucide dans les vignes américaines
Acide malique	0,1 à 5 g	Vin blanc (pas tous)	La verdeur de la pomme, acerbe, ne se trouve pas dans le raisin
Acide succinique	0,5 à 1 g	Tous les vins	Produit fermentaire
ACIDITÉ			
Acide succinique Acide lactique	0,5 à 1 g 2 à 8 g	Tous les vins	Dégradation de l'acide malique Produit fermentaire
Acide tartrique Acide citrique	traces		Se précipite au froid (gravelle) A disparu en cours de vinification
Acide acétique (acidité volatile)	moins de 0,6 g moins de 0,9 g	Tous les vins Vins liquoreux	En excès, signe de maladie et de vinification négligente
SALÉ			
Acide succinique	0,5 à 1 g	Tous les vins	Produit fermentaire
Acides minéraux et organiques Oligo-éléments	2 à 3 g traces	Tous les vins	Contribue au sentiment de fraîcheur

Composants sans saveur ni arômes

MATIERE	QUANTITE	
Eau	850-900 g	Eau pure, biologique. Le plus important en volume.
Matières azotées	1-3 g	Nourrissent les levures. De plus en plus éliminées des vins modernes.
Vitamines	Trace	Utiles aux levures.
Gommes	0 à 3 g	De plus en plus éliminées dans les vins modernes.
Gaz carbonique	2-3 mg	Provoque l'irritation des muqueuses. Le gaz carbonique n'est pas tolérable dans les vins rouges tanniques. Il peut améliorer certains vins blancs et rosés.
Anhydride sulfureux		L'anhydride sulfureux est toujours un défaut dès l'instant qu'on le perçoit.

Arômes

On dénombre plusieurs centaines de composants aromatiques, acides, alcool, aldéhydes, esters et bien d'autres.

ARÔMES	MATIÈRES
FLORAL	
Géranium	Hexane diénol
Rose	Géraniol Alcool phénylétique Acétate de phényletyl
Iris	Irone
FRUITÉ	
Banane	des acétates de isoamyle, méthyle, éthyle, butyle, isobutyle, isobutyle amyle, héxyle des butyrates de (isoamyle, amyle butyle) divers alcools méthanol éthanol propanol butanol pentanol hexanol
Cerise	Benzaldéhyde cyanhydride
Framboise Cassis Fraise	Nombreux acides, alcool, aldéhydes et cétone
Amande amère Amande	Aldéhyde benzoïque, acétoïne, (cétone)
Noisette Pomme	Diacétyle (cétone) 50 composants !
Pêche	Undécalatone (alcool)
ÉPICES ET DIVERS	
Cannelle	Aldéhyde cinnamique
Réglisse	Glycyrrhyzine
Miel	Acide phényéthylique
Beurre rance	Diacétyle en excès (cétone)
Vin piqué	Acétate d'éthyle (ester)

Les cépages
et
les régions

Le vin est une matière complexe, son harmonie, son équilibre tiennent à un cheveu. Chacun de ses composants agit sur tous les autres; pour cette raison, l'étude isolée de l'un d'entre eux est vouée à l'échec. Malgré cela, l'Académie du Vin a décidé de consacrer une série de cours aux cépages. Nous aurions pu décider de favoriser la géologie, ce qui nous eût amenés à évoquer cépages et vinification; nous aurions pu consacrer un cours à la vinification, ce qui nous eût obligés de parler cépages et géologie.

En centrant son intérêt sur les cépages, l'Académie du Vin a voulu rendre hommage à ce fruit extraordinaire qu'est le raisin, à sa diversité, à sa sensibilité au sol et au climat, aux riches possibilités qu'il offre au vinificateur. A partir des cépages, nous réaliserons un tour de France et du monde car chaque région, chaque pays possède son lot de cépages qu'il choie, qu'il isole, qu'il améliore, qu'il tente de marier avec ses frères, ses cousins, qu'il métisse, qu'il hybride dans l'attente de pouvoir agir directement et artificiellement sur son génotype.

Et puisque le vin est complexe et qu'il naît de la diversité des interactions entre sol, cépage, climat et vinification, nous serons contraints de nous intéresser à chacun de ces éléments, à ce que chacun d'entre eux apporte au caractère du cépage. Enfin, dans ce tour de France et dans ce tour du monde, nous aboutirons à ce qui est l'objet d'étude de l'Académie, le vin : le vin dans sa typicité régionale, le vin dans son évolution et son meilleur usage. Après avoir décrit les différents cépages et leurs façons de traduire l'influence du sol, du climat et de la vinification, nous pourrons aborder la matière du cours supérieur qui traite des vins et de leur merveilleuse diversité.

Fidèles à nos principes, nous tenterons d'établir des relations entre les conditions de naissance et d'élaboration du vin et le vin lui-même. Outre l'intérêt objectif d'une telle démarche, l'Académie du Vin estime que si l'amateur a connaissance de la genèse d'un vin, il est mieux à même de le déguster, de s'en souvenir et de le choisir à bon escient. Si l'on croit que l'art de vivre est un phénomène culturel, et nous en sommes persuadés, la connaissance et l'usage du vin sont des actes culturels. Cela fait partie du bagage de « l'honnête homme » du XXe siècle. La découverte des cépages et la revue des vins français et mondiaux engagent l'amateur œnophile dans la voie qui le conduit au troisième cours, le cours avancé de dégustation qui couronne ces cycles.

Les cépages/Introduction

L'ampélographie est l'étude des cépages, de leur description, voire de leur classification. Bien qu'ancienne, cette science encore imprécise a été sujette aux avis divergents des experts et les conséquences de ces confusions sont difficiles à effacer. Dans les testes d'homologation publiés par l'Institut national des appellations d'origine contrôlée dans le *Journal officiel*, le Chardonnay est toujours appelé Pinot-Chardonnay alors que l'on sait depuis longtemps qu'il n'existe aucun rapport entre le Pinot et le Chardonnay, qu'ils n'appartiennent pas à la même famille, que le raisin blanc proche du Pinot est le Pinot blanc au point qu'on est obligé de le désigner par les mots Pinot Blanc Vrai pour bien indiquer sa filiation.

Qu'importe ? pourrait-on dire. Si, cela importe beaucoup, puisque les variétés sont désignées et réglementées pour chaque appellation; parce que les pépiniéristes vendent des cépages aux vignerons et que ceux-ci n'ont pas plus envie lorsqu'ils plantent du Cabernet de récolter des raisins de Sémillon que l'arboriculteur n'a envie lorsqu'il plante un cerisier de voir pousser un platane. L'ampélographe a donc cherché à définir les caractères de chaque variété de cépages et à les classer par famille. La difficulté redouble si l'on songe que cette étude ne peut être entreprise qu'avec des cépages purs; or, comment peut-on savoir s'ils sont purs sans les avoir d'abord définis ?

Les systèmes les plus divers ont été proposés : des classifications établies à partir de la date du débourrement, ou du bourgeonnement, de la floraison, la véraison ou la maturité; d'autres systèmes se fondaient sur des classifications par types de sarments, de racines ou de fleurs, ou encore des feuilles. Ce dernier, qui est l'un des plus sérieux, considérait

Ci-dessous, raisins de Merlot à Saint-Estèphe.

les angles des nervures des feuilles. Elle donna naissance à l'*ampélométrie*. Aujourd'hui, la classification phénotypique prend en compte toutes les particularités visibles de la vigne et y incorpore la stabilité génétique.

Nous ne reviendrons pas sur le phylloxéra et ses conséquences (voir p. 34) si ce n'est pour signaler qu'une étude sérieuse des cépages doit tenir compte du porte-greffe et du greffon. S'il est exact que la variété de celui-ci détermine celle du raisin, il n'en est pas moins vrai que la qualité végétative et, par incidence, celle du raisin dépendent du porte-greffe. Ainsi, par exemple, le porte-greffe SO4 (Berlandieri-Riparia n° 4 sélectionné à Oppenheim) augmente le rendement à l'hectare et abaisse le taux de sucre du raisin. La qualité du raisin est également modifiée par les sélections. Depuis longtemps, les sélections massales sont pratiquées; plus récemment les sélections clonales se sont imposées et avec elles est né un nouveau danger, celui de voir un vignoble n'être que la reproduction infinie d'un seul cep. Les sélectionneurs ont souvent tendance à favoriser la quantité et à négliger la qualité.

D'autres techniciens influencent également les cépages : ce sont les pépiniéristes et les spécialistes des stations de recherche. La vigne étant une plante sexuée, il est possible de pratiquer des fécondations croisées. Les premières portaient sur l'hybridation de deux espèces différentes, aboutissant à la création des hybrides producteurs directs; les secondes par le croisement de variétés de la même espèce donnent des métissages aux qualités remarquables : par exemple le cépage le plus cultivé d'Allemagne est le Müller-Thurgau, métis de Riesling et de Sylvaner!

Ci-contre, raisins de Gamay dans le Beaujolais.

L'influence des cépages

Est-il nécessaire de démontrer l'influence du cépage sur le vin? Celui-ci lui doit, bien sûr, plus que sa couleur, car les vins issus du même sol, du même climat et de la même vinification, comme les vins alsaciens et allemands par exemple, portent le nom de leur cépage. Cependant, aucune confusion n'est possible entre un Riesling et un Gewurztraminer. Il ne faut pas pour autant sous-estimer l'influence du climat et du sol, mais l'implantation historique depuis plusieurs siècles de cépages spécifiques dans chaque région s'est traduite par la sélection des cépages les mieux adaptés aux conditions climatiques et géographiques de chaque région.

Ce poids de l'histoire s'étend aux techniques de vinification; c'est ainsi que se sont imposées trois façons de traiter les cépages. La première qui est la plus simple concerne les vins issus d'un seul cépage comme les vins d'Allemagne, d'Alsace, de Bourgogne, de la Loire. La deuxième est plus complexe; plusieurs variétés de cépages sont introduites simultanément dans la cuve et fermentent ensemble. C'est ainsi que l'on vinifie dans la val-

Ci-dessous, un bel étalage de raisins de cépages différents en attente de pressage chez un producteur de l'Aude.

lée du Rhône et dans plusieurs régions italiennes. Ce procédé s'applique aussi bien à l'élaboration des vins blancs que des vins rouges; il arrive d'ailleurs souvent que des raisins blancs rejoignent des raisins noirs dans la cuve lors de la vinification des vins rouges. Ainsi le Châteauneuf-du-Pape naît-il de la cuvaison de treize variétés de *Vitis vinifera* (de une à treize selon les cas). Dans le cas des vins blancs, seules les variétés de raisins blancs sont cuvées ensemble. Il existe une troisième méthode de traitement de cépages différents destinés à l'élevage d'un seul vin. C'est l'*assemblage*. Deux, trois, quatre cépages sont cuvés séparément, chacun produisant un vin. En février ou en mars ces vins sont réunis dans les proportions choisies par le maître de chai après dégustation. Les vins de Bordeaux et du Sud-Ouest de la France, qu'ils soient blancs ou rouges, sont vinifiés selon ce principe.

Vaut-il mieux assembler les raisins ou les vins? Cette question reste ouverte, chacun prétendant que la méthode qu'il applique est la meilleure. Les tenants des assemblages de

raisins soutiennent que, lors des fermentations tumultueuses, des échanges se produisent entre les constituants propres de chaque variété. La complexité des réactions chimiques fermentaires peut accréditer cette hypothèse.

En revanche, cette méthode n'offre pas que des avantages.Il est en effet difficile de soutenir que tous les cépages parviennent simultanément à leur plein mûrissement, alors que si l'on vinifie séparément chacun d'entre eux on peut les récolter au moment convenable. D'autre part, on ne peut modifier la composition de la cuvée alors que l'assemblage des vins permet un dosage modulable et précis. Mais ces méthodes ne sont pas immuables. En Champagne, du temps de dom Pérignon, on assemblait des raisins, aujourd'hui on assemble des vins. On pratique aussi des méthodes mixtes. Dans la vallée du Rhône, certains vins sont vinifiés par assemblage de raisins en cuve *et* par assemblage de cuves.

Ci-contre et ci-dessous,
une dégustation pour
définir les assemblages à
la maison de
Champagne Moët et
Chandon. Le chef de
cave, Dominique
Foulon, élabore la cuvée
avant la deuxième
fermentation.

Les rouges internationaux 1

Les Cabernet

C'est une famille nombreuse et de bonne race. On dénombre le Cabernet Sauvignon, le Cabernet Franc, les proches cousins étant le Petit-Verdot et le Carménère.

Cabernet Sauvignon

C'est le patriarche de la famille. Son origine est incertaine. L'hypothèse d'une sélection à partir d'une vigne sauvage bordelaise peut être retenue. C'est un cépage de la deuxième époque tardive et aussi son débourrement est tardif; il convient à des climats assez chauds. Actuellement en expansion, il est cultivé surtout en Europe, en Amérique, en Afrique, sans oublier la Nouvelle-Zélande, l'Australie, entre autres.

En France, il progresse dans le Midi et couvre une aire qui s'étend de la Loire aux Pyrénées. Ses très petites baies sphériques noires à jus incolore sont à l'origine d'un vin très tannique, astringent, très coloré, moyennement alcoolisé, aux arômes complexes, dont les célèbres goûts de cèdre et de capsule (!) mais plus souvent fruité-cassis. Ce vin dur exige une longue garde. Il participe majoritairement aux assemblages des Médoc (50-80 %) et minoritairement dans les Graves et Saint-Emilion. Il donne des rouges et des rosés dans l'Anjou et le Saumurois.

Cabernet Franc

C'est le Bouchy des Pyrénées et le Breton de la Loire. C'est un cépage de la deuxième époque qui débourre peu avant le Cabernet Sauvignon. Il est un peu éclipsé par la gloire tapageuse de ce dernier. Ses vins sont moins tanniques, plus bouquetés (violette, framboise, cassis, groseille, réglisse) et plus fins. Il est toujours assemblé dans le Bordelais mais il est utilisé seul pour les Chinon, Bourgueil et Saumur-Champigny de la Loire. Sa plus belle illustration, il la doit au Château-Cheval-Blanc (Saint-Emilion) dont il constitue les deux tiers.

Ci-dessous, raisins de Cabernet Franc.

Petit Verdot

Cépage très tardif du Médoc qui n'atteint pas toujours son plein mûrissement. Vin très coloré, tannique, d'une bonne teneur alcoolique.

Carmenère

Excellent cépage médocain qui a disparu. Il est en cours de sélection dans la plantation expérimentale du Château-Dillon (Médoc).

Ci-contre à gauche, raisins de Cabernet Sauvignon.

Merlot Noir

Ce cépage est toujours en expansion. Il occupe à lui seul dans le Bordelais plus de surface que les deux Cabernet réunis. Il progresse dans le Midi, il est très prisé en Italie, en Amérique, en Afrique et bien d'autres pays lui rendent hommage. C'est un cépage de deuxième époque au débourrement précoce, pouvant être victime des gelées printanières. La peau de ses baies est très fine et sensible à la pourriture; ses grains sont assez petits, noirs, à jus incolore et très nombreux. Les rendements peuvent être importants (100 hectolitres par hectare). Les vins de Merlot sont plus alcoolisés que ceux issus des Cabernet mais leur acidité est faible, souvent trop faible; ces vins souples et moelleux, aux arômes tertiaires animaux et de truffe, peuvent être consommés assez rapidement.

En France, contrairement aux habitudes italiennes et à celles d'autres continents, le vin de Merlot est rarement pur. Il participe généralement à des assemblages à raison de 20-30 % dans le Médoc, 40 % dans les Graves, 60 % dans les Saint-Emilion et 85 %, parfois davantage, dans les Pomerol.

Le Merlot Blanc existe déjà depuis trois quarts de siècle. Il donne un vin peu alcoolisé de faible qualité.

Pinot Noir

Ce cépage très ancien, d'origine bourguignonne ou tout au moins sélectionné au cours des âges en Bourgogne, s'appelait autrefois *Morillon* ou *Auvernat*. On le connaît également sous le nom de *Noirien* et de *Burgunder* en Allemagne.

C'est un cépage de première époque, on pourrait donc le planter partout du sud au nord, mais la chaleur nuit à la finesse de ses vins. Il débourre très tôt, il craint donc les gelées printanières qui provoquent coulure et millerandage. Sur terrain calcaire et dans les régions septentrionales, il produit les vins les plus fins. Ses grains sont petits, compacts et leur peau est épaisse. Ils sont sphériques, bleutés, à jus incolore et leur resserrement facilite l'installation de pourriture.

Les vins de Pinot sont généralement plus acides que ceux issus de Cabernet, mais moins tanniques. Les robes sont belles, sans couleur excessive; ses arômes rappellent les fruits rouges. Il est toujours vinifié seul, à l'exception du Bourgogne Passetoutgrain : 1/3 Pinot, 2/3 Gamay. C'est en Bourgogne que le Pinot réussit le mieux. En Champagne, son raisin est vinifié en blanc (voir p. 94). En Alsace, il donne des vins peu colorés. La vinification en rosé de saignée lui convient également.

Pinot Meunier

Le Pinot Meunier, variante du précédent, est décrit dès le XVIe siècle. Il débourre et

Ci-dessus, raisins de *Pinot Noir*.

mûrit après le Pinot Noir, chlorose dans les terrains calcaires et résiste assez bien aux gelées. Ses grappes sont grosses, ses grains ronds, serrés, bleutés, assurent de bons rendements. Vins moins acides, moins nerveux, moins fins que ceux de l'incomparable Pinot Noir. Ces vins souples qui évoluent vite ont trouvé leur vraie place en Champagne (pressurage en blanc). Ses cousins, Pinot Gris et Blanc, sont décrits plus loin p. 82.

Les rouges internationaux 2

Zinfandel

Ce cépage, originaire d'Italie du sud (Primitivo) plutôt que d'Autriche-Hongrie, a trouvé sa terre d'élection aux Etats-Unis à la suite de son importation en 1851 par le baron Agoston Haraszthy, qui le planta à San Diego.

Le Zinfandel débourre tardivement; c'est un cépage de la deuxième époque tardive. Son rythme végétatif est encore plus lent que celui du Cabernet Sauvignon. Ses longues grappes de grains moyens serrés bleu-violet donnent des rendements à l'hectare très variables. Peu recommandé en plaine, il craint les fortes chaleurs et préfère les sols peu calcaires et légèrement sablonneux des coteaux secs.

Les vignes de plus de vingt-cinq ans bien situées sont à l'origine de vins colorés aux arômes épicés (poivre noir) et framboisés. Leur longévité est très grande. Les meilleurs sont originaires des coteaux élevés de Napa Valley.

Cot ou Malbec

On lui prête une origine bordelaise mais chaque région lui a donné un nom différent. Il s'est appelé le Malbec dans son lieu de naissance présumé, l'Auxerrois du côté de Cahors, Cot dans la Loire, Pressac vers Saint-Emilion... Cela fait beaucoup de noms pour un cépage en régression, qui constitue néanmoins la base de l'encépagement du Cahors.

Deux éléments contribuent à son délaissement : il est souvent victime de la coulure — on le dit *coulard* et cette propension est accentuée par son rythme végétatif puisqu'il débourre hâtivement et qu'il accuse une forte sensibilité aux gels d'hiver. Ce cépage de la première époque porte des grappes moyennes garnies de grains ronds moyens à petits, noirs, à jus incolore, charnus. Les rendements peuvent être élevés.

Le vin de Malbec est très coloré, aux tanins bien marqués. Il est bien constitué mais un peu faible sur le plan aromatique; c'est pour cela qu'on lui préfère les Cabernet et le Merlot. Il est cultivé dans le Sud-Ouest et sur les bords de la Loire à destination de rouges faciles et de rosés.

Gamay Noir

Il doit son succès au Beaujolais, à tel point qu'on l'appelle parfois Gamay-Beaujolais. On le dit originaire de Côte-d'Or; il aurait pris le nom d'un village autour duquel ne pousse aujourd'hui que du Pinot !

C'est le cépage rouge le plus à la mode. Du fait qu'il est précoce, de la première époque, on peut théoriquement le planter partout. Il est parti à l'assaut du pied des monts du Lyonnais, du Jura et de la Savoie et investit le haut des vallées de la Loire et du Rhône; sa pénétration du côté du Sud-Ouest s'étend jusqu'à

Gaillac. Pour l'instant, seuls l'Alsace à l'est, le Bordelais et le Midi au sud résistent à sa poussée. Les régions chaudes ne semblent pas convenir à ses belles grappes de grains moyens à gros de forme ovoïde (au jus incolore) qui peuvent assurer de forts rendements à l'hectare (100 hectolitres et plus). Les sols granitiques conviennent bien à ce cépage au débourrement précoce, donc souvent victimes des gelées printanières dont il se sort assez bien, les contre-bourgeons (repousses) étant fructifères.

Pour donner le meilleur d'eux-mêmes, ses fruits doivent être vinifiés en grains entiers (macération semi-carbonique). Les bons vins de Gamay sont légers, frais, bouquetés lorsqu'ils ne sont pas déformés par une chaptalisation intensive. Ils peuvent et doivent être

Ci-dessus, raisins de Gamay Noir.

bus dans leur jeunesse. Lorsqu'on s'avise de planter des Gamay dans des sols argilo-calcaires (Côte-d'Or, par exemple) ils produisent des vins sans intérêt. Il existe de nombreux Gamay *teinturiers*, appelés ainsi parce que le jus de leurs baies est coloré. Leurs vins manquent de finesse mais peuvent en colorer d'autres (Gamay de Bouze, Fréaux, de Chandenay, etc.).

Syrah

C'est un cépage de haute qualité pourvu qu'on ne dépasse pas le rendement de 40 hl/ha. Les développements récents de ce cépage illustrent les méfaits de sélections clonales mal dirigées. Initialement à petit rendement — il dépassait rarement les 30 hl/ha — il a été poussé jusqu'à 100 hl/ha et l'on est ainsi parvenu à lui faire produire des vins sans aucune qualité. C'est un cépage de la deuxième époque cultivé depuis plus de mille ans dans la vallée du Rhône. Ses grandes qualités ont séduit, entre autres, la Californie, l'Afrique du Sud et l'Australie. Ses grappes sont moyennes et ses grains petits, ovoïdes, noir violine et pruinés.

Le vin de Syrah est d'une telle qualité qu'il a longtemps amélioré les grands Bordeaux, y compris le Château-Latour; on appelait cela *hermitager*. Il est inutile de préciser que le système des appellations d'origine a fait disparaître cette pratique.

Le vin de Syrah est fortement coloré, bien alcoolisé (11-13 degrés), tannique, charpenté, au parfum de violette rehaussé de cerise et de framboise. Les raisins sont cuvés sans avoir été éraflés. L'*Hermitage* est la plus belle illustration de ce raisin.

Sa qualité est telle qu'il supporte la vinification en rosé et en macération carbonique. Il améliore les vins du Languedoc et du Roussillon.

Ci-contre, raisins de *Syrah*.

Les rouges régionaux

Grenache Noir

Comme son nom l'indique, le Grenache est d'origine espagnole : c'est d'ailleurs le principal cépage des célèbres vins de la Rioja. Cépage de la troisième époque, il lui faut de la chaleur, aussi, pour cette raison, il est très prisé du côté ouest de la Méditerranée. Il présente quelques défauts : il débourre tôt et craint par conséquent les gelées printanières; facilement atteint de coulure lorsqu'on le pousse un peu il devient, comme beaucoup de cépages, sensible à la pourriture.

De plus, le vin qu'il produit manque d'acidité et s'oxyde extrêmement vite. Cette description est peu encourageante. Comment donc expliquer le succès de ses grains noirs à jus incolore, ni gros ni petits, ronds et presque pas ovoïdes ? Parce que, lorsqu'on le plante en coteau sur un porte-greffe pas trop vigoureux, et qu'on se contente de la moitié de son rendement de plaine (130 hl/ha), il est à l'origine de vins très riches en alcool, souples, sans dureté, aux arômes profonds. Il est alors assemblé en cuve à d'autres raisins (Cinsault, Mourvèdre, Syrah, Carignan, etc.) et entre pour 70 % dans les Châteauneuf-du-Pape et dans les Côtes-du-Rhône.

Il existe un Grenache Blanc dans le Roussillon qui ne produit pas de grands vins car ils sont trop alcoolisés, s'oxydent trop vite et manquent d'acidité. Le Grenache Gris (aux baies roses) donne dans le Roussillon des Vins Doux Naturels.

Carignan

Il doit son nom à la ville aragonaise (Espagne) de Cariñena dont il est — semble-t-il — originaire. En France, il occupe près de 220 000 hectares : c'est le cépage le plus cultivé. Premier en quantité, il est loin d'être le premier en qualité. Il ne mûrit que s'il reçoit beaucoup de soleil, c'est pour cette raison qu'on le trouve le long du littoral méditerranéen. C'est près des Pyrénées-Orientales qu'il donne le meilleur de lui-même, à condition d'occuper des coteaux, d'être âgé, donc de produire peu. En plaine, le rendement peut atteindre plus de 150 hectolitres par hectare. C'est un cépage de la troisième époque tardive au débourrement tardif, ce qui explique son implantation.

Ses grappes plutôt grosses et compactes rassemblent des baies sphériques, moyennes, noires à jus blanc, à peau épaisse, d'une astringence assez redoutable.

Le vin de Carignan « pèse » 9 degrés en plaine et 13 en coteau; il est bien coloré, très dur dans sa jeunesse, souvent amer lorsqu'il est évolué. Sa participation est toujours limitée dans les vins d'Appellation d'Origine Contrôlée (40 % et moins) et réduite à zéro dans les meilleurs. Il n'est jamais vinifié seul. Il a été démontré dans le Languedoc qu'il fallait ajouter au Carignan au moins 20 % de Cinsault pour l'affiner et 20 % de Grenache pour lui donner corps et souplesse.

Cinsault

Ses grappes aux baies grosses et à la peau fine en font un raisin de table prisé en même temps qu'un raisin de cuve. Il est originaire du Midi de la France et sa culture progresse car les vignerons apprécient sa polyvalence : raisin de table, raisin de cuve, raisin de vin de primeur, raisin de vin rosé (Tavel), le Cinsault donne de la finesse et assouplit les vins de grande appellation (Châteauneuf-du-Pape, Gigondas, etc.) mais il est aussi capable de forts rendements (100 hl/ha). Ce cépage de deuxième époque ne doit pas être greffé sur des porte-greffes trop vigoureux ni être planté en plaine afin de ne pas être trop productif. Ses grappes sont grandes, ses grains ellipsoïdes serrés sont noirs (à jus incolore), pruinés et charnus.

Les vins de Cinsault sont normalement colorés, très souples, peu tanniques, modérément alcoolisés, et évoluent rapidement. Leurs arômes sont très fins, floraux, élégants. Il est un excellent complément de grands vins rouges mais ne doit pas être vinifié seul.

En Afrique du Sud on l'appelle parfois Hermitage; cela prête à des confusions, car l'appellation d'Hermitage, universellement connue, est due au seul cépage de Syrah.

Mourvèdre

Ce grand cépage d'origine espagnole était très répandu dans le Midi de la France avant le phylloxéra. Il ne fut pas replanté car, à l'époque, on ne trouva aucun porte-greffe qui lui convînt. Depuis la dernière guerre cette question a été résolue et le Mourvèdre améliore de plus en plus les Côtes-de-Provence, le Châteauneuf-du-Pape et d'autres vins du Midi.

Plein de contradictions, il a besoin de beaucoup de chaleur mais craint la sécheresse, il préfère les coteaux mais a besoin de terres fortes ! C'est un cépage de la troisième époque au débourrement tardif dont les grappes moyennes sont composées de très petits grains serrés, noirs à la peau épaisse, d'une âpreté insupportable si on les goûte. Les rendements à l'hectare sont faibles à moyens. Le vin de Mourvèdre est normalement alcoolisé, fortement coloré, très charpenté et très tannique, aux arômes violents et sauvages doublés de violette.

Il a la particularité unique d'être antioxydant (combien utile si on l'assemble avec du Grenache !). Il a besoin de vieillir mais vieillit très lentement. Pour l'assouplir, certains viticulteurs l'éraflent. Il n'est jamais vinifié seul. C'est dans les vins de Bandol qu'il est en plus forte proportion (60 % au minimum).

Sangiovese

Son origine est italienne, probablement toscane. C'est l'antique cépage du Chianti, le plus ancien vin d'appellation contrôlée puisque son aire délimitée a été fixée par le grand-duc de Toscane en 1716. Le Sangiovese, très répandu du Piémont à la Campanie, a été également planté aux Etats-Unis. Il débourre au mois d'avril et ses raisins sont mûrs de fin septembre à mi-octobre C'est un cépage vigoureux produisant généreusement. Ses grappes de plus de 300 grammes sont composées de baies rondes d'un centimètre et demi de diamètre. Il est à l'origine d'un vin rubis intense titrant 12,5 degrés, d'une notable acidité (6,8 grammes), quelque peu tannique, qui se bonifie au vieillissement.

Tannat

C'est un robuste cépage de la région béarnaise de très ancienne origine locale. Il débourre tard et mûrit en troisième époque. Ses grappes compactes de grains sphériques très serrés, d'un centimètre de diamètre, autorisent de bons rendements.

Le vin de Tannat est très coloré et très tannique, ce caractère lui ayant valu son nom. C'est un vin de longue garde qui ne s'assouplit qu'avec le temps. Jadis le vin de Tannat était assemblé aux Bordeaux pour leur donner charpente et couleur. De nos jours il est assemblé sur place aux vins d'autres cépages de qualité mais plus souples, comme le Bouchy alias Cabernet Franc (30 %). C'est ainsi qu'est élaboré le Madiran.

On trouve du vin de Tannat en partie dans le Tursan, le Béarn, l'Irouléguy, les Côtes de Saint-Mont.

Poulsard

Très ancien cépage jurassien âgé de vingt siècles. Son nom actuel est connu depuis le XIVe siècle. Il ne semble se plaire que dans les schistes argileux et les marnes bleues du Jura.

Cépage à débourrement précoce de la deuxième époque. Gros raisin peu serré, rose violacé, ovoïde, à la peau fine. Jus blanc-rosé. Raisin de table et de cuve producteur de vin naturellement rosé.

Trousseau

Cépage jurassien déjà répertorié par Olivier de Serres. Il débourre tardivement et mûrit en deuxième époque tardive. Ses grappes portent des grains moyens, ovoïdes, à peau épaisse, très noirs. Il produit des vins très colorés, fermes, tanniques, alcoolisés, qui ne sont bons que vieux.

Négrette

C'est un cépage du Sud-Ouest qui débourre tardivement mais mûrit relativement tôt. Il est très répandu dans le bassin de la moyenne Garonne où il donne naissance à des vins colorés, souples, fruités sans trop de complexité, qu'il faut boire dans les deux ans. Sa meilleure illustration porte l'étiquette du vin d'appellation d'origine contrôlée Côte-du-Frontonnais-Villaudric. C'est le vin des Toulousains.

Jurançon Noir

C'est un cépage du Sud-Ouest souvent appelé Folle Noire. Il débourre tardivement et mûrit en deuxième époque. Ses grappes sont grandes, ses baies moyennes, rondes bleutées, permettent des rendements confortables. Ses vins de faible couleur sont courants, de peu de caractère. C'est le cépage d'appoint de quelques petites appellations du Sud-Ouest (Lavilledieu, etc.)

Mondeuse

C'est un cépage typiquement savoyard, demi-fin, au débourrement tardif, donnant naissance à de grosses grappes de petits grains ovoïdes bleu-noir. Le rendement à l'hectare est élevé. Les vins de Mondeuse ont une belle robe Sauternes. Ils sont nets, francs, sans complexité, fermes, très durs dans leur jeunesse. Le vieillissement les assouplit. On peut trouver de bons vins de Mondeuse étiquetés Vin de Savoie Chantagne.

Cépage en régression car on replante beaucoup de Pinot et de Gamay.

Grolleau

Est-ce un cépage noble ? Rien de moins sûr. Il porte dans la vallée de la Loire, son lieu de naissance, plusieurs noms : Gros Lot de Cinq Mars ou Pineau de Saumur, mais son surnom semble le dépeindre à merveille : Aramon du Val de Loire — allusion au cépage du Midi, l'Aramon producteur de vin de table — du « gros rouge qui tache ». Le vin de Grolleau ne tache pas ou fort peu car il a peu de couleur. Il est d'ailleurs souvent vinifié en rosé (Anjou et Touraine). C'est un cépage à débourrement moyen de la deuxième époque. Ses grappes sont grosses, ses raisins compacts ronds moyens bleutés sont gorgés de jus incolore d'où un rendement important (120 hl/ha).

Pineau d'Aunis

Authentique cépage noir de la Loire que l'on baptise parfois Chenin Noir. C'est un cépage de la deuxième époque, producteur de vin faiblement coloré de bonne qualité, fin, aux arômes de framboise (Coteaux du Loir).

Les blancs internationaux 1

Chardonnay

C'est le cépage des plus grands vins blancs secs du monde. Son origine est probablement bourguignonne, mâconnaise si l'on retient l'hypothèse qu'il a été sélectionné ou reconnu du côté du village qui lui aurait donné son nom. Il est connu sous des noms différents, Beaunois à Chablis (allusion à la ville de Beaune), Melon Blanc à Arbois (Jura) et Pinot Chardonnay, un amalgame que rien ne justifie. Il s'agit d'un cépage de première époque tardive. Débourrement et mûrissement suivent de peu ceux du Pinot; on ne s'étonnera donc pas de les découvrir dans les mêmes lieux, d'autant plus qu'il se complaît dans les mêmes sols, pauvres, pierreux, argilocalcaires. Ces souches de Chardonnay font l'objet de sélections rigoureuses car ce cépage est très vulnérable au *court noué*, maladie virale qui a beaucoup nui depuis la guerre à la qualité du Montrachet (entre autres).

Ses petits grains sphériques jaunes se tachent à maturité, les rendements peuvent être élevés dans des sols fertiles (100 hectolitres). Les vins de Chardonnay brillent par leur finesse, leur équilibre acide-alcool, leur richesse aromatique et leur capacité de se bonifier. Le Chardonnay rose est une anomalie et le Chardonnay musqué, d'une saveur étrange, n'offre pas d'intérêt.

Colombard

On le qualifie parfois de rustique. Son rythme végétatif est celui de la Folle Blanche, qu'il imite en bien des points. Comme cette dernière, son vin peut être consommé en l'état ou prendre le chemin des chaudières de distillation et se transformer en Cognac ou en Armagnac. Les eaux-de-vie de Colombard sont d'une qualité légèrement inférieure à celles issues de la Folle Blanche, presque égale à celles provenant de la distillation du vin d'Ugni Blanc (Saint-Emilion), mais supérieure à celles nées du Baco 22A.

Le Colombard peut participer, avec les raisins des grands cépages classiques, à l'élaboration de vins bordelais tel l'Entre-Deux-Mers ou produire seul des Côtes-de-Blaye. C'est un cépage de la deuxième époque au débourrement moyen. Ses grappes ni grandes ni petites rassemblent des grains ovoïdes dorés clairs d'un bon centimètre. Le rendement peut être important et dépasser 100 hl/ha.

Le vin de Colombard est typé. Jaune d'or, il n'atteint pas les sommets de la finesse. Son arôme floral n'est pas très intense et manque de complexité.

Modérément alcoolisé, modérément acidifié, ce sympathique vin doit être bu jeune sous peine de tomber dans l'anonymat.

Riesling

Le Riesling est à l'Allemagne ce qu'est le Chardonnay à la France. Ce cépage natif des bords du Rhin a conquis l'Alsace et le Luxembourg, puis s'est propagé en Italie, en Yougoslavie, en Hongrie, aux Etats-Unis, en Afrique du Sud et ailleurs. C'est un cépage de deuxième époque tardive (15 octobre), au débourrement tardif; il échappe ainsi aux gelées printanières mais doit bénéficier d'un automne clément. Le climat continental lui est favorable. Ses grappes sont compactes et petites, mais nombreuses. Ses grains ronds de faible diamètre sont jaune doré à reflets verts. Les rendements à l'hectare sont élevés (100 hl/ha). Le raisin a la faculté de bien accueillir la pourriture noble qui se développe favorablement grâce aux brumes matinales originaires du Rhin. Dans ce cas, le rendement à l'hectare peut s'effondrer de 90 %.

Il est donc producteur de vins secs et de vins liquoreux, et le plus fin de tous les cépages aromatiques germano-alsaciens. Outre la finesse, les vins de Riesling sont nets, francs,

Ci-dessous, raisins de Riesling.

précis, distingués, élégants, d'une belle harmonie acidité-alcool. Ils n'ont pas le défaut des autres cépages aromatiques qui sont souvent trop exubérants. Traité en liquoreux, sa complexité s'accroît.

Ses vins sont parmi les plus beaux du monde. Qu'il soit sec ou liquoreux, le soutien acide du cépage permet aux vins un long et bénéfique vieillissement.

Gewurztraminer

C'est un cépage originaire d'Allemagne, plus précisément du Palatinat. Sa forte personnalité et son agrément l'ont fait accepter par de nombreux pays voisins de l'Allemagne (Alsace, Autriche, etc.) et on le retrouve aux Etats-Unis, en Afrique du Sud, entre autres. Son rythme végétatif précède le Riesling, qu'il voisine souvent. C'est un cépage de la deuxième époque hâtive, à débourrement précoce; il est donc bien adapté aux climats continentaux. Ses petites grappes de baies ovoïdes espacées et de faible taille sont très reconnaissables à leur couleur rose. Les rendements à l'hectare sont moyens. Bien qu'habillé d'une peau épaisse, il accepte favorablement la pourriture noble. Dans ce cas, les rendements à l'hectare faiblissent beaucoup.

Le vin doré de Gewurztraminer est reconnaissable entre mille. Ses arômes musqués et épicés aux parfums de rose sont tendrement soutenus par une acidité moyenne. Il donne une impression de moelleux qui peut être appuyée par des sucres résiduels. Les vins liquoreux de Gewurztraminer offrent à la forte personnalité de ce cépage de somptueuses possibilités d'expression.

Chenin Blanc

C'est un cépage universel dans tous les sens du terme. Universel parce qu'on en trouve en Europe, aux Etats-Unis, en Afrique du Sud, en Australie, etc. , et parce qu'il est à l'origine de vins secs, de vins moelleux, de vins liquoreux et de vins mousseux. En France, si l'on excepte quelques plants émigrés dans l'Aveyron (Entraygues et Fel), on ne le découvre que dans la vallée de la Loire, son lieu de naissance, semble-t-il, d'où son nom local de Pineau de la Loire.

C'est un cépage de deuxième époque, malheureusement au débourrement précoce, ce qui lui vaut des difficultés au moment des gelées printanières. Ses grappes moyennes, ses grains ovoïdes et dorés de plus d'un centimètre de diamètre pourraient autoriser des productions de 100 hectolitres, chiffre qui n'est pas atteint dans les vignobles de qualité sur le *tuffeau*, c'est-à-dire la craie.

Lorsque le soleil manque, les vins de Chenin souffrent d'une acidité insupportable, mais, dans les années riches, ils proposent des arômes d'abricot citronné, de miel d'acacia, de coing, alors que les vieux mousseux qui, à l'inverse du Champagne, se bonifient avec l'âge prennent des arômes de tilleul.

La peau des baies de Chenin accepte bien la pourriture noble favorisant la production de vin liquoreux (Quarts de Chaume, Bonnezeaux). Sec ou doux, les vins issus de Chenin ont l'avantage de se bonifier de nombreuses années.

Ci-contre, raisins de *Gewurztraminer*.

Les blancs internationaux 2

Ugni Blanc - Trebbiano

Originaire de Toscane, ce cépage blanc est le plus cultivé de France (100 000 hectares) et d'Italie.

Il lui faut beaucoup de soleil sinon il ne mûrit pas car c'est un cépage de la troisième époque tardive à débourrement tardif. En France, ce n'est que dans le Midi et en Corse qu'il est à même de produire un vin consommable, ce qui n'a pas empêché les vignerons de Cognac et d'Armagnac d'en planter d'innombrables pieds pour en faire un *vin de chauffe* destiné à la distillation. C'est un petit vin acide, aigrelet, titrant 7-8 degrés. L'Ugni Blanc, qu'on appelle *Saint-Emilion* sur place, atteint un rendement de 150 hl/ha. Ses grappes sont très grandes et ses raisins ronds dorés foncent lorsqu'il est bien mûr.

Dans le Midi et en Italie, surtout en Toscane, les vins d'Ugni Blanc, jaune très pâle, sont alcoolisés, d'une bonne acidité, ce qui manque souvent dans les régions chaudes où les vins blancs sont fréquemment mous. Malheureusement, l'Ugni Blanc est d'une grande pauvreté aromatique.

L'Ugni Blanc, dit le Trebbiano en Toscane, participe à la cuvaison du vin rouge bien connu : le Chianti. C'est dommage car il ne lui apporte rien.

Pinot Blanc

Le Pinot Blanc est une mutation du Pinot Noir (voir p. 75). Bien qu'autorisé en Bourgogne il ne s'y trouve presque plus. En Alsace, il est étiqueté Clevner (Klevner) ainsi qu'un autre cépage auquel il ressemble comme à un frère jumeau : l'*Auxerrois*. Parfois on les confond. En Italie on le transforme en mousseux sec, en Californie il est vendu sous son nom. C'est un cépage productif à l'origine de vins ronds équilibrés mais beaucoup moins fins que ceux issus de Chardonnay.

Pinot Gris

Encore une mutation du Pinot Noir (voir p. 75). Peu planté en Bourgogne, sous le nom de Pinot Beurot, connu en Alsace sous le nom de Tokay et en Allemagne sous celui de Ruländer, ce cépage aux raisins roses donne des vins bien construits, pleins, d'une acidité modérée et d'une bonne teneur alcoolique.

Ci-contre, *raisins de Pinot Gris.*

Sylvaner

Le Sylvaner s'est répandu dans tout le centre de l'Europe à partir de l'Autriche, d'où il est originaire. En Allemagne, il a conquis la deuxième position, la première en Rheinhessen. En Californie, on le nomme parfois Riesling, fâcheuse confusion probablement inventée par des vendeurs, car la grande noblesse du Riesling ne peut se comparer à la banalité du Sylvaner.

C'est un cépage à débourrement moyen dont les raisins mûrissent en deuxième époque tardive. Ses grappes sont moyennes, ses grains aussi. Ils sont serrés, ronds et jaune clair. Le Sylvaner, comme beaucoup d'autres cépages, peut être victime des rendements excessifs auxquels il parvient facilement (plus de 100 hl/ha). Alors, le pâle vin de Sylvaner, aromatiquement très faible, manque de charme dans sa minceur.

C'est un cépage proche du Chasselas, ses vins ne sont guère meilleurs et ses raisins, de même que ceux de ce dernier, peuvent être consommés directement comme raisins de table. C'est en Allemagne que le Sylvaner est le mieux vinifié (1976 Durbacher Schloss Grohl Beerenauslese). C'est un grand vin qui fait d'autant plus regretter la petitesse de nombreux Sylvaner alsaciens.

Muscat

Ils sont nombreux, vrais ou faux, noirs ou blancs. On en trouve dans tous les pays de vignes sur toute la terre. Ils sont raisins de cuve, raisins de chaudière (distillation), raisins de vins secs (Alsace), de mousseux (Clairette de Die, Asti Spumante), raisins de Vins Doux Naturels (Rivesaltes, Beaumes-de-Venise, Lunel, Frontignan, etc.).

N'évoquons pas le Muscat de Hambourg aux gros grains noirs destinés à la table pour nous rabattre sur les Muscat de Frontignan, d'Alexandrie et Ottonel. Le Muscat de Frontignan (à petits grains) est le meilleur. Il est né en Grèce, ses grappes moyennes mûrissent à la deuxième époque et il débourre précocement. Ses grains ronds, petits à moyens, sont ambrés et se tachent de rousseurs. Il était cultivé en Alsace mais sa maturité tardive lui vaut d'être remplacé par un plant plus précoce, le Muscat Ottonel. Le Muscat d'Alsace est le seul vin sec tranquille à base de Muscat produit en France. Il est très fin, très aromatique et doit être bu jeune. Le Muscat d'Alexandrie donne des vins comparables à ceux issus du Muscat de Frontignan, quoique moins frais. C'est un cépage de la quatrième époque, donc très tardif. Seules lui conviennent les régions très chaudes et très sèches (Aude, Pyrénées-Orientales). Ses grappes moyennes portent d'énormes raisins ellipsoïdes jaunes à peau mince, pulpeux et musqués. C'est un raisin tous usages : vins mousseux aromatiques en Italie et excellent raisin de table consommé dans de nombreux pays.

Sauvignon

Ce cépage bénéficie d'une mode ravageuse, excessive, universelle. On le connaît sous différents noms : mentionnons Blanc Fumé puisqu'il se retrouve dans l'appellation Pouilly-Blanc Fumé. Ce cépage, au débourrement moyen, mûrit en première époque. Ses petites grappes de petits grains ovoïdes jaune d'or au goût musqué sont nombreuses et assurent de confortables rendements à l'hectare (jusqu'à 100 hectolitres). Les terrains calcaires dans des régions au climat contrasté exacerbent les bouquets floraux du vin alors que les sols graveleux ou siliceux les modèrent.

Dans la région bordelaise il se contentait, il n'y a pas si longtemps, de collaborer aux grands vins liquoreux à base de Sémillon, mais, depuis la vogue des vins blancs secs, il se substitue progressivement à ce dernier cépage qui demeure néanmoins largement majoritaire.

Dans d'autres régions du Sud-Ouest, il chasse des cépages locaux alors qu'il règne en maître sur les bords de la Loire du côté du Sancerre, Pouilly-Blanc Fumé, etc. Ses arômes, parfois accentués, évoquent les épices, la paille et parfois le pipi de chat. En bouche, il bénéficie d'un bon soutien acide.

Ci-contre, raisins de Chardonnay.

Les blancs régionaux

Sémillon

Le Sémillon occupe près d'un quart du vignoble bordelais, il est donc le premier cépage de la région. Il y est en régression mais progresse dans l'Est méditerranéen. Dans le Bordelais, lorsqu'on arrache du Sémillon, on plante du Sauvignon. C'est la conséquence de la vogue des vins blancs secs issus principalement du Sauvignon.

Ce cépage au débourrement moyen mûrit à la deuxième époque. Ses grappes et ses grains sont moyens. Ses baies rondes d'un centimètre environ passent du jaune vert au jaune rose. Le Sémillon donne peu de fruité et rappelle, dans les vins blancs secs jeunes, un peu l'arôme des pommes vertes. Il faut attendre cinq années de bouteille pour qu'il développe des arômes tertiaires riches et complexes. C'est lorsqu'il est atteint de pourriture noble qu'il donne toute sa mesure et signe les plus grands Sauternes, presque toujours épaulé par un peu de Sauvignon (20 %).

Le Sauternes-Barsac Château Doisy-Daëne n'est élaboré qu'avec du Sémillon (Lafaurie Peyraguey 98 %).

En vin sec, il trouve sa plus belle expression dans le Laville-Haut-Brion (60 % Sémillon), admirable Graves doré, sec et moelleux, gras, d'une incomparable richesse aromatique.

Muscadelle

L'un des trois cépages des grands vins blancs de Bordeaux, le mal aimé des trois, le moins planté (il est d'ailleurs en légère régression). Pourtant, les vignerons bordelais tiennent à ce cépage qui le leur rend bien. C'est un plant fragile qui donne l'alerte. Lorsqu'une maladie se déclare, la Muscadelle en est victime immédiatement : « Cela nous indique que nous devons traiter les autres cépages », disent les vignerons. Souvent malade mais très fidèle, la Muscadelle donne peu de raisin mais toujours quoi qu'il arrive.

Ce cépage au débourrement tardif mûrit en deuxième époque. Ses grandes grappes sont composées de grains moyens, ronds, jaune rosé qui se tachent à leur maturité, dont la saveur musquée se retrouve dans le vin. Le rendement à l'hectare n'est guère important.

En dépit de ce que l'on peut entendre parfois, il n'a aucun rapport avec le Muscadet ni avec la famille des Muscat. On a souvent reproché au vin de Muscadelle de *madériser* rapidement. Lorsqu'il est bien vinifié, c'est inexact. Christian Médeville, propriétaire dans le Barsacais, qui est l'un des rares vignerons à élaborer des vins pure Muscadelle, détient d'excellentes bouteilles de plus de vingt ans d'âge.

La Muscadelle participe faiblement à l'élaboration des vins blancs secs et liquoreux bordelais (5-10 %). Elle n'est jamais récoltée surmûrie pour qu'elle ne perde pas sa puissance aromatique, qui est sa principale qualité.

Chasselas

Le Chasselas est cultivé plus comme raisin de table qu'en tant que raisin de cuve. Il est néanmoins à l'origine de Vins d'Appellation Contrôlée; le Crépy, le Ripaille, le Marignan (AOC Savoie) en Haute-Savoie, le Pouilly-sur-Loire, le Gudetel — c'est le nom du Chasselas en Alsace — et surtout les vins blancs de Suisse romande où il porte le nom de Fendant ou de Dorin.

C'est un cépage de petite noblesse, de la première époque dont la particularité est de supporter les climats les plus divers du Languedoc à l'Alsace, de la plaine à la basse montagne. Ses grappes sont moyennes, ses raisins ne dépassent guère un centimètre de diamètre; ils sont jaune vert, très juteux à peau fine. Le rendement à l'hectare atteint 100 hectolitres.

Les vins de Chasselas reflètent le défaut du cépage : manquant d'acidité, ils sont souvent tirés sur lie, donc *perlants*, le piquant du gaz carbonique renforçant l'acidité défaillante. Leur pouvoir aromatique est faible. Leurs deux meilleures illustrations sont le Crépy à la saveur noisettée et les vins suisses très gouleyants. Il existe également un Chasselas Rose que l'on vinifie en Alsace, un Chasselas Violet et un Chasselas Coutat, rare et de peu d'intérêt.

Aligoté

Ce cépage est probablement originaire de Bourgogne, contrée dans laquelle il ne peut rivaliser avec l'incomparable Chardonnay. Sa noblesse, s'il en a, est petite bien qu'il soit d'une implantation très ancienne. On a créé pour lui une appellation qui évite toute confusion avec le Chardonnay puisque c'est le seul vin bourguignon à porter un nom de cépage : Bourgogne Aligoté.

Il suit à peu près le même rythme végétatif que le Pinot : un débourrement hâtif et un mûrissement en première époque. Ses grappes sont petites, ses grains aussi, bien séparés, de couleur jaune orangé mouchetée. Il atteint des rendements à l'hectare supérieurs à ceux du Chardonnay. Le vin d'Aligoté n'est pas très enthousiasmant; faiblement coloré, aux reflets verts, il vieillit mal. Son degré alcoolique est peu élevé et ses arômes ténus. Par année chaude, son acidité est faible et il souffre de mollesse. Il n'existe pas de grand Bourgogne Aligoté mais le meilleur a le droit d'annoncer une origine communale : Bouzeron.

Folle Blanche

Ce cépage change de nom selon sa région de production. On l'appelle Gros-Plant dans la région nantaise. Il a d'ailleurs donné son nom à un vin VDQS (vin délimité de qualité supérieure), Gros-Plant du Pays nantais, qui est tout simplement un sous-Muscadet. On l'appelle Picpoul dans le Midi de la France.

Un autre VDQS porte son nom, le Picpoul de Pinet. Il doit sa plus grande gloire au Cognac et à l'Armagnac puisque les eaux-de-vie les plus fines proviennent de la distillation des vins maigres, légers et acides de Folle Blanche. Ce plant très sensible aux attaques cryptogamiques est de plus en plus remplacé par son descendant illégitime, l'hybride né de son croisement avec le Noah : le Baco 22 A.

La Folle Blanche, très résistante au gel, est un cépage de la deuxième époque au débourrement moyen dont les grappes moyennes se composent de grains compacts ronds, ni gros ni petits, jaune clair vert. Elle est à l'origine d'un vin peu coloré nerveux, léger, souvent très acide et très sec, sans complexité aromatique.

Mauzac ou Blanquette

Le Mauzac est un très ancien cépage du Sud-Ouest de la France. Dans l'Aude on l'appelle Blanquette et il a donné son nom à l'appellation Blanquette de Limoux, un mousseux élaboré selon la méthode champenoise. Le meilleur vin issu de ce cépage : probablement le Vin de Blanquette rendu mousseux par la méthode rurale. Les Gaillac blancs, tranquilles ou mousseux, lui doivent leur qualité.

C'est un cépage de deuxième époque tardive à débourrement moyen. Ses grappes de bonne dimension sont chargées de beaux grains sphériques à peau épaisse entourant de volumineux pépins. Peau et pépins s'opposent à une consommation de bouche. En plaine, les rendements sont élevés (100 hl/ha), mais les vins insuffisants. Dans les coteaux, les rendements diminuent et leur qualité croît. On peut récolter le Mauzac surmûri ou pourri noble; les vins deviennent alors liquoreux.

Les vins de Mauzac jeunes affichent un arôme très caractéristique de pomme. Ils sont jaunes à reflets verts. En vieillissant, ils prennent des reflets or sombre. Ce raisin souffrant d'un manque d'acidité, il est souvent vinifié sur lie afin d'obtenir des vins perlants (Gaillac perlé). Il existe un Mauzac Rose, peu cultivé, et un Mauzac Noir, rare et sans intérêt.

Clairette

Ce cépage qui a donné son nom à quelques appellations est originaire du midi de la France où il est cultivé depuis des siècles. La richesse en sucre de ses raisins, donc la richesse alcoolique du Vin de Clairette et sa faculté à madériser en faisaient une bonne matière première pour les vins apéritifs. De nos jours, le cépage Clairette bien conduit, à condition de ne pas dépasser le rendement de 50 hl, est réservé aux Vins d'Appellation d'Origine Contrôlée. Dans les plaines alluviales fertiles, le rendement est doublé au moins, la Clairette ne produit plus que des vins de table.

Ce cépage de troisième époque débourre tardivement, ses grappes moyennes rassemblent des raisins ovoïdes pointus (c'est pourquoi on l'appelle aussi Clairette pointue), très clairs, piqués de points bruns. Leur volume moyen et leur peau très fine autorisent une consommation de bouche.

Le vin de Clairette est excellent lorsqu'il ne dépasse pas 12,5 degrés d'alcool, ses arômes sont floraux, il s'oxyde vite et son acidité est faible. Peu réussi, il est lourd et capiteux. La Clairette est vinifiée seule ou en association avec d'autres cépages. Seule, elle produit la Clairette de Bellegarde, la Clairette du Languedoc et le mousseux Clairette de Die, méthode champenoise. En association, les Côtes-du-Rhône et Châteauneuf-du-Pape blancs ainsi que le mousseux Clairette de Die-Tradition (avec du Muscat).

La Clairette trouve peut-être sa plus belle illustration avec le Châteauneuf-du-Pape blanc, Château de la Nerte 100 % Clairette.

Melon ou Muscadet

Le Melon de Bourgogne est en effet originaire de cette région. Il ne s'appelle Muscadet que depuis qu'il a été implanté du côté de Nantes, en Loire-Atlantique, et en Anjou dans le courant du XVIᵉ siècle. On raconte qu'il y a supplanté les cépages locaux que les hivers très froids avaient éliminés. De fait, le Melon de Bourgogne est très résistant au gel; il l'a prouvé en 1956 lors d'un hiver qui décima le vignoble. Il a déserté la Bourgogne où il avait la fâcheuse réputation de pourrir (pourriture grise); c'est là qu'il a gagné son surnom de *pourrisseux*. Les terrains de schistes cristallins du Nantais semblent bien lui convenir.

C'est un cépage de la première époque au débourrement précoce. Ses grappes moyennes sont composées de petits grains ronds dorés à peau épaisse. Le rendement à l'hectare est confortable. Le vin de Melon de Bourgogne, autrement dit le Muscadet, est un vin habillé d'une robe d'or pâle aux reflets verts. Ses arômes fins, pointus, bouquetés, floraux ne sont pas très amples ni complexes mais nets, légers. En bouche, une touche musquée lui a valu son nom. Les vins de ce cépage manquent parfois d'acidité. Pour pallier ce défaut on le récolte avant plein mûrissement et on le vinifie sur lie, le gaz carbonique dissous remplaçant le « piquant » de l'acide. Le Muscadet se vend en primeur et doit être bu de préférence dans l'année et rarement dépasser les deux ans.

Pour les cépages blancs régionaux, se reporter aussi aux pages 99, 105, 107, 110, 111, 129.

La France : le Bordelais 1

L'aire d'appellation Bordeaux comporte 100 000 hectares de vignes. C'est le plus vaste vignoble producteur de vins fins du monde.

Trois types de sol sont à distinguer : les terres de graves, les terrains calcaires et les sols sablonneux. Ils peuvent s'interpénétrer, se superposer, se mélanger. On peut diviser cette région, qui se confond sensiblement avec le département de la Gironde, en trois sous-régions :
— rive gauche de la Garonne et de la Gironde ;
— rive droite de la Dordogne et de la Gironde ;
— le centre entre la Garonne et la Dordogne.

Dans chacune de ces sous-régions nous découvrons au moins une dizaine d'appellations sous-régionales ou communales. Ces appellations communales sont le berceau des crus, Châteaux, Clos, les plus petites unités spécifiques du vignoble bordelais. Les grands vins ne sont issus que de trois cépages rouges et de trois cépages blancs : Cabernet Sauvignon, Cabernet Franc, Merlot et Sémillon, Sauvignon, Muscadelle. Tous les Bordeaux sont des vins d'assemblage (voir p. 73).

Pour simplifier les relations commerciales, les Bordelais ont inventé un système de classification hiérarchique qualitatif, et par conséquent financier, de leurs crus. Le premier classement officialisé fut celui de 1855, qui comptait cinq classes et ne concernait que le Médoc et les Sauternes-Barsac (plus un Graves). Il a été revu en 1973 pour permettre au Château-Mouton-Rothschild, jusqu'alors classé deuxième cru, de passer premier. Compte tenu des divisions et des regroupements, actuellement quatre-vingt-sept Châteaux sont classés. En 1953 et en 1959, quatorze Châteaux de Graves (B et R) furent classés sans hiérarchie interne. A la même époque, en 1955 et en 1958, les Saint-Emilion furent classés en trois catégories. Actuellement, ce classement concerne quatre-vingt-quatre Châteaux.

Les vins de Pomerol et des autres régions ne revendiquent aucun classement, mais on reconnaît au Château-Petrus (Pomerol) l'appartenance au club des très grands : Margaux ; Latour, Lafite-Rothschild, Mouton-Rothschild (Pauillac) ; Haut-Brion (Graves) ; Yquem (Sauternes) ; Cheval Blanc, Ausone (Saint-Emilion) ; Petrus (Pomerol).

Rive gauche de la Gironde

Médoc. Le Médoc se divise en Haut et Bas-Médoc. Le Haut-Médoc se subdivise lui-même en six appellations communales ou assimilées.

Margaux (R). Cette appellation dépasse la commune de Margaux et s'étend aux communes contiguës de Soussans, Arsac, Cantenac et Labarde. Terres de graves. Vins les plus fins du Médoc avec sève, grâce, souplesse et distinction. Un premier cru, cinq deuxièmes crus, six troisièmes crus, trois quatrièmes crus, deux cinquièmes crus classés.

Saint-Julien (R). Grands vins équilibrés, élégants, moelleux. Cinq deuxièmes crus, deux troisièmes crus, quatre quatrièmes crus classés.

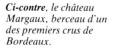

Ci-contre, le château Margaux, berceau d'un des premiers crus de Bordeaux.

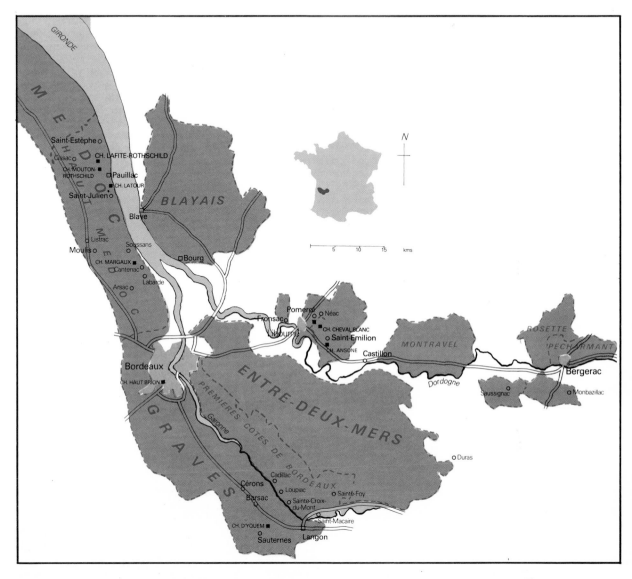

Saint-Estèphe (R). Bien charpenté, puissant avec moins de finesse que les Pauillac. Deux deuxièmes crus, un troisième cru, un quatrième cru, un cinquième cru classés.

Moulis (R). Vins étoffés, gras, pleins, qui n'ont ni la finesse ni les ambitions des crus ci-dessus.

Pauillac (R). AOC qui déborde sur les communes de Saint-Estèphe, Cissac et Saint-Julien. Grands vins tanniques, corpulents, séveux, amples, qu'il faut savoir attendre. Trois premiers crus, deux deuxièmes, un troisième, douze cinquièmes crus classés.

Listrac (R). Proches des Moulis, peut-être une once plus rustique.

Haut-Médoc (R). Telle est l'appellation dont s'orne l'étiquette de cinq crus classés situés dans des communes non citées ci-dessus.

(Ludon, St Laurent-de-Médoc, Macau).

Médoc. Cette AOC englobe toutes les appellations déjà énumérées ainsi que les vins produits dans la partie nord du Médoc, laquelle est peu accidentée et peu graveleuse, ce qui nuit à la finesse des vins.

Les *grands bourgeois exceptionnels* et les *grands bourgeois* au nombre de cent dix-sept pourraient être assimilés à des « sixièmes crus classés » encore que beaucoup d'entre eux revendiquent un classement supérieur. L'ensemble de ces crus couvre 2 500 hectares et produit le tiers des vins médocains. Les vins blancs (rares) produits dans le Médoc n'ont droit qu'à l'appellation Bordeaux ou Bordeaux Supérieur.

La France : le Bordelais 2

Rive gauche de la Garonne

Graves (RB). Nous distinguerons les Graves du Nord, de l'ancienne prévôté de Bordeaux, et les Graves du Sud, producteurs de vins plus communs. Les Graves rouges font jeu égal avec les Médoc. Grands vins grenat foncé, sérieux, droits, directs, étoffés, aux tanins fins, de longue garde. Vins blancs secs, fins, nerveux auxquels le Sémillon peut donner de la rondeur. Certains s'améliorent pendant dix à quinze ans.

Sauternes, Barsac (B liquoreux). Régions encastrées dans les Graves du Sud à une cinquantaine de kilomètres de Bordeaux. L'élaboration de vins liquoreux exige des vendanges très spéciales, longues et coûteuses. Les raisins ne sont vendangés, théoriquement grain par grain, que lorsqu'ils sont atteints de *pourriture noble*, c'est-à-dire investis par le *Botrytis cinerea*.

Le développement de cette pourriture est irrégulier, aussi doit-on pratiquer les vendanges fractionnées. Chacun des ramassages donne une *trie* (ou un *tri*). Il peut arriver que l'on vendange en dix fois ou dix tries. Chaque trie est vendangée séparément, vinifiée comme il est indiqué p. 52, puis elles sont assemblées au goût du maître du chai. Les liquoreux sont des vins très riches sur le plan aromatique (miel, coing, acacia, tilleul, amande, etc.), d'un équilibre très particulier et compliqué, le sucre et l'alcool étant compensés par l'amer et l'acide. Les Barsac sont moins doux et plus nerveux que les Sauternes.

Cérons (B). Blanc genre Graves du Sud. Souvent doux.

Rive droite de la Dordogne

Saint-Emilion (R). AOC comprenant la commune de Saint-Emilion et huit autres communes contiguës. Il convient de distinguer les Saint-Emilion de côtes proches de la ville, sur terrain calcaire, des Saint-Emilion de graves sablonneuses dans lesquels nous incorporons deux grands Saint-Emilion de graves pures, Château-Cheval-Blanc et Château-Figeac. Ils font partie des douze meilleurs, les dix autres étant natifs du calcaire. Ils valent les meilleurs crus classés du Médoc, avec plus de rondeur et une vinosité supérieure. Si l'agneau est l'ami du Pauillac, le bœuf est celui des Saint-Emilion. Quelques terroirs proches ont le droit de faire suivre leur nom de la mention flatteuse Saint-Emilion. La plus forte production porte l'éti-

Ci-dessous, le château d'Yquem, qui produit le meilleur Sauternes.

quette **Montagne Saint-Emilion** (qui a absorbé **Parsac Saint-Emilion**), vins solides qui évoluent assez rapidement, **Saint-Georges Saint-Emilion**, bons vins pleins et ronds, **Puisseguin Saint-Emilion** et **Lussac Saint-Emilion**, vins séveux, fermes, parfois avec nervosité.

Pomerol (R). Séparés des Saint-Emilion par une route, les Pomerol permettent au Merlot de donner toute sa mesure. Leur générosité les a fait surnommer « Bourgogne du Bordelais ». Les communes de Néac et Lalande-de-Pomerol peuvent donner leur nom à des vins moins typés et moins amples.

Fronsac (R). Vin ferme et construit, excellente introduction aux crus classés bordelais.

Côtes-de-Bourg et de Blaye (R B). Vaste région productrice de vins de bonne facture, peu coûteux.

Bordeaux Côtes-de-Castillon (R). Dans l'esprit des communes satellites de l'appellation Saint-Emilion. Vins honnêtes d'un bon rapport qualité/prix.

Bordeaux Côtes-de-Francs (R B). Ils manquent parfois de type. Genre AOC Bordeaux. Les blancs sont secs ou doux.

Entre Garonne et Dordogne

Très vaste surface triangulaire porteuse d'une dizaine d'appellations de vins rouges, blancs secs et blancs liquoreux.

Entre-Deux-Mers (B). Vin blanc sec et nerveux, fin sans étoffe. Les vins de vignes rouges n'ont droit qu'à l'étiquette Bordeaux et Bordeaux supérieur.

Premières Côtes-de-Bordeaux (RB). Vin rouge direct et courant. Vin blanc sec ou doux.

Cadillac, Loupiac, Sainte-Croix-du-Mont (B liquoreux). Typé Sauternes avec moins de richesse et moins d'ampleur. Les Sainte-Croix-du-Mont sont souvent très fins et marqués par une saveur crémeuse (Château-Loubens).

Côtes-de-Bordeaux Saint-Macaire (B). Secs ou doux. Dans l'esprit des Premières Côtes-de-Bordeaux.

Sainte-Foy de Bordeaux (RB). Sise à l'extrémité nord-est de l'Entre-Deux-Mers, cette aire d'appellation est complantée de peu de vignes rouges et de beaucoup de vignes blanches. Les blancs secs gagnent du terrain, ils se comparent aux meilleurs Entre-Deux-Mers, les moelleux et doux ressemblent aux 1ʳᵉˢ Côtes de Bordeaux du Sud.

Graves de Vayres (RB). Enclavé dans l'Entre-Deux-Mers, en face de Fronsac. Vin rouge bien construit à découvrir, vin blanc plus commun sec ou moelleux.

Régions limitrophes

Cette région dont le centre est marqué par la ville de Bergerac prolonge le Bordelais tant géographiquement que sur le plan de l'encépagement.

Monbazillac (B liquoreux). Vin liquoreux. Peut-être historiquement antérieur au Sauternes. Mêmes cépages, même vinification. Miel, violette, prune et abricot confits. Douceur compensée par un soutien acide.

Haut Montravel, Côtes de Montravel, Rosette (B doux). Plus léger que les Monbazillac.

Montravel (B sec), **Bergerac, Côtes-de-Bergerac, Bergerac Côtes-de-Saussignac (R B)**. Les rouges rappellent les Bordeaux légers, les blancs sont presque toujours secs

Ci-dessus, le château de Monbazillac, où l'on produit un vin blanc liquoreux proche du Sauternes.

Pécharmant (R). C'est le meilleur rouge de la région. Un premier cru de Bergerac en quelque sorte.

Côte-de-Duras (R B sec ou liquoreux). Rouge dans le style des Bergerac. Les blancs lorsqu'ils sont secs doivent l'indiquer sur leur étiquette. Ils ressemblent aux Montravel, les moelleux sont fins, dans l'esprit des Rosette et des Haut-Montravel.

Ci-dessus, le château La Jaubertie produit des vins sous l'appellation Bergerac.

La France : la Bourgogne 1

La Bourgogne vineuse s'ouvre à 120 kilomètres au sud de Paris et s'étend jusqu'à Lyon ou presque, soit 450 kilomètres. Mais en réalité, le vignoble de la Bourgogne du Nord est limité à Chablis et ne reprend qu'au-delà de Dijon, soit une interruption de 100 kilomètres, et la grande Bourgogne ne dépasse pas la frontière sud du département de la Côte-d'Or, en amont de Chagny, soit 50 kilomètres. D'autre part, le vignoble est étroit, sa largeur oscillant entre quelques centaines de mètres et quelques kilomètres.

Nous distinguerons six zones : celle de Chablis, la Côte de Nuits, la Côte de Beaune, suivies de la Côte Chalonnaise, du Mâconnais et du Beaujolais. Tous ces vignobles sont tributaires de quelques cépages. Les grands vins sont issus d'un seul cépage : les blancs de Chardonnay, les rouges de Pinot Noir et les Beaujolais de Gamay. Les Bourgogne Aligoté aux ambitions modestes naissent de la vinification du cépage blanc aligoté.

Chablis (B). C'est une appellation de vins blancs mondialement connue. On en distingue quatre selon leur situation et le sol qui les voit naître.

Petit Chablis (B). Il n'est pas tout à fait authentique car l'aire d'appellation s'applique

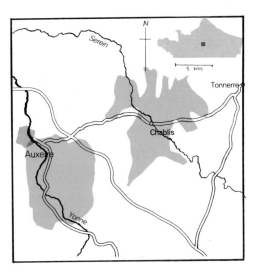

aux sols qui ne sont pas kiméridgiens (marnes calcaires), lesquels sont nécessaires au vrai Chablis. Vin plaisant et facile à boire dans sa jeunesse.

Chablis, Chablis Premier Cru, Chablis Grand Cru. Ce sont les vrais, en ordre croissant de qualité. On dénombre sept grands crus et onze premiers crus. Ce sont de grands vins. Secs, ronds et pleins, sans mollesse, robe or vert, or jaune, nez violette-noisette. Peuvent se bonifier pendant huit à dix ans. Accompagnent les coquillages, les volailles et les viandes blanches.

Côte de Nuits

Dans la Côte de Nuits comme dans la Côte de Beaune, nous distinguons dans l'ordre hiérarchique croissant les appellations communales, les appellations communales premier cru et les grands crus. Dans le dernier cas, la commune n'est pas nommée. Les appellations les plus prestigieuses se suivent :

Fixin (R B), rouge principalement, bien construit, de garde.

Gevrey-Chambertin (R). L'aire d'appellation communale est étendue, presque excessivement du côté de la voie de chemin de fer. Une partie de la commune de Brochon a droit à l'appellation Gevrey-Chambertin. Neuf grands crus honorent cette commune : **Chambertin** et **Chambertin-Clos-de-Bèze,** grand vin de garde viril et charpenté. **Latricière-Chambertin,** proche des deux précédents, **Mazis-Chambertin,** grand vin moins tannique que le premier nommé, **Mazoyère-Chambertin,** généralement vendu sous le nom de **Charmes-Chambertin,** vin complet et plus souple, **Griotte-Chambertin,** fruité aux arômes de cerise, **Chapelle-Chambertin,** dans l'esprit du « Charmes », **Ruchotte-Chambertin,** le plus léger. A signaler deux premiers crus de haute qualité : **Saint-Clos Jacques** et **Les Varoilles.** Tous ces vins sont charpentés, ronds, longs en bouche, à boire entre huit et vingt ans.

Morey Saint-Denis (R B). Bouquet de fraise et de violette, bouche pleine. Cinq grands crus dont le célèbre Clos-de-Tart et les Bonnes Mares que nous retrouvons à Chambolle-Musigny.

Chambolle-Musigny (R B). Le plus fin et le plus délicat de la Côte de Nuits. Exceptionnel grand cru : les Musigny (rouge et blanc).

Vougeot (R B). Des crus, des premiers crus (dont un blanc) et le grand cru **Clos-de-Vougeot.** Vin sombre aux arômes de truffes.

Echezeaux et Grands Echezeaux (R). De la commune de Flagey-Echezeaux, deux grands crus. Vin aristocratique, nez de violette, bouche framboisée.

Vosne Romanée (R). Commune et vins légendaires. Cinq grands crus parfaits, la Romanée-Conti, vin soyeux, suave, élégant; la Romanée, la plus petite AOC de France (8 345 m^2), contrairement à ce qu'on dit et lit souvent, de la qualité de la Romanée-Conti, parfois moins souple; Richebourg, puissant et magistral; La Tâche, synthèse de la commune; et la Romanée-Saint-Vivant, inégale.

Nuits-Saint-Georges (RB). De somptueux premiers crus : les Vaucrains, les Saint-Georges, les Boudots puissants, aux saveurs de fraise, les Pruliers, Les Porrets, ronds et fermes avec finesse. Les vins de cette commune sont généralement corsés et vieillissent bien.

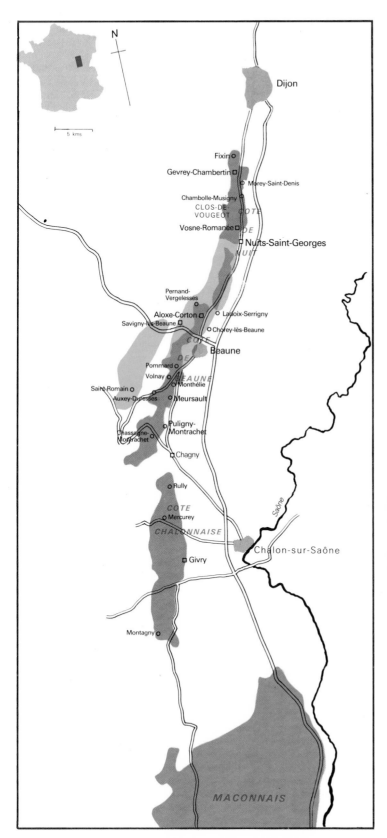

Map labels:

N

5 kms

Dijon

Fixin

Gevrey-Chambertin

Morey-Saint-Denis

Chambolle-Musigny

CLOS-DE-VOUGEOT

Vosne-Romanée

Nuits-Saint-Georges

COTE DE NUITS

Pernand-Vergelesses

Aloxe-Corton

Ladoix-Serrigny

Savigny-lès-Beaune

Chorey-lès-Beaune

Beaune

COTE DE BEAUNE

Pommard

Volnay

Monthélie

Saint-Romain

Auxey-Duresses

Meursault

Puligny-Montrachet

Chassagne-Montrachet

Chagny

Rully

COTE CHALONNAISE

Mercurey

Chalon-sur-Saône

Givry

Saône

Montagny

MACONNAIS

Ci-dessus, en haut,
première pulvérisation à
Clos-de-Vougeot.

Ci-dessus, une bouteille
de Chablis Grand Cru.

La France : la Bourgogne 2

Côte de Beaune

Corton et Corton-Charlemagne (R B). Grand cru rouge net, ferme, précis, ample, pêche, cassis, framboise. Grand cru blanc ample, généreux, très plein et rond, séveux, floral et cannelle.

Pernand-Vergelesses, Savigny-lès-Beaune, Ladoix-Serrigny (R B). Dans le style des Corton, en moins ample.

Chorey-lès-Beaune (R B). Plus modeste que les précédents.

Beaune (R B). Vins fins et délicats qui se font assez vite, nez floral aubépine, rose.

Pommard (R). Vin ample, généreux et viril. Les Rugiens sont les plus puissants, Les Epe-

nots les plus fins.

Volnay (R). Le plus fin et le plus élégant de la Côte de Beaune. Le meilleur climat : Les Caillerets.

Monthélie, Auxey-Duresses, Saint-Romain, Saint-Aubin (R B). Rouge direct, typé Pinot, ferme, précis. Blanc fin, délicat, net.

Meursault (B R). Grand vin blanc généreux sec avec moelleux, saveur de noisette.

Puligny-Montrachet (R B). Grand vin de type floral complexe. Vin gai avec du nerf.

Les Montrachet (B) Les plus grands vins blancs secs du monde. Puissants, grandioses, riches, complexes, pleins, généreux, floraux et fruités. Amande, noisette, miel. Longs en bouche et de longue garde (vingt-cinq ans). On distingue le **Montrachet**, le plus prestigieux, le **Chevalier-Montrachet**, d'une finesse extrême, le **Bâtard-Montrachet**, très rond, le **Bienvenue-Bâtard-Montrachet**, proche du précédent, et le **Criot-Bâtard-Montrachet**, construit et fruité.

Chassagne-Montrachet (R B). Blanc pulpeux, fruité, séveux, de garde. Rouge charpenté et plein. Saveur de prunes très mûres.

Santenay (R B). Rouge bien construit, tient en plus modeste du Pommard. Blanc rare.

Appellations semi-régionales. Côte de Nuits-Villages (R B), vins issus des communes de Fixin, Brochon, Prissey, Comblanchien, Corgoloin. **Haute-Côte-de-Nuits (R r B)**, vins plus légers de l'arrière-pays. **Côte-de-Beaune-Villages (R)**, d'une ou plusieurs communes de la Côte de Beaune. **Haute-Côte-de-Beaune (R**

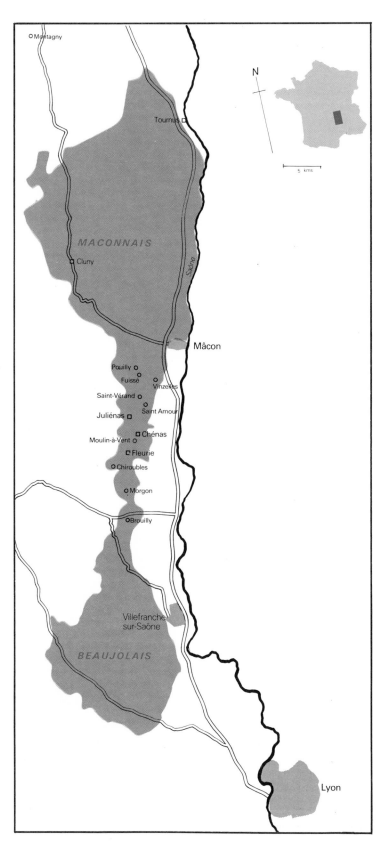

r R), vins plus légers de l'arrière-pays sans grande complexité aromatique.

Côte Chalonnaise

Pas de grands crus dans cette région, quelques premiers crus remarquables de peu de notoriété.

Rully (R B). Les vins blancs sont comparables, en moins floral, aux Savigny-les-Beaune et Pernand-Vergelesses. Les vins rouges d'une construction plus simple font songer aux Volnay avec moins de finesse.

Mercurey (R B). Les rouges connaissent un grand succès. Ils peuvent rappeler les Beaune en moins fin et en plus lourd. Les blancs, floraux, parfois un peu mous, ont de la puissance.

Givry (R B). Proche des Mercurey, moins ample, plus ferme. Blanc très rare genre Rully.

Montagny (B). Vin blanc léger et gouleyant. Vin d'été et d'après-midi.

Mâconnais

Les cinquante kilomètres qui séparent la Côte Chalonnaise du Beaujolais sont occupés par des vignobles de coteaux complantés de Chardonnay, de Pinot Blanc, de Pinot Noir et de Gamay, ce dernier cépage nous annonçant le Beaujolais. Les vins issus des cépages blancs et de Pinot peuvent porter l'étiquette Bourgogne. D'une façon générale les blancs sont supérieurs aux rouges.

Tous peuvent porter, dans l'ordre croissant de qualité, les étiquettes suivantes : Mâcon, Mâcon Supérieur et Mâcon suivi du nom d'une commune (blanc, également Mâcon-Villages). Tant les blancs que les rouges sont des vins nerveux et fins de peu d'étoffe et de peu d'ampleur. Il ne convient pas de les faire vieillir.

Pouilly-Fuissé, Pouilly-Loché, Pouilly-Vinzelle, Saint-Vérand (B). Quatre vins issus du seul Chardonnay, le premier nommé est le meilleur. Or pâle, reflet d'émeraude, au nez violette et acacia, en bouche miel et amande. Les porte-drapeaux des vins blancs du Mâconnais. On pourrait les assimiler à des premiers crus de Mâcon.

Beaujolais

Le vrai Beaujolais naît de la conjugaison du Gamay et des terrains granitiques (vinification : voir p. 54); l'accoucheur s'appelle *marketing*. Seul le nord de l'aire d'appellation est granitique, c'est pour cela qu'on appelait le Beaujolais sudiste, Beaujolais bâtard. On distingue les Beaujolais primeurs, mis en vente dès le 15 novembre, le Beaujolais, le Beaujolais supérieur, le Beaujolais-Villages (les trois, rouge et blanc) et les crus du Beau-jolais (rouge seulement). Seuls les « Villages » et les crus naissent des terres idoines.

Moulin-à-Vent le plus fin, le plus complet, peut vieillir cinq ans. **Fleurie**, élégant, ressemble au Moulin-à-Vent. **Saint-Amour**, fruité, frais, agréable, le plus gouleyant des crus. **Chenas**, tendre et solide. **Juliénas**, fruité avec nervosité. **Chiroubles**, souple, devrait être léger. **Morgon,** nez de violette, meilleur après une année. **Brouilly**, plein et vineux. **Côte-de-Brouilly**, plein, corsé, rond.

Cette région se termine avec les **coteaux du lyonnais (R r B)** nouvelle AOC conférée à ce parent pauvre du beaujolais.

Page ci-contre, à gauche, la cour de l'hôtel-Dieu, hospice de Beaune.

Ci-dessous, la colline de Solutré domine le vignoble de Pouilly-Fuissé, dans le Mâconnais.

La France : la Champagne 1

Contrairement à une opinion très répandue, dom Pérignon (1638-1715) n'a pas inventé le Champagne : il s'est limité à l'élaboration d'excellents mousseux selon la méthode rurale. Car le Champagne naît de la deuxième fermentation en bouteille, méthode qui fut pratiquée après la mort du célèbre cellérier de l'abbaye d'Hautvillers (près d'Epernay). On prétend également que dom Pérignon aurait inventé l'assemblage, seconde caractéristique du Champagne. Il assemblait, c'est vrai, mais seulement des raisins et jamais des vins.

Ci-contre, la statue de dom Pérignon dans la cour d'honneur de Moët et Chandon, à Epernay.

DOM PERIGNON
1638 - 1715
CELLERIER DE L'ABBAYE D'HAUTVILLERS
DONT LE CLOITRE ET LES GRANDS VIGNOBLES
SONT LA PROPRIETE DE LA MAISON
MOËT & CHANDON

D'autre part, il n'assemblait que des Pinot. Or aujourd'hui le Champagne provient à 80 % d'assemblages de vins de Chardonnay et de vins de Pinot pressurés en blanc. Ce pressurage particulier mérite qu'on s'y arrête. Les raisins noirs sont déposés dans un pressoir de forme spéciale, large, de faible hauteur. Le jus incolore s'écoule rapidement des raisins noirs non éraflés. Il n'a pas le temps de se teinter. Le vin issu de la fermentation de ce moût incolore est un *Blanc de Noirs* par opposition au *Blanc de Blancs* issu du pressurage des raisins blancs Chardonnay.

Généralement, le Champagne naît du mélange des vins blancs de noirs et blancs de blancs dans la proportion 2/3 - 1/3 ou 3/4 - 1/4 en moyenne. C'est l'élaboration de la cuvée qui donne à chaque Champagne sa personnalité. Le Champagne est le plus souvent un *vin de marque*. Il est élaboré par des négociants qui achètent le raisin aux vignerons, qui font les vins, les assemblent puis les champagnisent. On les appelle des *négociants manipulants* (NM) pour les distinguer des *récoltants manipulants* (RM) qui cumulent la fonction de vignerons et de manipulants. D'autres

Champagne proviennent des coopératives qui vinifient, assemblent et manipulent — champagnisent — le raisin livré par les coopérateurs (CM).

Ces deux petites lettres (*NM, RM, CM*) figurent obligatoirement sur les étiquettes de Champagne et en définissent la provenance. Les lettres *MA* précisent que le Champagne a été acheté à un négociant, à un récoltant ou une coopérative pour être commercialisé sous une *marque auxiliaire* ou *marque d'acheteur* (négociant non manipulant).

Pour avoir droit à l'appellation, le Champagne doit provenir d'une aire précise, principalement des départements de la Marne et de l'Aube et des raisins Chardonnay, Pinot Noir et Pinot Meunier. Les communes, qui produisent des vins de qualité inégale, ont été classées et cotées en pourcentages, pourcentages correspondant aux prix de vente des raisins. Ils varient entre 80 et 100 %.

Neuf communes de la Montagne de Reims et deux de la Côte des Blancs sont cotées 100 %, elles ont droit au titre *grand cru*. La mention *premier cru* qualifie des communes cotées en 90 et 99 %. Les raisins sont pressurés en plusieurs fois. Toutes les étapes du procédé traditionnel sont strictement réglementées. De 4 000 kilos de raisons, on extrait d'abord 2 050 litres de moût de première qualité appelé la *cuvée*, puis 410 litres de *première taille* et 205 litres de *deuxième taille*. L'appellation *Champagne* désigne une production obtenue à partir de 150 kilos de raisins qui ne doit pas dépasser l'hectolitre.

En Champagne, le mot cuvée a deux sens : il désigne à la fois les 2 050 premiers litres pressurés et l'assemblage des vins destinés à la champagnisation.

La cuvée est incolore, fine avec une bonne acidité, la première taille manque de finesse et d'acidité, la deuxième taille est encore inférieure à la première; elle est âpre et colorée. Ces trois moûts donnent le vin de cuvée, le vin de première taille et le vin de deuxième taille. La cuvée (au deuxième sens de ce mot) naît de l'assemblage de ces vins, de l'assemblage de vins de cépages différents, de provenances multiples et éventuellement de l'adjonction des vins de réserve, c'est-à-dire de millésimes anciens. Dans ce cas le Champagne ne pourra être millésimé, mais il pourra être vendu un an après la mise en bouteilles, alors que les Champagne millésimés doivent rester en cave pendant un minimum de trois ans.

Les possibilités d'assemblage décrites ci-dessus expliquent la diversité des Champagne et la disparité de leur prix. On comprend aisément l'abîme qui sépare un Champagne issu exclusivement de la cuvée de raisins grand cru (commune cotée 100 %) de celui qui naît de deuxième taille de raisins nés dans une commune peu favorisée (cotée 80 %).

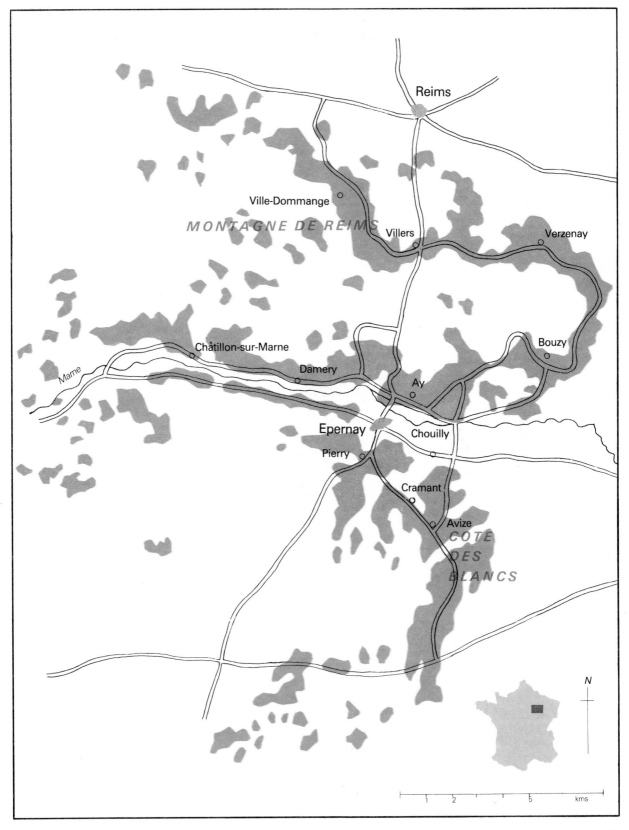

La France : la Champagne 2

Coteaux Champenois (R B rosé)

Deuxième appellation contrôlée de la région champenoise. Elle n'existe que depuis 1974, l'AOC Coteaux Champenois s'étant substituée à l'ancienne appellation d'origine simple Vin Nature de Champagne, qui avait remplacé depuis 1953 celle de Champagne nature. L'appellation Coteaux Champenois a été créée car le mot « nature » que l'on utilisait auparavant pouvait laisser supposer que les autres vins étaient « artificiels ».

Ces vins peuvent être blancs, rosés ou rouges. Leur production est très variable puisque les Coteaux Champenois ne sont vinifiés que s'il y a surproduction de raisin, ce qui ne fut pas le cas des années 1978, 1980, 1981.

Les Coteaux Champenois blancs nous rappellent le vin de Champagne d'avant l'époque de dom Pérignon. On peut imaginer qu'un vin gris du XVIe-XVIIe siècle très réussi et très blanc ressemblait aux actuels Coteaux Champenois blancs.

Ce sont des vins frais, secs, modérément fruités, légers, peu complexes et assez courts. On ne saurait les considérer comme de grands vins. De même que les Champagne, ils peuvent être élaborés à partir d'un seul cépage ou de l'assemblage de cépages différents. Les blancs de blancs (les vins de Chardonnay) sont les meilleurs et les plus fins. Ils ne « chardonnent » que légèrement car ce cépage n'affirme pas pleinement son caractère en terre champenoise, ce qui est particulièrement apprécié par les vignerons, qui redoutent les vins qui *tracent*, marquant de façon excessive les cuvées lors des assemblages. Le Chardonnay de Champagne et le Chardonnay de Bourgogne étant cultivés à des fins différentes, il n'y a pas lieu de les comparer. Les meilleurs Coteaux Champenois rouges sont issus des Pinot Noir de la commune de Bouzy (grand cru 100 %). C'est un vin vinifié *à la bourguignonne*, de bonne qualité, net, bien construit, mais qui n'atteint jamais la complexité, la rondeur et la richesse de son modèle bourguignon. Les Coteaux Champenois rosés sont assez rares.

Rosé des Riceys

Seule appellation d'origine avec celle de Tavel qui soit réservée à un rosé. Il y a plus de deux siècles que l'on produit du rosé aux Riceys, petite commune de l'Aube, près de Bar-sur-Seine. Le Gamay entrait jadis dans sa composition.

Certains, mis en bouteilles à la sortie de la cuve, peuvent être comparés au Sancerre rosé ; d'autres, destinés à être gardés, séjournent un an en *pièce champenoise* (tonneau de bois de 205 litres). Le goût de Riceys est inimitable et n'apparaît qu'après un temps variable de cuvaison qu'il faut saisir pour saigner aussitôt la cuve. C'est un vin très rare, dont on ne produit que 60 hectolitres par an. Son prix atteint celui du Champagne.

Vinification des Champagne

Une fois la cuvée établie (février-mars), le vin est mis en bouteilles additionné d'une liqueur de tirage (24 grammes de sucre dissous dans du vin et des levures). C'est la deuxième fermentation en bouteilles, dite *prise de mousse* (mars à mai), les bouteilles sont horizontales *sur lattes* (environ un an à 10 degrés). Le *remuage* (sur pupitre ou à la machine) des bouteilles, de plus en plus inclinées, rassemble le dépôt près du bouchon. Les bou-

Ci-dessus, remuage dans les caves de Heidsieck.

Ci-contre, dégorger, *c'est expulser le dépôt d'une bouteille de Champagne. Le dégorgeur porte une manchette métallique sur le poignet pour se protéger contre l'éclatement possible du flacon. Ici dégorgement « à la volée » (à l'ancienne).*

teilles sont entreposées *sur pointes* (de quelques mois à plusieurs années) puis *dégorgées* (expulsion du dépôt) et le plein est complété par la *liqueur d'expédition* ou *liqueur de dosage* plus ou moins sucrée (brut, demi-sec, doux).

Cette description rapide ne tient pas compte d'un phénomène très important, une maturation particulière des vins laissés *sur lattes* ou *sur pointes*, c'est-à-dire en contact avec le dépôt né de la deuxième fermentation en bouteilles.

Les dégustations de vins conservés longtemps (plus de trois années sur lattes ou sur

pointes) ont permis de démontrer non seulement un gain de qualité mais une véritable transformation des bouquets du vin. Des analyses chimiques ont corroboré les constatations des dégustateurs. Ainsi a-t-il été démontré l'importance d'un phénomène : l'autolyse des levures. Cette réaction complexe et subtile, que l'on pourrait traduire en termes simples par la digestion des levures par elles-mêmes ainsi que par la diffusion d'acides aminés, contribue fondamentalement à la naissance des grands Champagne.

La France : les Côtes du Rhône

Les vignobles de la vallée du Rhône occupent les coteaux bordant les rives gauche et droite, un peu au-dessous de Lyon jusqu'au-delà d'Avignon. On peut les classer en deux vastes secteurs correspondant à deux types de vin, deux familles de cépages, deux aires géologiques. Ces deux zones n'ont de commun entre elles que le Rhône et le climat (chaud et très chaud). On les désigne par Côtes du Rhône septentrionales et Côtes du Rhône méridionales.

Côtes du Rhône septentrionales

Sur ces vignobles escarpés, disposés en terrasses, travaillés à la main même de nos jours, la chaleur est accablante, aggravée par la réverbération du fleuve et le resserrement de la vallée. Qu'ils soient blancs ou rouges, les vins de cette région sont parmi les meilleurs du monde. Ils ont perdu en partie la réputation qui fut la leur : les Romains achetaient à prix d'or et faisaient expédier à Rome les vins des environs de la ville (romaine) de Vienne. Depuis à peine un siècle, cette gloire a été voilée par celle des vins de Bordeaux et de Bourgogne. Ces grands vins étant rares et le vignoble n'étant pas extensible, ils sont devenus le privilège des initiés.

Côte-Rôtie (R). Côte abrupte, elle est brûlée (rôtie) par la chaleur et le soleil. L'admirable Syrah assisté du non moins admirable cépage blanc Viognier donne à ces vins grenat foncé aux arômes de violette leur vigueur et leur somptuosité. Tanniques, charpentés, ils exigent une longue garde. Ils se marient bien avec le gibier. On distingue ceux de Côte-Brune et ceux de Côte-Blonde, tous deux au zénith de la qualité.

Condrieu Château-Grillet (B). Ce sont deux vins blancs très proches l'un de l'autre, sur le terrain et à la dégustation, naissant du cépage Viognier planté dans des sols maigres à base de poudre de granit (mica). Grand vin doré aux arômes exubérants floraux-fruités. Accompagne merveilleusement les crustacés et les poissons. A boire très jeune, voyage mal.

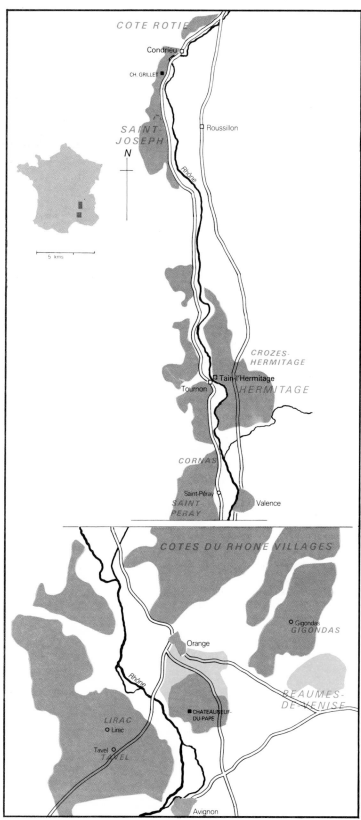

Hermitage (R B). Vin rouge de pure Syrah, l'un des plus grands du monde. Robe grenat foncé, tannique, équilibré, arômes de violette et d'aubépine. Vin de longue garde pour viandes rouges et gibier. Les meilleurs vins blancs sont issus de Roussane, les autres de l'assemblage avec la Marsanne. Vin de grande classe, complexe, net, aux arômes de fleurs sauvages, grande finesse. Parfait pour la grande cuisine de poissons.

Crozes-Hermitage (R B). Dans l'esprit du précédent mais moins distingué. Ne doit pas dépasser les cinq ans.

Saint-Joseph (R B). Proche du précédent. Parfois supérieur.

Cornas (R). Imposant vin de Syrah. Caractère généreux et viril, très proche de l'Hermitage, avec moins de complexité.

Saint-Péray (B et mousseux). Même encépagement et même style que l'Hermitage, en plus rustique. Robe jaune pâle, bouquet de violette et de noisette. Le plus souvent traité en mousseux (méthode champenoise).

Côtes du Rhône méridionales

C'est la région de l'appellation Côtes-du-Rhône mais aussi celle d'un vin de grande réputation qui retrouve la qualité qui le rendit célèbre : le Châteauneuf-du-Pape. Les vins de cette région sont en progrès constant.

Châteauneuf-du-Pape (R B). D'importantes propriétés souvent créées sur une mer de cailloux roulés de 5 centimètres de diamètre, complantées de Grenache, Cinsault, Mourvèdre, Syrah entre autres (treize cépages admis, dont des blancs) en rangs larges sont à l'origine de ces vins chauds, riches, amples, généreux, aux arômes épicés. Ce sont des vins d'hiver et du soir destinés à l'accompagnement des viandes rouges et des fromages. Leur intensité nuit parfois à leur finesse. Il convient de les boire entre quatre et huit ans. Quelques Châteaux s'adonnent à la macération carbonique; les vins sont assez fins mais perdent leur type.

Gigondas (R rosé). Les meilleurs sont proches des Châteauneuf-du-Pape. Encépagement, sol, climat et usage similaires.

Tavel (rosé). Dix cépages dont quelques blancs contribuent à la cuvaison de ce vin, depuis trois ou quatre siècles réputé meilleur rosé de France. Vin des soirs d'été, accompagne les volailles et les viandes blanches.

Lirac (R B rosé). Les rosés se situent entre les Tavel et les Côtes-du-Rhône rosés, les rouges égalent les meilleurs Côtes-du-Rhône-Villages. Les blancs manquent parfois de finesse et de nervosité.

Côtes-du-Rhône-Villages (R B rosé). Dix-sept communes ont droit à l'appellation accompagnée du nom de la commune. Lorsque celui-ci n'est pas mentionné, le vin provient de plusieurs localités. Les rouges sont les plus connus : robe grenat sombre, nez fruité de cassis, framboise. En bouche plein, rond, épicé. Plus chaud que fin.

Côtes-du-Rhône (R B rosé). Vins courants. Certains d'entre eux sont vinifiés en macération carbonique et vendus en primeur.

Cépages blancs régionaux

Viognier

Ou Viognier Doré. Vallée du Rhône septentrionale. Extraordinaire cépage de la deuxième période, peu productif, aux très riches et très complexes pouvoirs aromatiques (Condrieu, Château-Grillet).

Roussanne

Excellent cépage très peu productif de la vallée du Rhône septentrionale; mûrit en deuxième époque tardive. Vin d'une grande finesse, s'améliore au vieillissement (Hermitage, Saint-Joseph). Malheureusement, l'âpreté au gain des vignerons les pousse à lui substituer la Marsanne. S'appelle Bergeron en Savoie.

Marsanne

Cépage productif de la troisième époque. Grosses grappes, grains ronds. Même vin que ci-dessus (Roussanne), en moins fin et moins riche.

Ci-dessus,
Château-Fines-Roches,
Châteauneuf-du-Pape.

Page ci-contre, à gauche,
vignoble en terrasses de
la Côte-Rôtie, vallée du
Rhône septentrionale.

La France : l'Alsace

Le vignoble alsacien s'étend parallèlement à la rive gauche du Rhin entre Mulhouse et Strasbourg, séparé du fleuve par la plaine d'Alsace. Cette région pittoresque et vallonnée est jalonnée de villages anciens. Les terres sont diverses, plutôt calcaires; le climat est précontinental à faible pluviosité et à fort ensoleillement.

L'Alsace a subi les guerres franco-allemandes et diverses occupations. L'annexion de 1871 à 1918 n'est pas sans conséquences, encore aujourd'hui. En effet, le système des appellations d'origine contrôlée appliqué depuis 1962 — date de l'accession du vignoble alsacien à la catégorie la plus élevée — rappelle sensiblement les habitudes en cours en Allemagne. Comme dans ce pays, le cépage prime le cru; comme dans le Palatinat ou le Rheingau, les coopératives vinifient une notable fraction de la production; de même, les vins alsaciens, comme beaucoup de vins allemands, sont logés dans des bouteilles *flûtes*, dites bouteilles du Rhin.

Depuis 1972, le Comité interprofessionnel des vins d'Alsace a imposé la forme de ces bouteilles. Il n'existe cependant pas de règle fixant la forme de la bouteille en relation avec telle ou telle appellation, sauf pour les vins d'Alsace et du Château-Chalon. Un Bourguignon pourrait très bien embouteiller son vin dans une bouteille bordelaise (et réciproquement). Cela n'est guère pratiqué, bien que les bouteilles spéciales ne soient pas rares. Le Château-Haut-Brion, par exemple, n'est jamais vendu en bouteille bordelaise.

Le Comité interprofessionnel des vins d'Alsace a imposé qu'un vin d'Alsace (AOC) ne peut quitter la région s'il n'a été mis en bouteilles. Nous sommes sceptiques quant à l'efficacité de ce genre de mesures que l'on voudrait assimiler aux garanties que peut offrir la mise en bouteilles au Château (ou à la propriété). Tout au plus, si la bouteille ne donne pas satisfaction ou si le vin ne correspond pas à son étiquette, on en déduira que la manipulation aura été réalisée sur sol alsacien.

Les appellations et les vins

Le vin peut être vendu comme vin d'Alsace ou comme vin d'Alsace issu d'un cépage déterminé et mentionné. En outre, peuvent être précisés un *climat* ou une commune. Une catégorie Alsace grand cru a été créée en 1975. Les crus qui postulent sont en cours d'homologation. Le rendement à l'hectare est limité à 70 hectolitres (30 hl de moins que l'AOC Alsace) (!) et le degré alcoolique plancher est plus élevé. Seuls les vins des meilleurs cépages ont droit à cette appellation (Gewurztraminer, Riesling, Pinot Gris, Muscat).

Riesling (B). C'est le vin le plus fin, le meilleur, nerveux, aristocratique. Accompagne le poulet, le poisson et même la choucroute.

Ci-dessous, *de jeunes vignes dans le village de Turkheim (Alsace).*

Page ci-contre, *vignobles sur des coteaux face au Rhin.*

Gewurztraminer (B). Le plus aromatique. Difficile à marier avec les viandes. Excellent avec le foie gras et les mets épicés.

Pinot Gris (Tokay) (B). Le plus rond, le plus corpulent. Convient aux viandes blanches.

Muscat (B). Vin extraordinaire lorsqu'il exprime les arômes et la finesse du cépage. Apéritif idéal. A boire impérativement frais et jeune.

Sylvaner (B). Sec et discret. A boire frais avec les hors-d'œuvre sans lui accorder d'importance.

Clevner (Pinot Blanc, Auxerrois). Un Tockay en ton mineur. Bon rapport qualité prix.

Edelzwicker (B). Cépages nobles mélangés. Agréable, sans signes particuliers.

Pinot Noir (R). Rouge peu coloré ou rosé. Net, peu charnu, peu étoffé. Direct mais simple.

Alsace Grand Cru. Vingt-six lieux-dits ont droit à l'appellation Grand Cru, ce sont : **Altenberg de Bergbienten, Altenberg de Bergheim, Brand, Eichberg, Furstentum, Geisberg, Gloeckelberg, Goldert, Hatschbourg, Hengst, Kantzlerberg, Kastelberg, Kessler, Kirchberg de Barr, Kirchberg de Ribeauvillé, Kitterlé, Moenchberg, Ollwiller, Rangen, Rosacker, Saering, Schlossberg, Spiegel, Sommerberg, Sonnenglanz, Wibelsberg.**

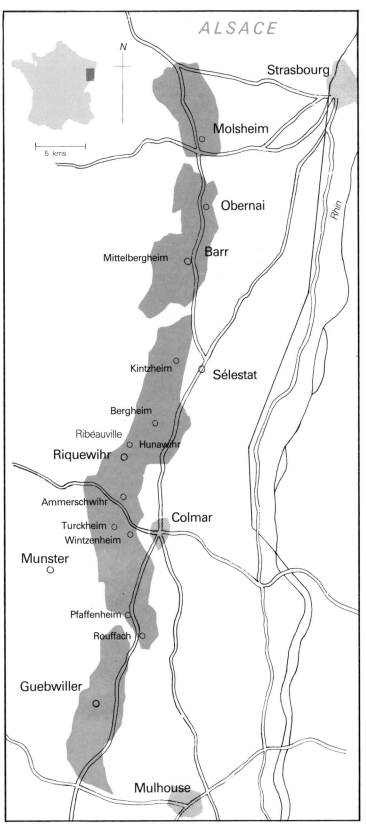

La France : les pays de la Loire

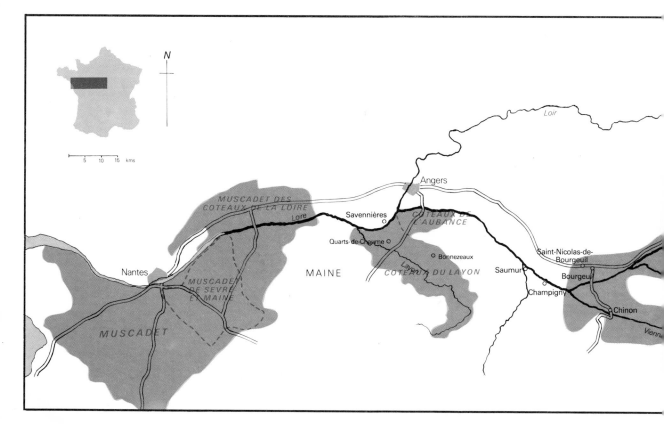

Très ancienne région de vignobles où saint Martin fonda en 372 un ordre et une abbaye. C'est lui, à cet endroit, qui, selon la légende, inventa la taille de la vigne. Le vignoble accompagne la Loire sur près de 1 000 kilomètres de sa source à son embouchure, ainsi que ses affluents. Pour simplifier nous diviserons le cours de la Loire moyenne et inférieure en cinq sections.

Sauvignon

Pouilly Blanc Fumé (B). Vin blanc sec aux arômes floraux violents. C'est un vin d'été qui doit sa fraîcheur et sa finesse aux terres argilo-calcaires. A ne pas confondre avec la petite appellation **Pouilly-sur-Loire**, vin de comptoir issu de Chasselas.

Sancerre (R B rosé). Il illustre les capacités presque trop accusées du Sauvignon stimulées par les marnes kiméridgiennes et les caillottes (calcaire). Ressemble beaucoup au précédent. Le rouge à base de Pinot Noir est intermédiaire entre un Bourgogne léger et un Pinot Noir d'Alsace.

Quincy (B), Reuilly, Menetou-Salon (R B rosé). Dans l'esprit du Sancerre, avec des caractères moins accusés.

Vins de l'Orléanais (VDQS)

Jusqu'aux XVIIᵉ - XVIIIᵉ siècles, le vignoble d'Orléans fut le plus vaste de France.

Il ne produit plus que le *Gris d'Orléans* (VDQS). Rosé de pressurage pâle issu du Pinot Meunier. Un petit vin.

Vins de Touraine

De Blois à Vouvray, divers vins d'AOC Touraine, rouges, blancs, rosés et mousseux à base de cépages bourguignons et des cépages propres à la Loire. Vins gais, francs, légers, sans prétention.

Grands vins de la Loire - Touraine

Vouvray et Montlouis (B). Ces deux AOC de vins blancs, moelleux ou mousseux ne faisaient qu'une jusqu'en 1937. Issus du Chenin, ils sont très typés. Secs, ils sont trop acides les mauvaises années. Très grande longévité : ils peuvent atteindre le demi-siècle.

Bourgueil et Saint-Nicolas-de-Bourgueil (R rosé). Vin rouge de longue garde issu de Cabernet Franc. Terroir de tuffeau (calcaire), vin tannique et ferme; vin de graves sablonneuses, rouge plus souple. Arômes cassis-framboise.

Chinon (R B rosé). Rive gauche en face du précédent. Même terrain, même cépage. Vin très proche, souvent plus souple. Nez de violette.

Jasnières (B), Coteaux-du-Loir (R B rosé). Le Jasnières est un vin de Chenin proche de Vouvray. Nez et bouche pêche abricot. Les

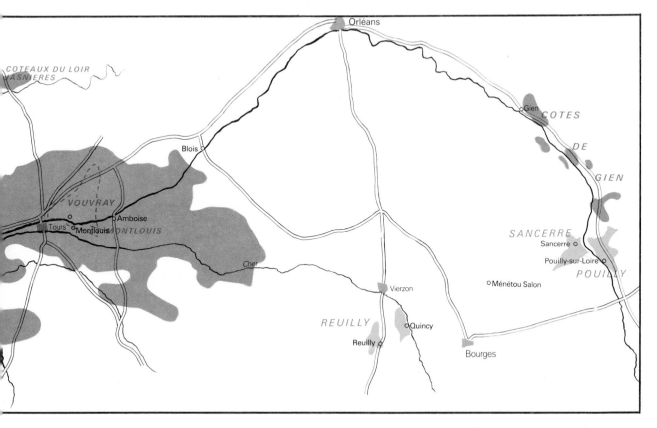

vins des Coteaux-du-Loir sont aimables. On y trouve encore quelques rouges framboisés à base de Pineau d'Aunis.

Grands Vins de la Loire-Anjou

Saumur (R B, mousseux). Vin blanc de Chenin, vin rouge de Cabernet Franc. Net, franc, direct.

Saumur-Champigny (R). Véritable cru de Saumur. Robe sombre. Nez de violette, framboisé et souple en bouché. Les grands millésimes vieux sont superbes.

Coteaux-du-Layon (B moelleux). Blanc de garde plus ou moins doux issu de Chenin. Les six meilleures communes peuvent être désignées.

Coteaux-du-Layon-Chaume (B moelleux). L'un des meilleurs Coteaux-du-Layon.

Coteaux de l'Aubance (B moelleux). Dans l'esprit des Coteaux-du-Layon mais plus modeste.

Bonnezeaux (B liquoreux), Quarts de Chaume (B liquoreux). Les deux grands crus des Coteaux-du-Layon. Grands vins fruités vinifiés à partir de Chenin botrytisé.

Anjou Coteaux-de-la-Loire (B), Savennières (B), Savennières Coulée-de-Serrant (B), Savennières Roche-aux-Moines (B). Ce sont des appellations gigognes. Les deux dernières sont les grands crus de Savennières, qui est la meilleure commune d'Anjou Coteaux-de-la-Loire. Sis principalement en amont d'Angers, les Savennières sont des vins secs (parfois moelleux) de Chenin, dorés, floraux, tendant vers le miel, solidement construits. C'est à la Coulée-de-Serrant que le Chenin s'exprime le mieux. Très grand vin sec et généreux.

Muscadet

Ils sont trois à exploiter le cépage Muscadet ou Melon de Bourgogne : en amont Muscadet des Coteaux-de-la-Loire, plutôt solide, Muscadet de Sèvres-et-Maine, le plus fin et le plus équilibré, Muscadet, vin de carafe. Autour de Nantes on cultive la Folle Blanche qu'on appelle localement Gros-Plant et qui donne son nom à un vin léger (VDQS).

Autres vins

Anjou (B, R, rosé, mousseux). Vin classique à base de chenin (B) et de cabernet (R).

Rosé d'Anjou (rosé). Rosé doux de pressurage de peu d'ambition

Anjou Gamay (R). Vin de primeur typé par le cépage

Rosé de Loire (rosé). Médiocre rosé sec produit de Blois à Varades.

Coteaux de Saumur (B moelleux). Très rare appellation de vin de Chenin réservée à treize communes.

Cabernet de Saumur (rosé). Appellation rare réservée aux rosés doux de pressurage.

La France : le Jura, la Savoie, la Provence

Jura

Cette région montagneuse a le privilège de produire l'un des plus grands vins blancs du monde, ou plutôt un *vin jaune*, le Château-Chalon d'une telle longévité que les bouteilles d'avant 1789 sont toujours excellentes. Le vignoble jurassien couvre la même surface que son voisin producteur des vins de Savoie, 1 200 hectares. Il donne tous les types de vins sauf les blancs liquoreux, mais propose des vins de paille, ainsi que des rouges, des rosés, des blancs, des jaunes et des mousseux.

L'appellation régionale **Côtes-du-Jura** englobe tous les types de vins. Les blancs sont issus de Pinot Blanc et de Chardonnay, voire de Savagnin, les rouges proviennent de Trousseau, de Poulsard et de Pinot seuls ou mêlés. Les meilleurs rosés sont l'expression du Poulsard.

Le *vin de paille*, qui naît d'une vinification spéciale, est dénommé ainsi parce que les raisins étaient séchés sur de la paille. Aujourd'hui, ils sont posés sur des claies ou suspendus. Les raisins, après deux mois de dessiccation, sont pressés, leur moût très riche en sucre fermente lentement. Les vins de paille

ressemblent en plus fin et en plus gras au Porto Blanc. Les meilleurs blancs tranquilles du Jura sont étiquetés **Arbois** et **Arbois Pupillin**, les meilleurs mousseux portent l'appellation communale l'**Etoile.**

Les vins rouges du Jura sont colorés lorsqu'ils proviennent de Trousseau, fermes et de garde. Les vins blancs (Arbois) sont complets, secs avec rondeur les bons millésimes. Les vins jaunes ne se commentent pas, on en reste bouche bée !

Savoie

Il n'y a pas de grands vins en Savoie, mais il y en a d'excellents. En outre, ils sont typés. C'est en Savoie qu'on fait le meilleur vin de Chasselas : le **Crépy.** Ce vignoble surplombe le lac Léman et fait face à ceux produisant le Fendant vaudois (Chasselas également). Vin jaune-doré, en bouche d'une acidité moyenne et noisetté. A boire jeune avec une perche ou une féra du lac.

La **Roussette de Savoie** porte le nom de son cépage (ne pas confondre avec la Roussanne). On l'appelle également Altesse. Vin blanc sec finement architecturé, robe or pâle, nerveux

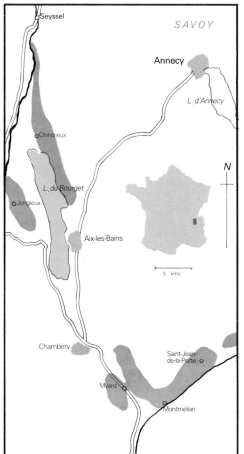

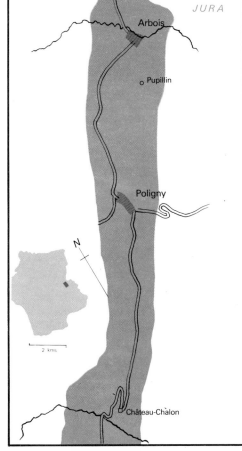

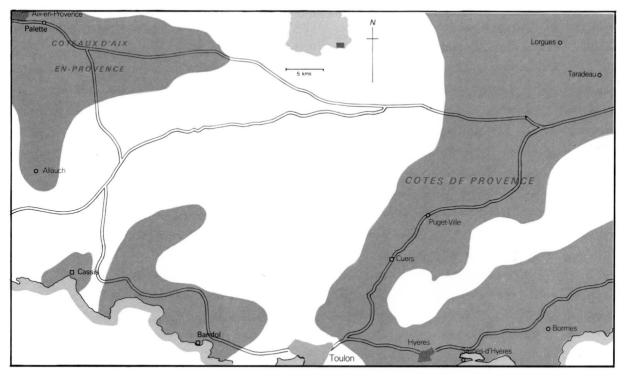

et équilibré les années chaudes. A boire avec les truites du lac du Bourget dominé par des vignes de Roussette. Le **Seyssel** et le **Seyssel Mousseux** sont à cheval sur la Savoie et l'Ain.

Les grands vins de Provence

Quatre appellations se sont toujours distinguées au-delà et à l'est du couloir rhodanien : ce sont Palette, Cassis, Bandol, Bellet.

Palette (R B rosé). Palette est le seul à ne pas appartenir au littoral méditerranéen puisqu'il est tout proche d'Aix-en-Provence. Ce sont des vins remarquables. Les rouges à base des meilleurs cépages du Rhône, Grenache, Cinsault, Mourvèdre, sont très colorés, tanniques, complets, de longue garde; les blancs de Clairette sont extraordinairement fins eu égard à leur cépage. L'exposition nordique de ce vignoble explique cette anomalie.

Cassis (R B rosé). Les blancs sont les meilleurs (Clairette, Marsanne, Ugni Blanc). Ce sont des vins nerveux et floraux.

Bandol (R B rosé). Les rouges sont les meilleurs (60 % au minimum de Mourvèdre, Cinsault, Grenache). Ceux de vieilles vignes rivalisent en qualité avec les crus classés bordelais.

Bellet (R B rosé). Ils doivent leurs qualités au climat rafraîchi de la montagne qui domine Nice sur laquelle sont plantés des cépages rares et originaux. Les blancs sont secs, nerveux et spirituels, les rosés intéressants et fins, les rouges fermes et précis sans aucun mol-

lesse sudiste. Tous ces vins sont parfaitement adaptés à la cuisine niçoise très caractéristique.

Côtes-de-Provence (R B rosé). Les blancs n'offrent pas un grand intérêt, la chaleur ne favorisant pas le développement des arômes subtils; les rosés sont réussis, frais, légers, bouquetés. Les rouges, issus d'un encépagement local et rhodanien dans lequel la participation du médiocre Carignan est en régression, sont en progrès.

Corse

Corse (R B rosé). Les cépages corses authentiques sont le Niellucio, le Sciacarello et son cousin le Montanaccio ainsi que le cépage blanc Vermentino souvent baptisé Malvoisie de Corse. Le meilleur vin corse est le Patrimonio rouge. Né de terres calcaires, il est bien coloré, d'un bon degré alcoolique, charnu et de bonne garde.

Cépages Jura-Savoie
Traminer-Savagnin

Ou Naturé. Seul cépage du célèbre Château-Chalon (Jura). Peu productif, deuxième époque. Grappes compactes de petits grains. Vin inoubliable (voir p. 54 et 104).

Jacquère

Typique cépage savoyard tardif pour la région. Productif. Grains ronds, serrés, peau épaisse. Vin demi-fin de terroir. Le plus représentatif est l'AOC de Savoie Apremont.

La France : le Languedoc et le Sud-Ouest

Languedoc

Dans la plaine, l'Aramon et le Carignan produisent quelques-uns des vins les plus médiocres. C'est la patrie du « gros qui tache » qu'on tente d'améliorer avec des vins « médecins » italiens. Ces vins de table vendus par 220 hectolitres ne nous intéressent pas. Dans

Ci-contre, la cueillette de
raisins blancs dans le
Languedoc.

la même région naissent les VDQS Coteaux-du-Languedoc, solides vins rouges pour la plupart.

Les trois AOC, exclusivement blanches, sont la **Clairette de Bellegarde**, la **Clairette du Languedoc** et la **Blanquette de Limoux**. Ces trois vins portent le nom de leur cépage (Blanquette = Mauzac). Les deux premiers sont riches, capiteux, parfois lourds, la dernière, presque toujours mousseuse, est pleine et ronde. Tous doivent se boire jeunes. Les trois AOC rouges sont Fitou, Collioure et Côtes-du-Roussillon.

Fitou. C'est le meilleur vin à base de Carignan de coteau (+ Grenache + Lladoner); il séjourne au moins neuf mois en fût. Vin dense, complet, rond demi-fin, excellent pour le sanglier et le fromage.

Collioure (Carignan, Grenache, Cinsault, Mourvèdre). Fort vin rouge rappelant le précédent, souvent avec plus de finesse.

Côtes-du-Roussillon. Ces vins cumulent des cépages des deux appellations précédentes (Carignan majoritaire). Certains se boivent en primeur (macération carbonique), d'autres dans leurs premières années. Vins en progrès, légers, mais avec de la chair.

Corbières, Minervois, Costières du Gard sont des VDQS de bonne qualité. Ils

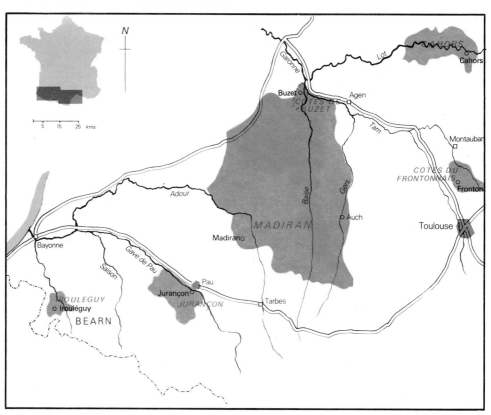

comprennent trois rouges et un blanc intéressant par son cépage, la Folle Blanche (70 % au minimum) : le Picpoul de Pinet.

Sud-Ouest

Belle région intéressante par la diversité de son encépagement, donc de ses vins.

Cahors (R). Très ancien vin de Malbec (70 % minimum) qu'on baptise sur place Auxerrois. C'est l'antique *vin noir*, tannique, construit, peu complexe. Idéal pour le confit.

Côtes-de-Buzet (R B rosé). Encépagement bordelais, dans l'esprit des bons Bordeaux régionaux.

Gaillac (R B rosé). Vaste gamme de vins. Rouge de Gamay à boire en primeur. Rouge d'intéressants cépages locaux (Braucol, Fer, Duras, etc.) fermes et équilibrés, blancs de Mauzac perlants à boire frais et jeunes, fruités mais manquant parfois d'acidité; moelleux fruités et séveux et très intéressant mousseux de méthode rurale améliorée.

Côtes-du-Frontonnais (R rosé). Vin rouge souple à base de Négrette, fruité, léger, facile.

Madiran (R). Imposant vin rouge des Pyrénées. Robe noire, athlétique, de longue garde. Vainqueur des nourritures les plus fortes.

Jurançon (B). Encépagement spécial (Courbu, Manseng), vin original. Vin sec, attaque vive, bouche ferme et nette. Vin liquoreux : grand vin très ancien au nez explosif, épicé. En bouche, belle complexité aromatique, cannelle, gingembre, muscade, girofle avec nervosité.

Pacherenc du Vic Bihl (B). Vin pyrénéen, rappelle le Jurançon sec. Parfois moelleux.

Irouléguy (R B rosé). Proche de la frontière espagnole. Le rouge est le plus connu. Rappelle en plus modeste le Madiran.

Béarn (R B rosé). Porte le nom de sa province d'origine, vin facile et peu ambitieux. Rosé très réussi.

Deux VDQS dignes d'attention, le **Tursan (R, rosé, B)**, blanc sec à boire dans l'année, rouge bien construit et les **Côtes-de-Saint-Mont (R, rosé, B)** le blanc rappelant le Pacherenc et le rouge un Madiran miniature.

Cépages régionaux
Maccabeu (Maccabeo)

Débourrement tardif, mûrissement en troisième époque. Pour région sèche exclusivement. Vin doré, rond, alcoolisé, fruité, mais manquant de finesse. Bien adapté aux vins vinés. Cultivé dans le Roussillon.

Ondenc

Cépage du Sud-Ouest de la France à débourrement précoce et de deuxième époque. Petite production de vin équilibré, alcoolisé, généralement assemblé à d'autres.

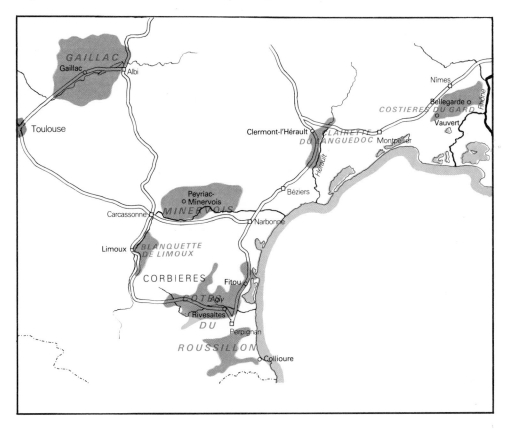

L'Allemagne 1

La qualité des vins allemands de consommation courante est très moyenne. En revanche, les vins d'appellation sont remarquables et jouissent d'une renommée mondiale. Souvenons-nous que l'Allemagne est le premier pays importateur de vin blanc aux Etats-Unis et que les liquoreux du Schloss Johannisberg se vendent à des prix très supérieurs à ceux atteints par le Château-d'Yquem ! Cent mille vignerons cultivent cent mille hectares et livrent environ dix millions d'hectolitres. Les dénominations d'origine s'appliquent à onze régions, lesquelles se divisent en sous-régions, districts et climats particuliers, soit deux mille cinq cents dénominations possibles.

Les onze régions

La situation géographique des onze régions apparaît dans la carte ci-contre.

1. Ahr. 550 hectares de terres volcaniques comprenant de l'ardoise. C'est la région où l'on trouve le plus de vin rouge — à base de Pinot et de Portugais Bleu. Vins blancs remarquable de Riesling et de Müller-Thurgau.

2. Moselle, Sarre, Rüwer. 12 000 hectares de schistes argileux et d'alluvions argileuses complantés de Riesling et de Müller-Thurgau. Vins fins et élégants.

3. Nahe. 5 000 hectares de terres porphyriques et de sols profonds accueillent Müller-Thurgau, Sylvaner et Riesling. Vins racés et bouquetés, et des cépages très aromatiques.

4. Rhin moyen (Mittelrhein). 1 000 hectares de Riesling et de Müller-Thurgau complantés dans des sols schisteux peu vallonnés donnent naissance à des vins plutôt virils.

5. Rhénanie (Rheingau). 3 000 hectares de sol pauvre de schistes et de loess glorifient le Riesling. Région des plus grands vins blancs allemands et des meilleurs rouges à Assmannshausen.

6. Hesse rhénane (Rheinhessen). 23 000 hectares de Müller-Thurgau et de Sylvaner occupent des sols argilo-calcaires et marneux calcaires. Vins fruités et frais, vins exubérants de cépages très aromatiques. Vin rouge de Pinot à Ingelheim.

Ci-dessous, les vignobles de la Moselle près de Bremm, et, au premier plan, les ruines du monastère de Stüben.

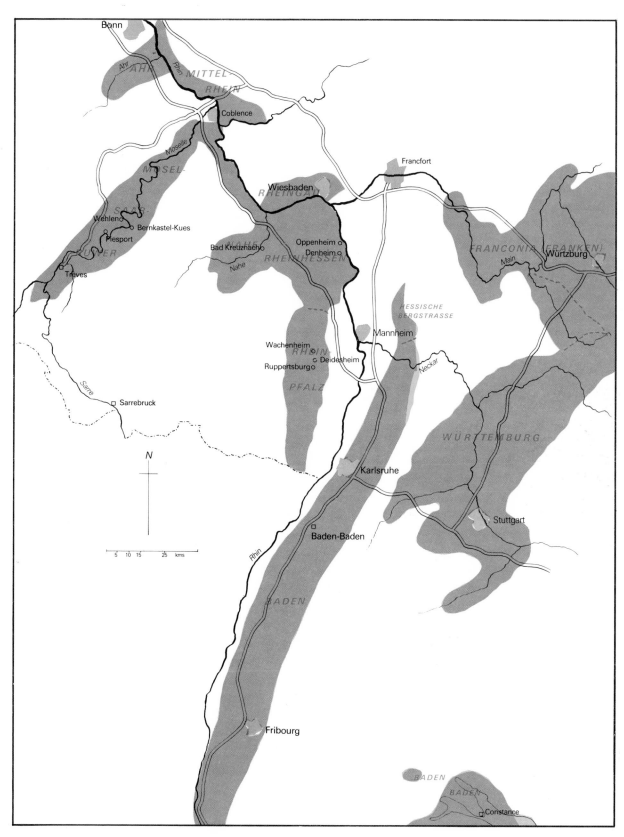

L'Allemagne 2

7. Palatinat (Pfalz). 22 000 hectares de grès calcaire, de basalte volcanique et de graves argileuses complantés de Müller-Thurgau, de Sylvaner, de Riesling et de cépages très aromatiques, donnent des vins pleins et virils.

8. Bergstrasse de Hesse (Hessische Bergstrasse). 300 hectares de sol profond accueillent surtout du Riesling. Vins vigoureux et virils.

9. Pays de Bade (Baden). 13 000 hectares sur 400 kilomètres de sols divers (argile, grès, loess). Müller-Thurgau, Pinot Noir, Pinot Gris (Ruländer), Chasselas (Gutedel), etc., assistent le Gewurztraminer et le Pinot Noir. Vins fruités et pleins. Rouges en progrès.

10. Wurtemberg (Württemberg). 10 000 hectares de Riesling et de Müller-Thurgau, de Trollinger Bleu et d'autres cépages « bleus » (rouges) ont investi les terrains calcaires. Vins nerveux et spécialité de rosé de pressurage.

11. Franconie (Franken). 3 500 hectares « encépagés » de Müller-Thurgau et de Sylvaner. Terres granitiques et de grès. Vin corpulents et nerveux livrés en bouteille régionale : Bocksbeutel (genre basquaise).

Les cépages

Les cépages des vignobles allemands sont le Riesling, le Sylvaner, le Ruländer (Pinot Gris), le Chasselas (Gutedel) et le Pinot Noir (Spätburgunder), décrits précédemment, ainsi que 1 000 hectares et plus de Bacchus, de Rieslaner, de Faber, d'Optima, de Huxelrebe, etc., et quelques cépages issus de croisement par voie sexuée.

Müller-Thurgau. Le Riesling (22,9 %) a été détrôné par le Müller-Thurgau (30,8 %). C'est au Pr Müller de Thurgovie (Thurgau) qu'il doit son nom et sa naissance. C'est un croisement par voie sexuée de Riesling et de Sylvaner, à maturité précoce et à fort rendement. Vins équilibrés légèrement muscadés (également cultivé en Autriche et en Californie).

Kerner (2 800 hectares, 3,1 %). Croisement de Riesling et de Trollinger. Cépage peu exigeant, vins faciles, arômes de Riesling muscaté.

Scheurebe (3 000 hectares, 3,2 %). Autre croisement de Riesling et de Sylvaner. Précoce, bon producteur de sucre. Tous ces vins

Ci-dessus, les rives schisteuses de la Moselle constituent un terrain idéal pour la culture extensive du Riesling.

Ci-dessus, Burg Cochem, partiellement caché par les vignobles florissants de la Moselle.

mesure de la richesse en sucre des moûts exprimée en degrés Öchsle, que nous traduirons par degrés alcooliques réels ou potentiels pour plus de commodité — étant entendu que plus le rendement à l'hectare augmente, moins les moûts sont riches. Les vins courants appartiennent à la catégorie des vins de table (faible richesse des moûts, faible degré alcoolique).

Les VQPRD européens, comprenant en France les AOC et les VDQS, sont en Allemagne désignés soit sous le nom de *Qualitätswein eines bestimmten Aubaugebietes*, ou QbA (vin de qualité), soit sous celui de *Qualitätswein mit Prädikat*, ou QmP (vin de qualité labellisé). Les premiers peuvent être chaptalisés de 2 degrés comme la plupart des vins français (sauf Midi, vallée du Rhône). Le second groupe est totalement original : la chaptalisation est interdite et une mention particulière indique la richesse des moûts, richesse dépendant en grande partie du mode de récolte (indication en degrés potentiels).

Kabinett : 9 à 11 degrés selon la région ;

Spätlese : vendanges tardives, de 10 à 13 degrés ;

Auslese : vendanges tardives et sélection des meilleurs grains ; de 11 à 14,5 degrés ;

Beerenauslese : vendanges tardives et sélection des grains surmûris ou botrytisés ; de 15 à 28 degrés ;

Trockenbeerenauslese : vendanges tardives et sélection de grains pourris-rôtis ; de 21,5 à 22 degrés ;

Eiswein : vendanges hivernales de grains ayant gelé. De 22 à 30 degrés.

Les vins des deux catégories de *Qualitätswein* subissent un examen analytique et gustatif. Chaque lot de vin agréé reçoit un numéro qui doit figurer sur l'étiquette.

dégagent un agréable bouquet de cassis.

Muscat Morio (2 800 hectares, 3,1 %). Obtenu par croisement de Sylvaner et de Pinot Blanc. Petite grappe d'un raisin robuste, presque précoce. Incroyablement aromatique (presque trop), fortement muscaté.

Quelques cépages rouges spécifiques

Portugais Bleu (3 800 hectares, 4,3 %). Originaire de Hongrie — et pas du Portugal — les grosses grappes précoces de ce cépage peu exigeant produisent un vin sans type, sans caractère, sans intérêt.

Trollinger Bleu (2 000 hectares, 2,2 %). Ce cépage n'est guère remarquable non plus. Il est plus exigeant que le précédent, donne du sucre quand le soleil est de la partie et produit un vin peu coloré légèrement acide.

Législation

Les législations française et allemande diffèrent complètement sur un point fondamental. Alors qu'en France le rendement à l'hectare est toujours limité, en Allemagne cette règle est ignorée mais est remplacée par la

L'Italie 1

L'Italie est l'une des plus anciennes régions viticoles du monde. La culture de la vigne y remonte à plusieurs milliers d'années — comme en témoignent des pépins de raisin fossilisés datant de l'âge de la pierre trouvés dans des fouilles près de Venise. Le vin a toujours joué un rôle important dans la vie des habitants de la péninsule.

Un peu d'histoire

La culture de la vigne en Italie s'est développée sous la Grèce antique pour des raisons autant sociales que religieuses. Le culte de Dionysos (le dieu grec du Vin) occupait une place importante dans le Sud et en Sicile. Dans le Sud de l'Italie subsistent des cépages dont les origines remontent à la période grecque (Greco di Tufo et Aglianico).

Les Romains étaient des viticulteurs accomplis; la culture de la vigne a été encouragée aussi bien en Italie que dans les postes avancés de l'Empire, notamment en Gaule, dans la vallée du Rhône et en Bourgogne, ainsi qu'en Allemagne. Les légionnaires recevaient en récompense des terres sur lesquelles ils devaient planter des vignes. Celles-ci ne produisant qu'au bout de quatre ans, cette période était mise à profit par les soldats vignerons pour s'occuper de leur vignoble en attendant la récolte. Un gage de tranquillité pour Rome. Cet esprit de pionnier vigneron se retrouve encore aujourd'hui chez ceux qui quittent leur patrie pour aller créer des vignobles dans des pays plus jeunes, notamment aux Etats-Unis, en Amérique du Sud et en Australie.

Géographie et conditions climatiques

Les Grecs, qui ont été les premiers à se rendre compte des possibilités viticoles de l'Italie, lui ont donné le nom d'*Œnotria* ou « pays du vin ». Mise à part la plaine alluviale et fertile de la vallée du Pô qui s'étend de Turin au nord-ouest, en passant par Milan jusqu'à Venise au nord-est, la région est entrecoupée de collines et de montagnes très propices à la culture de la vigne.

Les Alpes, qui forment la frontière septentrionale du pays, descendent en pente douce jusqu'à la vallée du Pô. On trouve des vignes plantées en terrasses dans les parties les plus hautes ainsi que des vignobles qui ondulent sur les pentes douces. La chaîne des Apennins, qui forment la dorsale de la péninsule, s'élève à l'ouest de Gênes, puis tourne vers le sud près de Bologne, descendant ensuite à l'extrémité de la botte. Sauf sur les cimes enneigées, le vignoble règne dans ces montagnes. Un sol ingrat étant propice aux vins de qualité, là encore, l'Italie est favorisée par rapport à d'autres pays, mise à part la fertile vallée du Pô, où le riz et le blé occupent la plus grande place. La géologie est complexe : au nord-ouest, granit; dans le Trentin, zones argileuses et calcaires; au centre, schistes argileux et graves; au sud et en Sicile, sol volcanique. L'Italie, pays du beau temps permanent et de la chaleur, relève de la légende. En réalité, plusieurs types de climat prédominent : continental du nord jusqu'à la Toscane, avec des hivers rudes, des étés chauds, des pluies fréquentes et des orages de grêle; tempéré dans le centre, hivers frais, étés assez chauds; enfin, méditerranéen dans le sud et dans les îles, avec des hivers doux et des étés chauds et secs, souvent même trop secs. Les collines et les vallées créent aussi des microclimats qui peuvent influencer la production des vins. Cette grande variété topographique, climatique et géologique a pour conséquence l'existence d'une gamme de vins de type et de style qui diffèrent plus que dans aucune autre région du monde.

La législation viticole italienne

En 1963, le gouvernement italien a approuvé la loi régissant les DOC (*Denominazione di*

Ci-contre, la configuration de la plupart des terres en Italie — pentes de montagnes et de collines — convient admirablement à la culture de la vigne; chaque région est productrice de vin.

Origine Controllata ou Appellations d'Origine Contrôlée). Cette loi régit la production d'environ deux cents vins et s'applique dans les domaines suivants :

- aire de production;
- cépages autorisés et pourcentage admis;
- altitude au-dessus de la mer et exposition des vignobles;
- méthode de taille de la vigne;
- rendement maximal de raisins par hectare;
- durée de vieillissement en cave avant la mise en vente;
- capacité des bouteilles ou des conteneurs dans lesquels le vin est vendu;
- caractéristiques organoleptiques du vin.

Un cran au-dessus, la DOCG (*Denominazione di Origine Controllata e Garantita*) ne concerne actuellement que quatre vins : Barolo, Barvaresco, Vino Nobile di Montepulciano et Brunello di Montalcino. En plus des contrôles exercés sur les vins DOC, les vins DOCG sont soumis à des dégustations effectuées à intervalles réguliers par un comité d'experts. Si le vin d'un producteur est jugé inférieur au niveau requis, toute sa production est déclassée en vin de table ordinaire. Les lois qui gouvernent la DOCG constituent la législation viticole la plus stricte du monde — pour deux raisons. D'une part, dans aucun autre pays la qualité d'un vin n'est légalement garantie, et nulle part ailleurs tant d'aspects de la production du vin ne sont contrôlés par la loi. Par exemple, si un vigneron dépasse la quantité autorisée, toute sa production de l'année est déclassée en vin de table ordinaire. D'autre part, la chaptalisation est interdite en Italie. Seule l'adjonction de moût concentré est tolérée dans certains cas.

Les régions viticoles d'Italie

Il existe dix-neuf régions en Italie : dans le Nord, val d'Aoste, Piémont, Lombardie, Ligurie, Vénétie, Trentin-Haut-Adige et Frioul-Vénétie Julienne; dans le centre, Emilie-Romagne, Toscane, Ombrie, les Marches et le Latium; dans le Sud, Campanie, Abruzzes-Molise, Apulia, Basilicata et Calabre, plus la Sicile et la Sardaigne.

Contrairement à d'autres pays viticoles où l'on produit du vin seulement dans certaines régions, toutes les régions sans exception en proposent. Il faut se rappeler que l'Italie n'existe en tant que nation que depuis une centaine d'années; le pays était alors divisé en royaumes, en duchés et en Etats-cités, souvent en guerre les uns contre les autres. Cette séparation géographique et politique avait développé dans chaque région des coutumes et des traditions individuelles encore visibles aujourd'hui. Ces différences s'étendent aussi au domaine vinicole et aux techniques de vinification.

Les étiquettes des vins italiens

Les vins peuvent porter les noms suivants :

1. *Un lieu géographique* : par exemple *Barolo* (un village), *Chianti* (une localité), *Sangiovese di Romagne* (la région). Tous les vins DOC portent un nom de lieu.

2. *Un nom de cépage* : *Barbera* d'Asti (cépage et ville), *Verdicchio* dei Castelli di Jesi (cépage et localité), *Pinot Grigio* delle Tre Venezie (cépage et région).

3. *Un nom de marque ou un nom générique* : la plupart des vins non DOC, par exemple Corvo, Venegazzu.

La méthode la plus aisée pour ceux qui veulent connaître les vins italiens est de diviser le pays en cinq secteurs : le nord-ouest, le nord-est, le centre, le sud et les îles. Chaque secteur possède certaines similitudes en ce qui concerne le climat et les cépages, bien que les styles de vins soient multiples.

Il faut se rappeler également que les vins italiens, souvent issus de cépages rarement cultivés ailleurs, sont difficilement comparables aux vins d'autres pays. Pour beaucoup, vin italien signifie souvent « petit vin pas cher », mais la production italienne comporte aussi des vins de très grande qualité méconnus, notamment en France.

1. Le nord-ouest de l'Italie

Ce secteur comprend le val d'Aoste, le Piémont, la Ligurie et la Lombardie, régions connues pour leurs vins rouges charnus et pour le *Brut Spumante*, souvent élaboré selon la méthode champenoise.

Piémont

Une des régions les plus importantes du monde pour la production des vins rouges. Les vins sont souvent très charnus et tanniques et demandent un vieillissement prolongé pour réaliser toutes leurs possibilités. Les rouges représentent environ 90 % de la production.

Barolo : DOCG. Charpenté, tannique, issu du cépage Nebbiolo près du village de Barolo, dans le sud du Piémont. A son apogée au bout de dix à quinze ans. Il possède la robe rubis typique de ce cépage et un bouquet riche très facile à identifier.

Barbaresco : DOCG. Egalement issu du cépage Nebbiolo, frère cadet du Barolo, mais en plus souple et en plus élégant.

Barbera d'Asti et **Barbera d'Alba :** DOC. Le cépage Barbera est le plus répandu dans le

L'Italie 2

*Ci-dessous,
dégorgement, dosage et
bouchage du Brut
Spumante, vin
effervescent élaboré
selon la méthode
champenoise près de
Turin.*

Piémont, 50 % des rouges en sont issus. Les meilleurs vins viennent du sud, aux environs d'Albe et d'Asti. Ils sont de corpulence moyenne, fruités et prêts à boire à partir de trois à sept ans.

Asti : DOC. Le mousseux le plus répandu du monde, élaboré à partir de raisins Moscato di Canelli dans toute la région d'Asti. Contrairement à la méthode champenoise, le vin d'Asti n'est fermenté qu'une fois dans de grandes cuves closes. Après la vendange, le moût est réfrigéré et stocké à zéro degré en attendant d'avoir de nouveau besoin de vin. Le moût est ramené à la température ambiante, des levures sélectionnées y sont ajoutées et on le laisse fermenter jusqu'à ce que le taux d'alcool atteigne 7 degrés. La fermentation est alors arrêtée et le vin est filtré et mis en bouteilles. Les qualités de fraîcheur et de fruité sont ainsi préservées.

Gattinara : DOC. Vin issu de Nebbiolo, mais de la partie nord du Piémont. Une période de vieillissement de quatre ans est nécessaire avant la mise en vente, et le vin peut encore s'améliorer en cave pendant dix à quinze ans.

Carema, Ghemme : DOC. Des vins rouges, de corpulence moyenne, issus du cépage Nebbiolo, cultivés dans le Nord. Plus légers que les autres vins Nebbiolo du Piémont à cause de la différence du sol.

La Lombardie

Les deux principaux secteurs viticoles sont la Valtelline et l'Oltrepo' Pavese.

La Valtelline. Haut perchée dans les montagnes près de la Suisse, la Valtelline produit une minuscule quantité de vins de qualité issus du cépage Chiavennasca (nom local pour le Nebbiolo). Les vignobles sont en terrasses, taillés à flanc de collines pentues, et tout le travail s'y effectue à la main.

Sassella, Inferno, Valgella, Grumello : DOC. Les crus principaux de la Valtelline. Plus légers que les Nebbiolo du Piémont, ils supportent un vieillissement limité.

Sfursat : DOC. Elaboré à partir de raisins Nebbiolo séchés sur clayettes pendant deux à trois mois, ce vin est riche et savoureux avec un taux élevé d'alcool (14 à 15 degrés) et une pointe de sucre résiduel.

Oltrepo' Pavese. La région montagneuse au sud de la vallée du Pô. Les cépages principaux sont le Barbera et le Bonarda pour les vins rouges (dont le **Gutturnio dei Colli Piacentini** est l'un des meilleurs), le Pinot et le Chardonnay pour les blancs, dont beaucoup sont utilisés comme vin de base dans l'élaboration du *Brut Spumante*.

2. Le nord-est de l'Italie

Ce secteur comprend la Vénétie, le Haut-Trentin, l'Adige, le Frioul-Vénétie Julienne. Dans cette région, la plupart des vins portent le nom de leur cépage. Beaucoup de ceux-ci ont été importés de France et d'Allemagne au cours du XIXᵉ siècle.

Vénétie

Les deux principaux secteurs sont la Véronèse et la vallée de la Piave.

Véronèse. La région autour de la ville de Vérone et qui longe les rives est du lac de Garde. Production de vins légers et frais.

Soave : DOC. Sans doute le vin blanc d'Italie le plus connu, issu de raisins Garganega et Trebbiano.

Bardolino et **Valpolicella :** DOC. Vins rouges fruités et légers, à boire jeunes. Plusieurs petits propriétaires élaborent des vins de qualité.

Amarone : DOC. Produit à partir des mêmes raisins que le Valpolicella, séchés sur clayettes pendant trois mois (voir Sfursat de Lombardie). Ce vin riche et savoureux supporte très bien un long vieillissement.

Piave. Vaste région où l'on trouve quatre cépages principaux : Cabernet et Merlot pour les rouges, Verduzzo et Tokay (tous deux des plants locaux) pour les blancs. La plupart de ces vins sont consommés sur place.

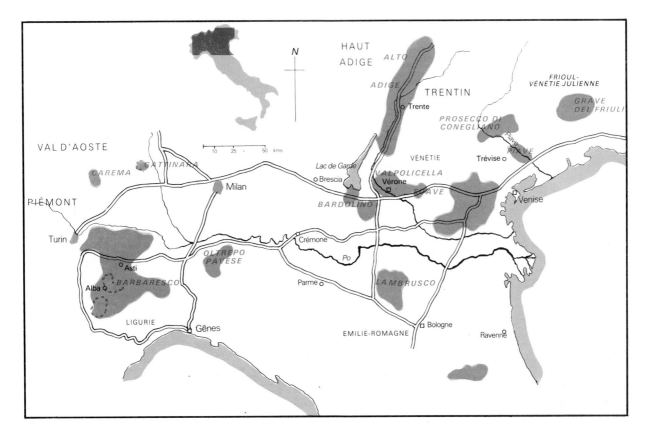

Aux alentours de Trévise, d'autres vins de qualité sont produits, tels que le **Prosecco di Conegliano,** un mousseux demi-sec et aromatique, et le **Venegazzu',** un vin de propriétaire, assemblage de Cabernet, de Merlot et de Malbec.

Trentin-Haut-Adige

La partie nord de cette région, le Haut-Adige, connue aussi sous le nom de Tyrol du Sud, a été cédée à l'Italie à la fin de la Première Guerre mondiale. On y élabore des vins issus des cépages suivants : Riesling, Müller-Thurgau, Sylvaner, Pinot Gris, Chardonnay et Pinot Noir. Ils sont en général de bonne qualité : nets, frais et fruités. L'appellation DOC porte de nom de *Alto Adige* et concerne un certain nombre de vins étiquetés sous le nom du cépage dont ils sont issus.

La province du Trentin occupe la moitié sud de cette région. On y retrouve à peu près les mêmes cépages. Ici l'appellation porte le nom de *Trentino.* Le Chardonnay se répand de plus en plus et fournit le vin de base du *Brut Spumante.*

Frioul-Vénétie Julienne

Les vins blancs de cette région, issus de Riesling, de Müller-Thurgau, de Sauvignon, de Sylvaner, de Pinot Gris, de Tokay et de Chardonnay, sont parmi les plus grands d'Italie. On trouve aussi des rouges légers et fruités de Merlot et de Cabernet à boire jeunes. Les meilleures appellations sont *Collio* et *Grave del Friuli.*

3. L'Italie du centre

Appartiennent à ce troisième secteur : l'Emilie-Romagne, la Toscane, l'Ombrie, les Marches et le Latium. Les cépages principaux sont, pour les rouges, le Sangiovese, et, pour les blancs, le Trebbiano et la Malvoisie.

Emilie-Romagne

Cette région est surnommée « la cave de l'Italie » tant sa récolte est abondante chaque année.

Lambrusco. Rouge effervescent demi-doux ou demi-sec, faible en alcool, issu du cépage qui lui donne son nom. Très apprécié aux Etats-Unis et au Japon.

Sangiovese di Romagna. Vin rouge fruité à boire jeune. Peut aller du vin âpre et acide au vin souple et élégant.

La Toscane

Grande région de rouges. Egalement célèbre pour son huile d'olive; vignes et oliviers se disputent le terrain.

Chianti. Peut-être le plus célèbre des vins

115

L'Italie 3

rouges d'Italie et sans doute le plus sous-estimé du monde. Vinifié à partir de Sangiovese, assisté d'un peu de raisins blancs : le Trebbiano. Il en existe deux styles : un vin prêt à boire au mois de mars qui suit la récolte et qui n'a aucun potentiel de vieillissement; un vin de garde, le *Riserva* qui est élevé en fûts pendant trois ans et qui s'améliore en dix à quinze ans. Les vins étiquetés *Classico* du cœur de l'appellation DOC sont considérés comme les meilleurs. En deuxième position vient la catégorie des *Rufina*. L'appellation DOC couvre la majeure partie de cette région.

Brunello di Montalcino : DOCG. Issu d'un clone du cépage Sangiovese, connu sous le nom de Brunello. Vin rouge puissant, vieilli en fûts pendant quatre ans avant d'être mis en vente. Les grands millésimes sont d'une longévité remarquable. Vingt-cinq années sont nécessaires pour qu'ils atteignent leur apogée.

Vino Nobile di Montepulciano : DOCG. Ressemble au Chianti mais avec plus de finesse. Les bons millésimes tiennent dix ans.

Carmignano (R) (DOC). Cette région pourrait revendiquer la doyenneté des dénominations d'origine contrôlée italienne puisque le grand-duc de Toscane en 1716 l'a circonscrite (avec le Chianti, Pomino et Val d'Arno). Encépagement : Sangiovese (plus de 50 %), Canaiolo, Cabernet + un peu de Trebbiano. Excellent vin rouge riche, framboisé, se bonifiant pendant dix ans.

Vernaccia di San Gimignano. Vin blanc de qualité issu du cépage Vernaccia, le premier à recevoir l'appellation DOC. Etait, dit-on, le vin préféré de Michel-Ange. Le *Riserva* passe une année en fûts.

Montecarlo (B) (DOC). Vin blanc issu principalement du Trebbiano (60-70 %), sec et fin sans grande ampleur.

Ombrie

Le cœur vert de l'Italie. Célèbre pour ses villes et leurs collines : Péruge, Assise, etc.

Torgiano Rubesco. Vin très estimé issu de Sangiovese et d'autres cépages rouges. Attendre le *Riserva* une dizaine d'années, afin qu'il gagne en ampleur et en élégance.

Orvieto : DOC. Sec et demi-sec. Tous deux issus de Trebbiano et de Malvoisie. La qualité s'est améliorée depuis quelques années grâce aux progrès apportés à la vinification des vins blancs (fermentation à froid, réfrigération).

Colli del Trasimeno (R B). Provenant des collines entourant le grand lac du même nom. Vin blanc sec de Trebbiano (+ Verdello + Malvoisie), à boire dans l'année, vin rouge à reflets violets de Sangiovese (+ Gamay + Merlot etc.), légèrement tannique, se bonifiant quelques années. Le célèbre constructeur d'automobiles Lamborghini produit de bons vins de cette DOC.

Marches

Région célèbre pour ses plages sur l'Adriatique et ses fruits de mer.

Verdicchio : DOC. Vin blanc sec et nerveux d'une haute acidité; accompagne bien les fruits de mer. Issu du cépage qui porte son nom. Vendu traditionnellement dans des bouteilles vertes en forme d'amphore.

Latium

Rome est la capitale de l'Italie et de la région du Latium. Pour la plupart, vins légers à consommer sur place.

Frascati et **Marino :** DOC. Vins blancs les plus connus de la région. Ils se ressemblent beaucoup. Sont tous deux issus des cépages Trebbiano et Malvoisie. Les derniers millésimes ont bénéficié des progrès technologiques réalisés dans la vinification des blancs. Les vins sont francs, nets, équilibrés.

4. Italie du Sud

La moitié sud-est de ce secteur produit la plus grande partie de ces vins méridionaux. Ailleurs, le sol est ingrat et caillouteux et les périodes de sécheresse trop longues.

Les régions du sud se dénomment Campanie, Abruzzes-Molise, Basilicata, Apulia et Calabre.

Campanie

Ces vignobles de montagne produisent des vins très élégants. L'altitude compense la latitude.

Taurasi : DOC. Vin rouge robuste issu de raisins Aglianico (Aglianico = hellénique, cépage originaire de la Grèce antique) qui poussent dans l'arrière-pays de Naples sur un sol volcanique. Ce vin s'améliore au vieillissement. Les attendre de cinq à dix ans.

Fiano di Avellino : DOC. Un des rares blancs italiens qui s'améliorent après un bref vieillissement. Issu de raisins Fiano. Vin riche au bouquet de miel très agréable.

Greco di Tufo : DOC. Encore un vin blanc excellent qui supporte un léger vieillissement. Fait avec des raisins Greco près du village de Tufo. Vin pointu.

Basilicata

Aglianico del Vulture. Ressemble en moins élégant au Taurasi. Vient du même cépage.

Apulia

Région qui produit de grandes quantités de vins. Beaucoup sont expédiés en vrac vers l'Italie du Nord et la France. De récentes expériences ont donné des résultats très satisfaisants avec des cépages tels que Cabernet et le Pinot Noir.

5. Les îles

Sardaigne

L'île Emeraude produit relativement peu de vin. Il est consommé en grande partie sur place.

Sicile

Zone de grosse production. Beaucoup d'expéditions en vrac vers la France. La production de vins de qualité, vendus en bouteilles, augmente depuis quelque temps à la suite d'investissements importants concentis par le gouvernement pour l'achat de matériel de caves, pour la recherche de systèmes d'irrigation des vignobles et l'introduction de nouveaux cépages mieux adaptés à l'île.

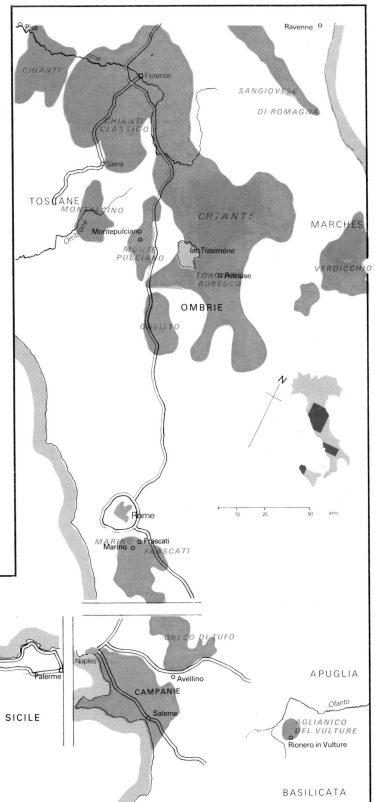

L'Espagne et le Portugal 1

Espagne

L'Espagne est la troisième région viticole d'Europe, après la France et l'Italie, bien que ses vignobles couvrent une plus grande superficie que les vignobles français et italiens. L'histoire de la viticulture en Espagne remonte bien avant notre ère, mais il n'y a guère plus de vingt ou trente ans qu'on produit des vins de table de qualité supérieure. (Pour les Xérès, l'histoire est tout autre. Depuis deux siècles, l'Andalousie produit des vins vinés d'une qualité remarquable.)

L'*Instituto Nacional de Denominaciónes de Origen* a été créé en 1970. Le système des appellations peut se comparer, mais en moins strict, à ceux existant en France et en Italie. Cela a permis à l'Espagne, productrice jusqu'alors de vins de table robustes et sans distinction, de proposer des vins beaucoup plus intéressants grâce à des investissements en vignobles, à des plantations expérimentales de cépages nouveaux et à la mise en place de méthodes plus modernes de vinification, concurremment avec des pratiques traditionnelles de vieillissement en fûts de bois.

Il existe quatre aires de production principales de vins espagnols: la Rioja, la Catalogne, la Manche et le Levant, avec quelques vignobles disséminés dans le Nord-Ouest et le Sud.

Rioja

Cette région, qui doit son nom au rio Oja, tributaire du rio Ebros (ou Ebre), fleuve qui traverse toute cette zone viticole, est connue surtout pour ses vins de qualité. En Catalogne, où l'on trouve également des vins remarquables dans la région de Panadés, ceux-ci sont connus plus par le nom de leurs propriétaires (Torrés, Jean León) que par leur origine géographique. Le nom de *Rioja* évoque un vin de qualité, un peu comme, en France, on parle d'un Bordeaux. En effet, l'histoire des deux régions est intimement mêlée: vers 1870 et 1880, beaucoup de vignerons bordelais ont abandonné leurs terres, dévastées par le phylloxéra, pour aller s'installer dans la Rioja où ils ont introduit leurs propres techniques de vinification. Cette influence persiste de nos jours, malgré leur départ à la fin du siècle dernier, quand le phylloxéra a gagné l'Espagne.

La Rioja se divise en trois parties distinctes: Rioja Alta, dont la capitale est Haro, où un climat tempéré permet de produire les meilleurs vins; Rioja Alavesa, région proche de la ville de Logroño, productrice de bons vins sous un climat semblable; Rioja Baja, sur les rives sud de l'Ebre, où le climat plus chaud et plus sec donne des vins lourds et faibles en acidité. Des vins de marque sont souvent des assemblages des vins de Rioja Alta et de Rioja Baja.

La plupart des vins de la Rioja sont rouges. Depuis peu, on plante davantage de cépages blancs car les nouvelles techniques de vinification permettent d'obtenir des vins plus légers et plus nerveux. Le cépage principal pour les meilleurs rouges de la Rioja est le Tempranillo, auquel on peut ajouter du Grenache. Dans la Rioja Baja, le Grenache est planté presque en exclusivité. Le blanc se fait principalement à partir du cépage Viura. Des cépages mineurs tels que la Malvoisie et le Grenache Blanc sont aussi utilisés.

Le style des vins de la région de Rioja varie beaucoup. Les vins les plus jeunes et les moins chers sont des *tintos*, profondément colorés; en vieillissant, surtout quand l'élevage a lieu de façon traditionnelle dans de petits fûts de chêne, ils s'éclaircissent, devenant à la fois plus secs et plus complexes. Les millésimes sont plus sûrs qu'auparavant et seules les bonnes années sont millésimées. Le vin de

Ci-dessus, cuves de fermentation en béton dans la bodega de Valdepeñas, l'une des principales villes viticoles de la Manche, au centre de l'Espagne.

Ci-contre, en bas, vignoble du Señorio de Sarria en Navarre. Ses vins, produits en quantité limitée, rivalisent en qualité avec les meilleurs de la Rioja.

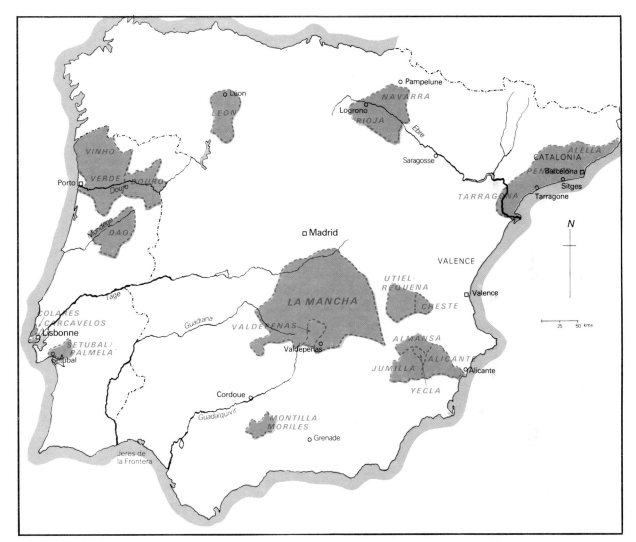

Rioja est prêt à boire dès sa sortie de cave. Son étiquette porte souvent la mention du nombre d'années écoulées après la vendange, avant la mise en bouteilles : 3° ano, 4° ano. Les vins blancs sont secs; fraîcheur, netteté, fruité tendent à remplacer dans les vins modernes la rondeur d'autrefois. Ces blancs restent néanmoins moins typés que les rouges. Il existe aussi un Rioja rosé destiné principalement à la consommation locale.

Catalogne

Le vignoble catalan est sis au nord-est de l'Espagne dans l'arrière-pays barcelonais. Il recèle le vin espagnol de qualité le plus connu et le plus exporté : le Rioja. Les meilleurs proviennent de la haute vallée de l'Ebre. La plupart sont rouges, ils naissent du Grenache, du Tempanillo, du Graciano, du Mazuelo. Ils sont longuement élevés dans le chêne. Vins très solides, charpentés, plus pleins que fins, à la robe brunissante. Vin de longue garde. Au

L'Espagne et le Portugal 2

nord de Barcelone, l'appellation d'origine (*Denominación de Origen/D.O.*) Alella produit un très bon vin blanc à partir de Farnacho Blanco, Picpoul, Malvoisie et Maccabeo (qui porte le nom de Viura dans la Rioja et qui peut être sec ou doux). Aux environs de Sitges, il est possible de déguster un vin viné blanc et doux, le Malvasia de Sitges. Plus bas sur la côte, la ville de Tarragone, plus importante, a donné son nom à un vin riche et doux issu de Grenache, Maccabeo et Pedro Ximénez, tandis qu'à Priorato, au-dessus de Tarragone, on trouve un vin rouge sec et puissant, issu des cépages Grenache et Cariñeña.

Mais la palme de la qualité et de la diversité revient à la région de **Panadés.** En tête viennent les mousseux, élaborés selon la méthode champenoise et non en cuve close. Cela se reconnaît sur l'étiquette par la mention *Cava.* Ces *Cavas*, surtout les Bruts Blanc de Blancs, peuvent rivaliser avec les meilleurs vins effervescents étrangers. Mais les vins les plus originaux d'Espagne, ou pour le moins de Catalogne, sont ceux élaborés par la famille Torrés. Aux cépages blancs traditionnels de Parellada et Maccabeo, les Torrés ont ajouté le Muscat, le Riesling, le Gewurztraminer et le Chardonnay. A côté des rouges classiques, Ull de Llebre et Monastrel, ils ont planté du Cabernet Sauvignon, du Cabernet Franc, du Merlot et du Pinot Noir. En adaptant ces cépages étrangers au sol et au climat de la Catalogne, et en alliant les techniques modernes de vinification aux pratiques traditionnelles de vieillissement en fûts de bois, la famille Torrés propose des vins tout à fait différents de la production habituelle. Ils ont fait quelques émules dans la région de Panadés, notamment Jean León, qui a également planté du Chardonnay et du Cabernet Sauvignon.

Manche

La région de la Manche, sur le haut plateau au sud de Madrid, connaît les rendements par hectare les plus élevés d'Espagne. Les vins de Valdepeñas, surtout les rouges, sont d'agréables vins de table. Une bonne partie des produits de cette région intervient dans des coupages, ou est distillée et vendue sous l'étiquette Fine ou Brandy.

Levant

A l'est du plateau de la Manche, entre Valence et Alicante, vignes et arbres fruitiers se disputent le terrain. Les régions viticoles de Valence, d'Utiel-Requeña, de Cheste, d'Almansa, d'Alicante, de Jumilla et de Yecla bénéficient toutes d'une appellation d'origine, mais les vins sont rarement exportés. Forts en alcool, issus pour la plupart du cépage Monastrel, ils ne sauraient rivaliser en qualité avec ceux de la Rioja et de Panadés.

Espagne du Nord

La Navarre, située entre la Rioja Baja et les Pyrénées, propose un vin rouge vigoureux issu des raisins Grenache. Celui de Pampelune et de ses environs, rouge ou rosé, est ferme mais plus léger (cépages Cerasol et Secano). La province de León produit des vins rouges corsés et des *claretes* (rosés) qui ressemblent beaucoup aux vins du Nord du Portugal, tandis qu'en Galicie, dans le Nord-Ouest du pays, les vins légèrement acidulés, parfois pétillants dans le style du vin vert portugais, sont à boire jeunes.

C'est dans cette région, à Valbuena de Duero, province de Valladolid, qu'est situé le célèbre vignoble de **Vega Sicilia**. Ses soixante hectares, complantés de Cabernet, de Merlot et de Malbec, donnent naissance à un vin élevé au moins cinq années dans le chêne : grand vin rouge rubis, construit, robuste et néanmoins plein de finesse et de complexité aromatique. L'un des meilleurs vins espagnols, certainement le plus cher.

Espagne du Sud

Le sol crayeux convient aux cépages blancs Pedro Ximénez, Palomino, Moscatel. C'est la terre bénie des vins vinés dont le plus prestigieux est le Xérès (voir p. 202) et le Malaga.

Le vin apéritif **Montilla-Moriles** (finos, amontillados, Olorosos) n'est pas un vin viné mais un véritable vin si l'on considère sa vinification. Néanmoins, il faut le cataloguer dans la catégorie des apéritifs puisqu'il dépasse 15 degrés (16 degrés). Cet étrange vin oxydé issu du raisins très sucrés fermente dans des jarres de terre cuite couvertes. Après la fermentation, se développe « le voile » (fleur du vin) qui le protège de l'air ambiant, comme à Je-

Ci-dessous, les vins de Montilla fermentent dans des tinajas *de terre cuite, puis vieillissent en* solera *comme à Jerez de la Frontera.*

rez, comme dans le Jura lors de l'élaboration des vins jaunes. Cet élevage en jarres se prolonge pendant un minimum de deux années. Le Montilla-Moriles est fin, vigoureux et se boit très facilement. C'est un séducteur traître car sa gradation alcoolique est élevée.

Portugal

Les vins du Portugal sont moins connus que ceux d'Espagne, à l'exception du Porto, bien qu'ils soient largement exportés.

En Espagne et en France, de grands vignobles occupent les plaines; en revanche, au Portugal, pays plutôt montagneux, les vignes sont plus dispersées.

C'est surtout dans le Nord qu'on produit les vins fins. Les vignobles des plaines côtières cèdent la place aux terrasses des *sierras*. Le sol schisteux et caillouteux convient aux vignes mais est très difficile à travailler. Le climat est humide avec des étés très chauds et très secs.

Le système d'appellations d'origine, *Denominaçaos do Origem*, est soumis au contrôle de l'Office national du Vin, *Junta Nacional do Vinho*, à Lisbonne. Il existe déjà sept régions délimitées : entre le Minho et le Douro, Douro/Tras os Montes, Dão, Colares, Carcavelos, Bucelas et Setúbal/Palmela. Les vins ci-dessous en sont originaires.

Ci-dessous, printemps dans les vignobles d'Utiel-Requeña, dans les collines à l'ouest de Valence. La région fournit un vin rouge issu de Monastrel ainsi qu'un rosé léger et parfumé.

Dão

Les vignobles sont plantés en terrasses à flanc de colline sur un sol graniteux. Les cépages suivants sont utilisés : Tourigo, Tinta Pinheira (un cousin du Pinot Noir) et Alvarelhão pour les rouges, Arinto, Dona Branca et Barcelos pour les blancs. Ceux-ci sont couleur de paille et doivent être bus jeunes. Les rouges issus de raisins très mûrs longuement cuvés ont une belle robe rubis et beaucoup de velouté en bouche.

Douro

Le Douro est plus connu pour son Porto que pour ses vins de table. Il en existe néanmoins une grande production au nord de Dão et à l'ouest du Minho. Les vins du cœur de la vallée, forts en alcool et peu acides, ont moins de fraîcheur et de vivacité que ceux des bords du Douro.

Colares

Colares, dans la région de Sintra, sur la côte atlantique, face à Lisbonne, est célèbre pour ses vignes plantées dans les dunes de sable et qui ont résisté au phylloxéra (celui-ci ne supporte pas les sols sablonneux). Les vins rouges sont issus du Ramisco, les blancs de la Malvoisie. Ce sont les plus grands vins du Portugal. Ils gagnent à vieillir (vingt ans au moins).

Bucelas

Le vin de Bucelas provient de la vallée de la rivière Trancão, au nord-ouest de Colares. Seul le vin blanc y est élaboré, à partir du cépage Arinto. Il est vif et léger avec un bon soutien acide.

Moscatel de Setúbal

Le Moscatel de Setúbal est un vin de dessert originaire du sud de Lisbonne.

Vinhos Verdes

Les vins verts viennent de la région nord-ouest du Portugal, entre les fleuves Minho et Douro. On fait grimper les vignes pour donner de l'ombre aux grappes de raisin. Les vins *verde*, ou « verts », sont jeunes, faibles en alcool, hauts en acide malique et tartrique, et légèrement pétillants. Pour les trois quarts, les vins produits sont rouges. Ils doivent tous, blancs ou rouges, être bus jeunes.

Vinhos Rosados

Les vins rosés du Portugal n'ont pas d'appellation d'origine bien que leurs méthodes de production soient surveillées. Leur couleur résulte d'une courte macération de raisins rouges. Ils peuvent être secs, demi-secs, tranquilles ou pétillants, la préférence allant au style légèrement pétillant et moelleux en bouche.

L'Autriche, la Suisse, le Luxembourg

Autriche

La principale région viticole d'Autriche se trouve dans l'est du pays et la plupart des vins sont originaires de localités proches des frontières tchécoslovaque et hongroise, ainsi que du sud, près de la frontière yougoslave. L'une des meilleures régions viticoles de l'ancien Empire austro-hongrois, le Tyrol, est aujourd'hui en grande partie italienne. Les quatre cinquièmes des vins produits sont blancs, le cinquième restant se répartissant entre les rouges, quelques rosés et quelques vins effervescents.

Le cépage principal, le Grüner Veltliner, variété indigène autrichienne, ressemble en moins aromatique au Traminer français, puis viennent le Müller-Thurgau, le Wälschriesling (Riesling italien), le Riesling, le Gewurztraminer, des versions locales du Pinot Blanc et du Pinot Gris, un peu de Muscat Ottonel et un cépage indigène : le Rotgipfer. Les vins rouges et rosés se consomment presque tous sur place. Ils proviennent des cépages Blauburgunder (Pinot Noir), Blauer Portugieser et Gamay.

Les vignes occupent quatre grands secteurs :

Basse-Autriche (nord-est). Cette région, la plus prolifique, produit les meilleurs vins blancs à partir des cépages Riesling, Grüner Veltliner (cépage omniprésent en Basse-Autriche), ainsi que le Gumpoldskirchen, charmant et fruité, au sud de Vienne.

Burgenland (sud-est). Propose d'excellents vins de dessert à partir de raisins botrytisés ainsi que les seuls bons vins rouges autrichiens dans la région d'Eisenberg.

Styrie (à la frontière yougoslave). Produit des vins blancs charmants à partir du Wälschriesling et du Müller-Thurgau, mais en quantité plus limitée que dans les autres secteurs.

Vienne (la capitale). Serait sans doute comprise dans le secteur vinicole de la Basse-Autriche sans la pratique locale qui consiste à servir l'*heurige* (vin à peine fermenté de la dernière récolte) dans les caves des récoltants ou dans les débits de boissons locaux (les *Weinstube*).

A l'exception des vins de dessert, les vins blancs d'Autriche sont généralement plus secs que leurs homologues allemands.

Suisse

La Suisse étant en partie française, en partie allemande et en partie italienne, ce pays devrait, en tant que producteur de vin, manifester des caractéristiques propres à ces trois pays. Les vignes sont plantées principalement dans les coteaux sur les rivages des lacs Léman et de Neuchâtel, dans la vallée du Rhône supérieur et dans le canton du Tessin. Plus de deux cents vins, dont les deux tiers sont blancs, sont produits à partir de cépages français, allemands et italiens, plus quelques cépages indigènes. La plupart sont consommés sur place. Bien que la Suisse ne produise pas de grands vins, la diversité de ses vignes et la conscience professionnelle de ses vignerons se traduisent par une gamme de vins délicieusement fruités et d'une qualité excellente. Les principaux cantons producteurs sont Genève, le Valais, Vaud, Neuchâtel et le Tessin.

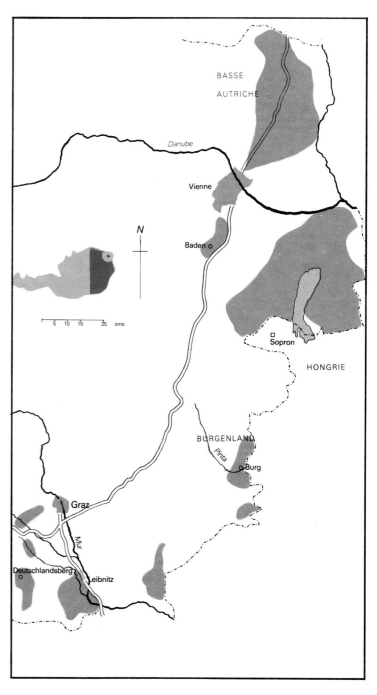

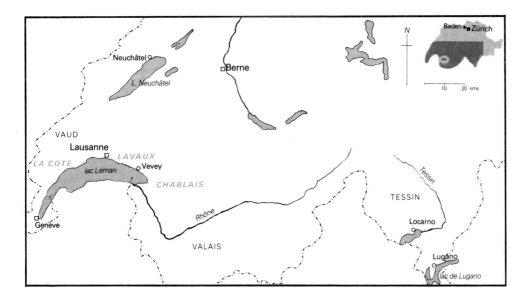

Genève. Avec 100 000 hectolitres annuels, un tiers de vin rouge, deux tiers de vin blanc, les vins genevois font preuve d'une belle vitalité, en dépit de la petitesse du canton. Les vins blancs proviennent du Chasselas vinifié généralement sur lie baptisé **Perlan**, d'Aligoté et de Riesling-Sylvaner, les vins rouges — en expansion — sont vinifiés à partir du Gamay et du Pinot. Tous ces vins, tributaires d'une vinification moderne, sont destinés à une consommation rapide.

Valais. C'est le canton qui produit le meilleur vin rouge suisse, la Dôle, issue du Pinot Noir et du Gamay, assemblés ou non. La Dôle a une belle robe rubis, son bouquet rappelle le Bourgogne tout en ayant la robustesse des Côtes-du-Rhône. Le vin blanc principal est le Fendant, issu de Chasselas, léger et fruité, d'une faible acidité, qui doit être bu jeune et frais. D'autres vins réputés sont le Riesling, le Johannisberg, l'Hermitage, la Malvoisie vinifiée en doux, et le rarissime vin des Glaciers.

Vaud. Ce canton est le plus gros producteur notamment de blanc issu de Chasselas : le Dorin. Les principaux vignobles sont situés sur les pentes nord du lac Léman entre Nyon et Lausanne (la Côte), et entre Lausanne et Vevey (le Lavaux), où l'on trouve notamment le vin de Dézaley, qui allie corpulence, finesse et distinction. Plus à l'est encore, dans la région de Chablais, viennent les vins blancs d'Yvorne et d'Aigle au goût ferme de silex.

Neuchâtel. Au nord-ouest de la Suisse, sur les rives septentrionales du lac de Neuchâtel, les vins blancs sont vifs et secs. Bien qu'issus de Chasselas, ils sont parfois trop acides dans les mauvaises années. Souvent mis en bouteilles sur lie, ils pétillent légèrement et sont très rafraîchissants. Un bon Pinot Noir assez léger y est également élaboré (Cortaillod, Cormondrèche).

Suisse alémanique et italienne. Le Tessin, canton de langue italienne, produit surtout des vins de table rouges aux alentours de Lugano et de Locarno, les meilleurs provenant du cépage Merlot. Autour de Bade, dans la partie germanophone du pays, on trouve d'agréables vins rouges du Blauburgunder (Pinot Noir) et des vins blancs courants, en général issus de Müller-Thurgau.

Luxembourg

Les vins du Luxembourg sont intéressants car ils sont produits le long de la Moselle entre la France et l'Allemagne. A partir de la frontière, le fleuve s'appelle le Mosel, et il donne son nom à quelques-uns des meilleurs vins du monde. Comme en Alsace, on désigne les vins au Luxembourg par les noms de leurs cépages. Le raisin le plus répandu ici est l'Ebling, à l'origine de vins légers et agréablement vifs. On trouve également beaucoup de Riesling-Sylvaner (Müller-Thurgau connu au Luxembourg sous le nom de Rivaner). Les autres cépages sont le Pinot Blanc, l'Auxerrois, plus tendre, le Ruländer (Pinot Gris), fruité, l'aromatique Traminer et l'aristocratique Riesling. Production presque exclusive de vins blancs avec quelques vins pétillants.

Les vins du Luxembourg ont tendance à être éclipsés par leurs voisins d'Alsace et de la Moselle, mais dans l'ensemble ils sont de très bonne qualité. Une certification d'origine ou « marque nationale » est apposée sur les vins qui ont subi avec succès une série de contrôles de qualité et de dégustations. Plus de la moitié de la production luxembourgeoise a droit à cette distinction. Presque les trois quarts des vins sont consommés sur place.

La Californie 1

L'apparition des vins de Californie sur la scène internationale a été tellement soudaine que l'on pourrait croire que la tradition viticole aux Etats-Unis est un phénomène tout à fait récent. En réalité, la culture de la vigne dans ce pays remonte à il y a deux siècles.

Comme en de nombreux pays européens, les ordres religieux furent les premiers à planter des vignes et à produire du vin. En 1769, des franciscains espagnols établirent la première mission dans ce qui est devenu aujourd'hui la ville de San Diego. Pendant les cinquante années qui suivirent, vingt et une missions furent créées à travers toute la Californie, jusqu'à Sonoma, dans le Nord; chacune plantait des vignobles et élaborait du vin à l'intention des voyageurs qui cherchaient refuge pour la nuit. En 1861, un aristocrate hongrois, Agoston Haraszthy, organisa une expédition en Europe pour ramener des boutures de *Vitis vinifera*. Il en rassembla plus de cent mille de trois cents variétés différentes à partir desquelles furent créés les vignobles californiens.

Joseph Schram de Schramsberg, Georges de Latour de Beaulieu et Gustave Niebaum de Inglenook (pour ne citer que trois des noms célèbres de Californie) plantèrent leurs premières vignes pendant la seconde moitié du XIXe siècle et fondèrent des caves encore florissantes aujourd'hui. Malgré leurs efforts, deux catastrophes les attendaient: la première, naturelle; la seconde, provoquée par l'homme.

Le pire ennemi du *Vitis vinifera* (vignes européennes), le phylloxéra, s'attaqua aux vignobles dans toute la région de Napa Valley et les détruisit presque tous. Heureusement, on avait déjà découvert que les racines des vignes américaines, *Vitis labrusca*, n'étaient pas atteintes par cette maladie. On greffa des *Vitis vinifera* sur ces porte-greffes et le vignoble reprit vie.

Un échec encore plus grave fut l'adoption du dix-huitième amendement à la Constitution des Etats-Unis prohibant la vente et la consommation des boissons alcoolisées. Entre 1919 et 1933, la vini-viticulture s'arrêta, les vignes furent arrachées ou leur culture abandonnée.

Ci-dessous, les caves de Dry Creek Vineyard, Healdburg, Sonoma Country, Californie; fondées en 1972 par David Stare, produisent aujourd'hui trente mille caisses par an.

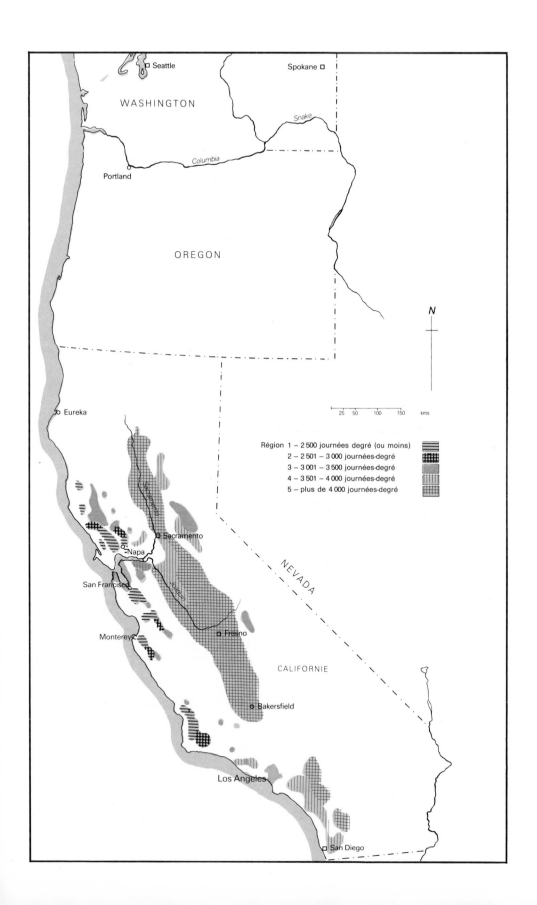

Région 1 – 2 500 journées degré (ou moins)
2 – 2 501 – 3 000 journées-degré
3 – 3 001 – 3 500 journées-degré
4 – 3 501 – 4 000 journées-degré
5 – plus de 4 000 journées-degré

La Californie 2

Ci-dessus, la viticulture à grande échelle pour le marché américain en expansion constante.

Les Américains perdirent le goût du bon vin. Ils se mirent à confectionner leurs propres breuvages à partir de raisins non destinés à la vinification ou se rabattirent sur des whiskies de fabrication clandestine. A la fin de la prohibition, mis à part les ordres religieux qui avaient pu continuer à produire du vin pour les besoins de la messe, peu de producteurs étaient en mesure de reprendre leur activité. Les réserves de vins vieux étaient minimes et le public se passionnait pour les cocktails en oubliant le vin. Le déclenchement de la Seconde Guerre mondiale mit brusquement fin à toute velléité de reprise. La production de vins californiens ne démarra en effet qu'à la fin des années quarante et au début des années cinquante.

Peu à peu le consommateur américain se mit à réclamer quantité et qualité. La production vinicole entra dans une nouvelle ère. Au début des années soixante, les caves telles que Heitz et Ridge sortirent leurs premiers vins et en 1966 Robert Mondavi quitta l'entreprise familiale Charles Krug pour fonder sa maison,

Ci-contre, nettoyage de fûts dans une cave californienne.

Ci-dessus, *réparation de fûts*.

aujourd'hui célèbre, dans Napa Valley. Le vin californien avait enfin atteint sa plénitude et la Californie était en passe de devenir une des plus importantes et plus brillantes régions productrices du monde.

Production actuelle

Que dire de la Californie des années quatre-vingt ? Le nombre d'entreprises vinicoles et l'intérêt pour le vin peuvent-ils encore croître indéfiniment ? Ou bien cette décennie sera celle de la consolidation et de la compression des dépenses ? Il est évident que le coût de la production est le premier facteur à considérer. L'élaboration de vin de qualité, où que ce soit, coûte cher. Le matériel moderne, les fûts de chêne français, la main-d'œuvre, rien n'est bon marché, surtout pas en Californie. Le prix des raisins a tendance à grimper chaque année. L'investissement de capitaux nécessaire pour financer une entreprise vinicole est considérable.

Les goûts des consommateurs, de même, ont évolué. Il y a quelques années, un vin d'un fort degré alcoolique, ayant passé de longs mois en fûts de chêne français, était considéré comme une valeur sûre. Aujourd'hui, le viticulteur doit être prêt à satisfaire une demande de plus en plus exigeante. Les vins des années quatre-vingt recherchent la légèreté, l'élégance, l'équilibre entre fruité, bois et acidité. Cela ne signifie pas qu'on essaie de produire du vin européen. La différence de climat donnera toujours au vin californien son caractère propre, mais on s'efforcera de lui donner la finesse qui lui manquait jusqu'à présent.

La Californie est un pays d'avenir, que ce soit dans la façon de vivre, de se loger ou même de vinifier. L'industrie vinicole continuera d'évoluer grâce à la jeunesse et à la vitalité de ceux qui y participent. La décennie actuelle est sûrement une période fascinante et primordiale dans l'histoire du vin californien.

La Californie 3

Vin et vinification

Les deux renseignements les plus importants figurant sur une étiquette de vin californien sont le cépage principal (75 % ou plus) et le nom du vinificateur. S'il s'agit d'un vin d'assemblage, son étiquette portera probablement un nom de marque, par exemple *Premium White* ou *Valley Red*. Nous allons examiner les cépages les plus communs.

Toute information concernant les vins de Californie doit être remise à jour en permanence car là-bas tout peut changer de façon spectaculaire en quelques mois. Un responsable de la vinification peut s'en aller, une cave peut changer de propriétaire, une terre sans vignes devenir un bon vignoble. De nouvelles caves voient le jour avec une rapidité étonnante, l'influence des investissements européens est tout à fait sensible. La décennie 1970 a été une période d'euphorie pour la Californie viticole, mais ce sont les années quatre-vingt qui détermineront la place occupée dans le monde par les vins californiens.

La gamme des vins élaborés ainsi que le nombre des producteurs et la variété des cépages deviennent de jour en jour plus nombreux et plus complexes. Les vins suivants sont parmi les meilleurs actuellement produits en Californie :

La liste est inévitablement incomplète. Tout l'intérêt des vins de Californie réside dans les possibilités d'expérimentation qu'ils offrent. A tout consommateur, qu'il soit riche ou pauvre, novice ou connaisseur, la Californie offre une gamme d'expériences fascinantes et multiples.

Les régions climatiques

La Californie comporte de multiples microclimats. Contrairement à l'Europe où l'on accorde une grande importance aux sols, aux sous-sols et aux variations de ceux-ci dans une région très limitée, en Californie on prête davantage attention au climat. L'université de Davis a divisé l'Etat en cinq régions climatiques selon un système fondé sur le concept de « journées-degré ». Celles-ci se comptent entre le 1er avril et le 31 octobre et se calculent selon le nombre de degrés dépassant 50°F (10°C) pour chaque journée de 24 heures. Ce nombre de degrés a été choisi comme température de base car en dessous aucun cépage ne croît de façon satisfaisante. Par exemple, une température moyenne de 70°F pour une période de 24 heures (20° au dessus de la température de base) équivaut à 20 journées-degré.

Chardonnay
Chalone, Château St. Jean, Stony Hill, Trefethen, Robert Mondavi.
Sauvignon (Fumé Blanc)
Robert Mondavi, Dry Creek, Sterling Vineyards.
Riesling et Gewurztraminer
Joseph Phelps, Château St. Jean, Firestone Vineyard.
Cabernet Sauvignon
Robert Mondavi, Heitz, Trefethen, Stag's Leap, Ridge Vineyards, Joseph Phelps, Château Montelena, Iron Horse.
Zinfandel
Ridge Vineyards, Château Montelena, Joseph Phelps.
Pinot Noir
Chalone, Firestone Vineyard, Trefethen, Robert Mondavi.
Merlot
Clos du Bois, Stag's Leap, Sterling Vineyards.
Vins effervescents
Schramsberg, Domaine Chandon.

Région I
0-2 500 journées-degré. Les régions du Rhin, de la Moselle et de la Champagne seraient comprises dans cette catégorie.
Région 2
2 500-3 000 journées-degré. Comparable à la région de Bordeaux.
Région 3
3 001-3 500 journées-degré. Comparable à la région d'Italie du Nord et de la vallée du Rhône.
Région 4
3 501-4 000 journées-degré. Comparable à la région centrale de l'Espagne.
Région 5
Au-delà de 4 000 journées-degré. Comparable à l'Afrique du Nord.

Ci-contre, à droite, les vignobles Trefethen de Napa Valley, un des plus importants producteurs de vins issus de Chardonnay.

Les cépages rouges en Californie

Alicante Bouschet. Un cépage très apprécié par les petits vignerons pour sa couleur et sa robustesse. Il n'est plus à la mode chez la plupart des producteurs sérieux, mais on en trouve encore quelques exemples. Il donne des vins chauds et lourds, généralement très alcoolisés. On l'utilise également dans l'assemblage des vins style Porto.

Barbera. Reste populaire chez les vignerons d'origine italienne. Au mieux, il peut donner un vin riche et profond avec un goût de fruits mûrs, mais en général il n'atteint pas les sommets.

Cabernet Sauvignon. Le roi des cépages rouges. Il connaît une réussite spectaculaire en Californie. Certains de ces vins sont comparables aux grands Bordeaux. Tout producteur voulant se faire un nom s'efforcera de réussir un grand Cabernet. De couleur et de saveur intenses, ces vins sont prêts à boire plus tôt que ceux élaborés en Europe, mais rien n'indique qu'ils ne se garderont pas.

Cabernet Franc. Un cépage très rarement utilisé seul, mais en assemblage avec le Cabernet Sauvignon.

Carignan. Un des cépages rouges les plus répandus. On l'utilise surtout en assemblage. Un pur Carignan est un vin sans grande distinction.

Charbono. Un cépage rare dont l'unique intérêt est dû au vin très acceptable produit par Inglenook. Un vin charpenté, robuste — presque trop rustique de l'avis de certains — et tannique, qui devient plus complexe en vieillissant.

Gamay ou **Gamay de Napa.** Cépage incontesté du Beaujolais, il donne en Californie des vins qui n'ont pas la fraîcheur et le gouleyant de leurs cousins français. Utilisé également pour faire du rosé.

Gamay Beaujolais. Ce cépage n'a rien de comparable avec celui planté en Beaujolais, ce qui prête à confusion. En fait, il fait partie de la famille des Pinot Noir. Ses vins font penser à des Bourgogne du Sud mais ils manquent souvent d'intérêt. Accompagnent agréablement pique-niques et barbecues.

Grenache. Bien qu'utilisé dans les vins rouges d'assemblage, on trouve ce cépage le plus souvent vinifié en rosé. Celui d'Almaden est particulièrement apprécié du grand public.

Grignolino. Joe Heitz se veut le champion de ce cépage. Il en fait un vin rouge épicé et intéressant, ainsi qu'un rosé encore plus apprécié par le grand public.

Le Merlot. Quelque 1 200 hectares sont plantés de ce cépage et plusieurs producteurs en font des vins de très grande qualité. Il est souvent assemblé avec le Cabernet Sauvignon. Un cépage sûrement promis à un grand avenir.

La Petite Syrah. Reconnue maintenant comme étant le même cépage que le Duriff de France, il donne des vins rouges vifs, robustes, savoureux et profonds. Ces vins manquent d'élégance et de finesse mais ils sont honnêtes et se laissent boire.

Le Pinot Noir. Les vignerons californiens, malgré leur grande habileté, n'ont pas encore réussi à dompter ce cépage : les résultats jusqu'à présent sont honnêtes mais sans grand intérêt. Les efforts se poursuivent et le rêve de tous est de produire un grand Pinot Noir en quantité commercialisable. Quelques petits domaines ont frôlé le succès mais le champ reste encore grand ouvert. Est-ce la faute du plant, du climat, du sol ou de la vinification ? Quelle qu'en soit la cause, le défi reste entier. Il occupe actuellement 4 000 hectares. Il entre aussi dans l'élaboration des vins effervescents.

Le Ruby Cabernet. Il s'agit d'un hybride de Cabernet Sauvignon et de Carignan qui est un excellent cépage d'assemblage. Utilisé seul, il donne un vin honnête et bon marché. Jolie robe, du nez, agréable en bouche.

La Syrah. Cépage type de la vallée du Rhône, la Syrah est rare en Californie. Joseph Phelps fait un superbe vin de Syrah. Belle robe foncée, nez d'épices, généreux, c'est un vin recherché par les connaisseurs. A ne pas confondre avec la Petite Sirah.

Le Zinfandel. On considère souvent le Zinfandel comme le cépage type de la Californie bien qu'il soit originaire d'Europe. Sa provenance exacte n'est pas établie mais on pencherait depuis peu pour l'Italie plutôt que la Hongrie. Il serait, selon la théorie la plus récente, identique au cépage Primitivo, mais un doute subsiste. Le Zinfandel est à l'origine d'une gamme de vins tout à fait déconcertants : type Beaujolais léger (ce style tend à disparaître); type Bordeaux moyennement corsé; type Porto, ample et riche en alcool (quelquefois, dans des cas extrêmes, appelé Vendanges Tardives); vins rosés et vins blancs. Rosés et blancs sont souvent de qualité égale aux rouges plus cotés mais coûtent moitié prix.

La Californie 4

Napa Valley

Napa Valley est à la Californie ce que le Médoc est au Bordelais : la région la plus célèbre et la plus prestigieuse. Commençant à 80 kilomètres au nord-est de San Francisco, elle oblique vers le nord-ouest sur une longueur d'environ 55 kilomètres. Bordée des deux côtés par les montagnes, sa largeur varie entre 2 et 8 kilomètres. La composition du sol est très diverse mais en grande partie d'origine volcanique.

Le climat est également variable et l'on trouve dans la vallée les régions climatiques des types 1, 2 et 3. Les secteurs les plus éloignés de San Francisco sont en général les plus chauds, les secteurs sud restant plus tempérés à cause de la brise marine qui arrive de la baie. Un grand nombre de cépages poussent dans cette vallée et la plupart peuvent y prospérer. Le Cabernet Sauvignon et le Chardonnay se plaisent particulièrement et beaucoup de grands vins de Cabernet viennent de là. Napa Valley compte environ deux cent cinquante entreprises vinicoles bien connues, parmi lesquelles celles de Robert Mondavi, de Heitz et de Mayacamas.

Sonoma

A l'ouest et un peu au sud de Napa Valley, le comté de Sonoma comporte trois vallées distinctes : Sonoma, Alexander et Dry Creek. Pas de climat uniforme : on trouve des régions de type 1, de type 2 et de type 3. Le brouillard joue un rôle important. Il arrive de la baie au petit matin et ne se lève pas avant midi, assurant à cette région une certaine fraîcheur, même en plein été.

Les sols varient entre une terre argileuse et une terre sablonneuse. En général, le sol est bien drainé, ce qui convient à la culture de la vigne. Longtemps éclipsé par Napa Valley, le comté de Sonoma s'affirme maintenant comme une excellente région viticole. Parmi les entreprises connues, citons Château St. Jean, Jordan et Sebastiani.

Mendocino

C'est la région viticole californienne la plus au nord. Jusqu'à la fin des années soixante, le comté de Mendocino n'était pas considéré comme très adapté à la production de vins fins, mais quelques producteurs ont réussi à proposer des bouteilles de qualité, qui ne sauraient rivaliser cependant avec celles de Napa ou de Sonoma.

Le comté de Mendocino comporte trois secteurs principaux. Le plus grand et le plus important est la vallée d'Ukiah. La ville d'Ukiah, qui a gardé son atmosphère du Far West, a un charme vieillot. La vallée se trouve dans une région climatique de type 3 et des producteurs aussi connus que Parducci et Cresta Blanca y sont installés.

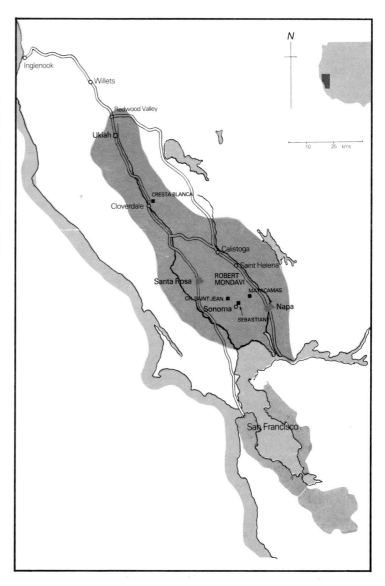

Ce même type de climat règne dans la vallée de Redwood. La principale cave vinicole de la région, Fetzer, produit un choix complet de vins de qualité honorable. Troisième secteur, moins connu, la vallée d'Anderson (région climatique 1). Plusieurs caves vinicoles s'y sont implantées, dont les deux plus intéressantes sont Husch et Edmeades.

Les cépages blancs en Californie

Chardonnay. Sans aucun doute le cépage qui réussit le mieux. Il couvre 8 000 hectares environ. Les Chardonnay de Californie donnent presque toujours d'excellents vins dont les meilleurs vieillissent bien. Comme pour leurs cousins d'Europe, et surtout ceux de Bourgogne, ils sont élevés en fûts. Un arôme de beurre frais, une grande richesse et une belle robe dorée les caractérisent. A l'inverse des habitudes bourguignonnes, la plupart des vins issus de Chardonnay n'accomplissent pas leur fermentation malolactique. Rares sont les caves modernes qui ne produisent pas de Chardonnay. Il en est, les moins chers, qui ne connaissent pas la futaille. Ils sont frais et légers, ont un goût de pomme et une robe or-vert. Certains petits producteurs en proposent de plus corpulents, savoureux, complexes et forts en alcool. Le Chardonnay est un cépage à faible rendement et sa vinification exige beaucoup de soins. Il a contribué à la réputation des vins de Californie.

Sauvignon. Ce cépage, connu également sous le nom de Fumé Blanc, est utilisé dans l'élaboration de plusieurs types de vins californiens. Assemblé avec du Sémillon et vieilli en fûts de chêne, il donne un vin merveilleusement riche, élégant et complexe. Le vin de Sauvignon pur est moins subtil, mais d'une grande fraîcheur, et s'apprécie mieux en primeur. Les Sauvignon de Californie diffèrent totalement de ceux de la Loire et ressemblent plus, par leur élaboration, à des Bordeaux blancs. Robert Mondavi, le producteur de Fumé Blanc le plus connu, élabore maintenant une petite quantité de vins doux issus de Sauvignon botrytisé. Il existe actuellement environ 4 000 hectares de Sauvignon en Californie.

Chenin Blanc. En 1971, moins de 3 600 hectares étaient complantés de Chenin Blanc. Aujourd'hui, on en dénombre 16 000. C'est la conséquence d'un regain d'intérêt pour le vin blanc. Ce cépage à haut rendement produit des vins qui ont du caractère et une certaine complexité; ils sont généralement d'un bon rapport qualité prix. Leur équilibre implique souvent un léger sucre résiduel. Ce cépage est également assemblé à d'autres.

Pinot Blanc. Bien que peu répandu, le Pinot Blanc, cépage peu prolifique, est à la base de quelques vins excellents, surtout dans la région de Monterey. Après un passage en fûts de chêne, ce blanc sec peut avoir des traits communs avec les vins issus de Chardonnay.

Riesling. Ce cépage est souvent connu en Californie sous le nom de Johannisberg Riesling, en l'honneur du célèbre Schloss Johannisberg (Allemagne). Ce cépage, habitué aux régions tempérées, s'est adapté de façon remarquable au climat chaud de cette région. Ses vins sont pleins, fruités et complexes. Ils sont très riches et amples en bouche, mais ne peuvent prétendre à la finesse des vins allemands du Rheingau. Les vins de dessert, issus de Riesling botrytisé, comptent parmi les grands vins liquoreux du monde. Ce sont des bouteilles rares qu'il faut rechercher et boire avec respect.

Gewurztraminer. Le goût épicé typique de ce cépage est moins évident dans sa version californienne qu'en Alsace. Très souvent, les vinificateurs californiens laissent une trace de sucre résiduel pour rehausser le caractère du vin. Quelque 2 000 hectares de ce cépage à mûrissement précoce sont cultivés. Doit être bu jeune et frais.

French Colombard. Il existe environ 2 400 hectares de ce cépage en Californie. Il se prête avec bonheur aux assemblages où son acidité très vive et son bouquet floral améliorent les cépages plus modestes. En tant que vin de cépage unique, il est agréable à boire, mais sans distinction. Son rendement est élevé : entre 3 et 5 tonnes par hectare.

Sémillon. Rarement utilisé seul, il est souvent assemblé avec du Sauvignon. Vinifié en sec, il ne manque pas d'intérêt, notamment à Monterey et à Santa Ynez. Vinifié en doux, il est assez décevant.

Emerald Riesling. C'est l'un des meilleurs cépages hybrides (croisement de Riesling et de Muscadelle) produit par l'université de Davis en Californie. On lui doit un vin vif, sec et fruité, un vin de carafe, à boire jeune. Celui de Paul Masson remporte un succès mérité.

Gray Riesling. Ce cépage donne un vin agréable sans prétention. Les meilleurs sont ceux de la vallée de Livermore.

La Californie 5

Côte centrale

Nom donné à une grande région au sud de San Francisco qui englobe plusieurs petits vignobles qui cherchent tous à se faire reconnaître individuellement. Dans l'ensemble, le climat de la région ressemble à celui de la côte nord de la Californie (il y fait parfois même moins chaud). Quelques très bons vins sont originaires de cette région qui comprend plusieurs secteurs.

Vallée de Livermore (région climatique de type 3). Produit des raisins depuis plus de cent ans. L'établissement vinicole le plus célèbre, Wente Brothers, a été fondé en 1882. Les vins blancs méritent une attention particulière, bien que les rouges soient également prometteurs. Son sol bien drainé et graveleux présente des similitudes avec celui des Graves dans le Bordelais.

Comté de Santa Clara. A été la victime du développement urbain. Les soixante entreprises vinicoles d'avant-guerre ont dû reculer vers le sud devant la poussée inéluctable du béton. Pourtant, plusieurs noms célèbres subsistent : Almaden, San Martin, et d'une renommée moindre, bien que producteurs de vins de meilleure qualité, Martin Ray et Mount Eden.

Montagnes de Santa Cruz. Cette région cherche activement à s'affirmer. Par sa taille — environ 100 hectares et une production de cent mille caisses seulement — elle pourrait paraître insignifiante. La qualité des producteurs, cependant, est remarquable. L'un des meilleurs de Californie, Ridge Vineyards, se trouve ici, ainsi que la David Bruce Winery et le Felton-Empire Vineyards. Région et vin possèdent une forte personnalité.

Comté de Monterey. En passe de devenir la plus grande région productrice de la côte centrale. C'est sans aucun doute un très beau territoire viticole, berceau de la gigantesque entreprise Paul Masson et, à l'autre bout de léchelle, les minuscules Chalone Vineyards perchés dans les monts Gavilan. A signaler également : Jekel Vineyards, Mirassou, Monterey Vineyard et Ventana.

Comté San Louis Obispo. C'est peut être à Edna Valley que s'effectuent les recherches les plus intéressantes. Les Edna Valley Vineyards ont ouvert la voie et produisent deux Chardonnay très réussis. D'autres vignobles commencent à émerger. La maison champenoise Deutz y a acheté du terrain.

Comté Santa Barbara. Se trouve dans la partie sud de la côte centrale et jouit d'un climat plus tempéré, classé dans la région climatique de type 1, ce qui expliquerait les excellents résultats du Pinot Noir et du Riesling. Les principales entreprises vinicoles sont le Zaca Mesa et le Firestone Vineyard, qui ont produit des vins d'une qualité remarquable. L'avenir est prometteur pour cette région vi-

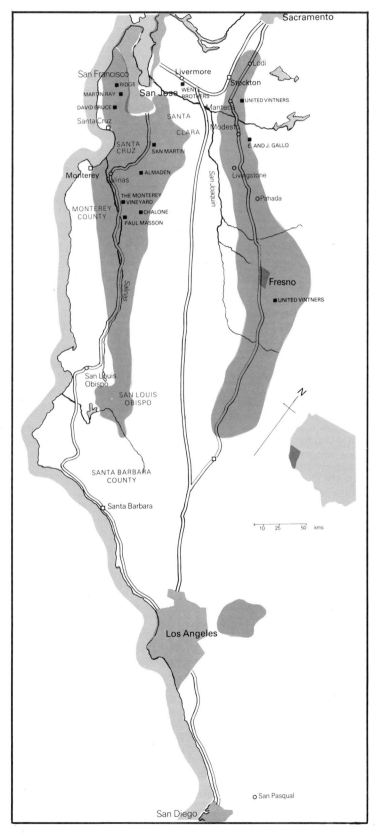

ticole qui joue déjà un rôle de premier plan dans le développement de la viticulture californienne.

Vallée de San Joaquin

C'est le berceau de la production vinicole à l'échelle industrielle. Dans une zone qui s'étend de Sacramento au nord jusqu'au-delà de Bakersfield à quelque 500 kilomètres au sud, il n'existe pas plus de quarante entreprises vinicoles, mais elles assurent à elles seules plus de 80 % de toute la production californienne. Plus de la moitié des raisins produits en Californie y sont cultivés. Le climat va des types 3 à 5 aux alentours de Bakersfield.

L'entreprise la plus célèbre, et sans doute la plus grande du monde, est celle des frères E. et J. Gallo. Vivante illustration du grand rêve américain que ces deux frère qui choisissent, malgré leurs connaissances œnologiques assez limitées, de devenir producteurs vinicoles dès la fin de la prohibition. Ils proposent au consommateur américain des vins à des prix sans concurrence. C'est l'exemple d'une réussite à presque tous les niveaux. Leur production approche les 50 millions de caisses par an. Un vin honnête, d'un excellent rapport qualité prix.

On compte d'autres grands producteurs dans cette région : les United Vintners, le Guild et le Franzia Brothers Winery, ce dernier étant une filiale de la compagnie Coca-Cola de New York.

La vallée de San Pasqual, au nord de San Diego, comporte trois entreprises vinicoles dont la plus intéressante est San Pasqual. Leur Chenin Blanc et leur Fumé Blanc sont des vins très corrects; quant à leur Gamay, il est au-dessus de la moyenne.

La pointe sud de la Californie ne convient guère à la culture du raisin parce que trop chaud. Cependant, quelques entreprises vinicoles ont su profiter de l'existence de microclimats plus tempérés.

Au sud de Los Angeles

En 1769, un Bordelais au nom prédestiné de Jean-Louis Vignes planta un vignoble à l'endroit où se trouve aujourd'hui la principale gare de Los Angeles. Pendant un siècle, cette partie de la Californie resta la plus importante région viticole et c'est vers la fin du XIXe siècle seulement que la Californie du Nord la supplanta.

De nos jours, le développement urbain et la pollution ont pratiquement mis fin à toute production de vins dans le comté de Los Angeles. L'unique cave qui subsiste l'est au titre de monument historique et culturel.

Plus au sud, cependant, il existe quelques petits producteurs de vins intéressants. Le Callaway Vineyard près de Temecula a débu-

té vers 1974, et son Chenin Blanc botrytisé, baptisé Sweet Nancy, a suscité un vif intérêt. Signalons en outre un Zinfandel élaboré par macération carbonique et un « Porto » de facture traditionnelle.

Ci-dessus, d'importants investissements ont été effectués dans l'équipement moderne vinicole en Californie. Ici, nettoyage d'une cuve en inox.

Le reste des Etats-Unis

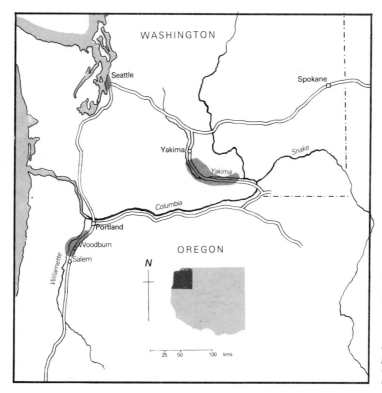

Ci-dessous, la viticulture se développe dans d'autres régions des Etats-Unis que la Californie. Des vignobles dans l'Oregon et le Washington produisent actuellement des vins de qualité très acceptable.

Le nord-ouest de la côte pacifique

La Californie a pris une telle avance dans la production de vins fins américains que l'on a tendance à oublier les autres Etats. Parmi ceux-ci, l'Etat de Washington et l'Oregon méritent d'être examinés de plus près.

La culture des premiers raisins *Vinifera* remonte à 1950 dans la vallée de Yakima, dans l'est de l'Etat de Washington. Cette vallée, longue d'environ 200 kilomètres, suit la rivière Yakima vers l'est. Trois remarquables établissements vinicoles sont établis et de nouveaux s'y installent chaque année.

Le plus important et le plus connu est le Château Ste Michelle. Les premiers vins ont été élaborés en 1967 sous la direction d'André Tchelistcheff. Bien que la réussite n'ait été que partielle, les vins étaient suffisamment prometteurs pour que la production puisse continuer. Cet établissement propose maintenant un grand choix de vins, et les blancs sont en général supérieurs aux rouges. Les Sémillon et les Riesling doux sont particulièrement dignes d'être signalés. L'entreprise Associated Vintners peut se targuer d'avoir comme vinificateur un *Master of Wine* britannique, David Lake, qui supervise la production, encore limitée. Ses Chardonnay et Gewurztraminer sont très recherchés.

La firme Preston Wine Cellars, elle, est actuellement la deuxième entreprise par la taille de l'Etat de Washington. Sans arriver au niveau de qualité des deux entreprises précé-

dentes, Preston Wines a néanmoins un avenir prometteur.

La tradition viticole dans l'Oregon remonte au XIXe siècle; elle marqua un temps d'arrêt lors de la prohibition, et la production ne reprit que dans les années soixante.

La plupart des entreprises vinicoles actuelles sont groupées autour de Portland, dans le nord de la vallée de Willmette. Le climat y est plus tempéré et les vignobles à flanc de colline ne sont guère gélifs.

Parmi les bons vignobles, citons l'Eyrie Vineyards et le Tualatin Vineyards. Il est encore trop tôt pour se prononcer sur la trentaine d'autres producteurs de l'Oregon, mais tout laisse supposer que dans les années à venir leur production pourra égaler les meilleurs vins fins américains.

L'Etat de New York

Jusqu'à une date récente les vins de l'Etat de New York étaient méprisés par les spécialistes car ils n'atteignaient pas un niveau de qualité acceptable. La raison de cela était à rechercher dans le fait que les deux tiers des raisins qui entraient dans la production de ces vins étaient issus de *Vitis labrusca*.

Aujourd'hui, le Chardonnay et le Riesling ont été plantés de façon intensive, ce qui a amélioré considérablement la qualité des vins.

Les meilleurs producteurs sont regroupés autour des Finger Lakes, à l'exception de Benmarl qui fut fondé en 1971 par Mark Mil-

ler et qui propose des vins d'une complexité et d'un caractère remarquables. La *Vitis labrusca* et la *Vitis vinifera* se partagent le terrain; l'expérience et les soins californiens font le reste.

De taille bien différente, la Taylor Wine Company est la plus grande entreprise vinicole américaine hors de Californie. Une des propriétés de la Coca-Cola Company d'Atlanta est connue surtout pour son Great Western « Champagne ». Ce vin était considéré au XIXe siècle comme le Champagne du Nouveau Monde. Il est actuellement répandu dans l'ensemble des Etats-Unis.

Autres régions aux Etats-Unis

De nombreux autres Etats se sont lancés avec plus ou moins de bonheur dans la production vinicole. Quand on connaît la maîtrise technique et l'enthousiasme des Américains, on peut s'attendre à d'heureuses surprises.

Ci-dessus, *la haute technologie : de nouvelles cuves en inox dans un chai dans l'Etat de New York.*

L'Australie et la Nouvelle-Zélande

L'Australie, qui produit du vin depuis plus de cent cinquante ans, est aujourd'hui le premier pays producteur vinicole de l'hémisphère sud. Au XIXᵉ siècle, la plupart de ses vins étaient vinés. Des « Porto » et des « Xérès » fortement alcoolisés étaient appréciés non seulement par la population locale mais aussi par l'Angleterre victorienne, naturellement bien disposée envers tout produit venant de l'Empire britannique. Les vins d'Australie connurent alors un véritable engouement.

Les premiers immigrés, fermiers pour la plupart, plantèrent les premiers vignobles. Au nord de Sydney, les Britanniques firent pousser des vignes dans la riche vallée de Hunter, tandis que les Allemands se groupèrent autour d'Adelaïde, dans la vallée de Barossa.

Ces deux vallées constituent encore aujourd'hui l'épine dorsale de l'industrie vinicole australienne. Hunter Valley est célèbre pour ses vins rouges amples, fleurant bon le terroir. Le cépage principal, la Syrah, y est connu sous le nom de Shiraz ou Hermitage. Ses vins ont un bouquet de « basse-cour » très typique, et les meilleurs d'entre eux gagnent énormément à vieillir en bouteilles.

Assez curieusement cependant, ce sont les vins blancs classiques de Hunter Valley qui s'améliorent le plus avec l'âge. Ces vins sont issus de Sémillon (appelé dans la région Hunter Riesling). Comme partout en Australie, les vendanges ont lieu en février-mars. Dans sa jeunesse, le Sémillon de Hunter Valley est plat et sans distinction, mais au bout de cinq ou six ans les saveurs se développent et il prend de la complexité. Le Hunter Sémillon ne peut être égalé quant au goût et au caractère par aucun autre vin. On peut s'en convaincre en goûtant les vins du domaine Rothbury de Hunter Valley, qui en a la spécialité.

Parmi les autres cépages de Hunter Valley : le Cabernet Sauvignon, le Pinot Noir, le Chardonnay et le Traminer. L'entreprise Tyrrell produit des Chardonnay et des Pinot Noir très réussis.

Des entreprises vinicoles de taille importante sont sises dans la vallée de Barossa, en Australie du Sud. Traditionnellement, on y produisait des vins vinés, mais la mode aujourd'hui est plutôt aux vins légers, et la plupart de ces établissements s'orientent vers la production de vins. Les vins rouges sont issus principalement de Syrah (Shiraz) tandis que le **Clare Riesling** et le **Rhine Riesling** sont utilisés pour la plupart des blancs. Les entreprises les plus connues de Barossa Valley se dénomment Kaiser Stuhl, Orlando, Seppelt, Yalumba et Penfold's.

A signaler, toujours en Australie du Sud, la région de Coonawarra, souvent appelée le « Médoc de l'Australie » à cause de sa production de grands Cabernet Sauvignon, Milawa dans l'Etat de Victoria, siège de la vénérable maison Brown Brothers et, dans l'Ouest, les régions de Swan Valley et Margaret River. Ici se créent chaque année de nombreuses petites entreprises vinicoles; parmi ces dernières,

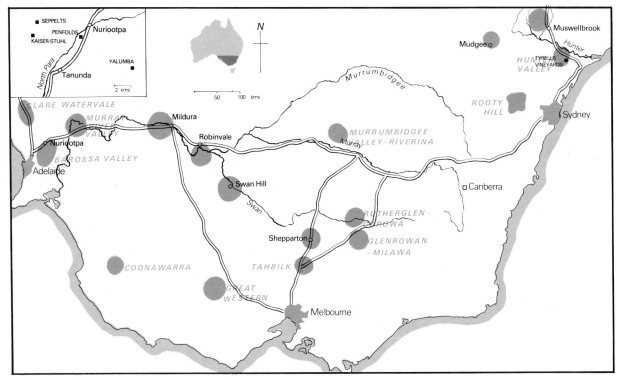

Houghton, Vasse Felix et Sandalford se sont implantées avec succès.

L'Australie compte un grand nombre de vignobles, même aux environs d'Alice Springs, un des endroits les plus chauds du pays, et dans l'île de Tasmanie; le Chardonnay et le Cabernet Sauvignon gagnent du terrain et il est clair que l'industrie vinicole tout entière s'efforce d'utiliser les techniques modernes pour répondre aux besoins des consommateurs actuels.

L'Australie peut espérer, comme la Californie, rivaliser avec la meilleure production des pays vinicoles européens. C'est elle qui a lancé les *bag-in-box* (outres inaltérables) — la production australienne est vendue à 40 % sous cette forme — et aujourd'hui elle est prête à diffuser ses vins de qualité supérieure. Il n'est pas exclu que le vin australien se fasse remarquer sur la scène mondiale au cours des années quatre-vingt.

Nouvelle-Zélande

Même du point de vue du Nouveau Monde, l'industrie vinicole en Nouvelle-Zélande est très récente. Bien que les archives mentionnent des vignes plantées par le révérend Samuel Marsden en 1819 à Keri Keri et citent le vin élaboré pour la première fois en 1840 par James Busby (reconnu aujourd'hui comme le père de l'industrie vinicole en Nouvelle-Zélande), la vraie production n'a guère commencé avant 1970.

En 1974, la superficie du vignoble a augmenté des trois quarts, surtout aux alentours de Blenheim, dans la partie septentrionale de l'île du Sud, et de Gisborne, dans l'île du Nord. Le cépage blanc le plus répandu est le Müller-Thurgau, mais il y a de plus en plus de Chardonnay, de Pinot Gris, de Chenin Blanc et de Gewurztraminer. On trouve également du Cabernet Sauvignon à l'origine d'un vin agréable de moyenne corpulence. Le *pinotage* — croisement de Pinot Noir et d'Hermitage (Syrah) — connaît un certain succès ainsi que les vins issus de Pinot Meunier et de Pinot Noir.

Actuellement, il existe plus de quatre cents vignobles en Nouvelle-Zélande qui produisent plus de 30 000 tonnes de raisins. Les producteurs les plus connus sont Montana Wines, McWilliams Wines et Cooks.

Les vins s'améliorent constamment, mais il reste encore beaucoup à faire. Les années quatre-vingt-dix seront peut-être celles de la consécration des vins néo-zélandais.

Ci-dessous, traitement préventif des vignes à Te Kauwhata. La viticulture en Nouvelle-Zélande est très récente, mais l'utilisation de techniques modernes a permis d'augmenter la production de vin de façon très rapide.

L'Amérique du Sud

L'Amérique du Sud est un des plus gros producteurs vinicoles du monde; les vins sont produits essentiellement par quatre pays: l'Argentine, le Chili, le Brésil et l'Uruguay. L'Argentine et le Chili figurent parmi les dix plus gros producteurs du monde de vin en vrac. La plupart des vins d'Amérique du Sud sont destinés à la consommation courante, mais la qualité continue à s'améliorer et les exportations ne cessent d'augmenter.

Argentine

L'Argentine occupe le cinquième rang de la production vinicole mondiale. Près des trois quarts des vins viennent de la région de Mendoza où les vignes croissent dans le sol demi-désertique de la plaine des Andes. Le reste provient de la province de San Juan, au nord du pays, où les raisins sont cultivés dans des conditions similaires. Les précipitations annuelles ne dépassent pas 250 millimètres, ce qui rend l'irrigation indispensable. Celle-ci est pratiquée par un système de canaux complété par des puits profonds. Comme il n'existe aucune réglementation précise régissant les appellations, les étiquettes définissent mal le contenu des bouteilles. Cependant, depuis la plantation de vignes européennes et notamment françaises, le nom du cépage est souvent mentionné. Aujourd'hui, la superficie de plantation des cépages européens dépasse celle occupée par le plant indigène « Criolla ». Beaucoup de blancs sont issus de Sémillon, de Chardonnay et de Riesling, tandis que pour les rouges le Malbec domine ainsi que le Cabernet Sauvignon, le Merlot, le Pinot Noir, le Tempranello d'Espagne et le Barbera d'Italie. Les techniques de vinification se sont modernisées; les blancs, moins oxydés, sont plus frais et plus fruités tandis que les rouges, toujours assez corpulents, profitent de l'ensoleillement sans en devenir complètement tributaires.

Chili

Le Chili vient au dixième rang mondial des producteurs viticoles et, contrairement à l'Argentine, ses vins sont sujets à des contrôles gouvernementaux très stricts. Caractéristique unique: les vignes chiliennes n'ont jamais été attaquées par le phylloxéra. Les frontières constituées par la cordillère des Andes, le désert aride d'Atacama au nord et le courant froid d'Humboldt le long de la côte pacifique ont constitué un obstacle infranchissable pour ce puceron dévastateur.

Il existe trois zones viticoles principales au Chili: au nord, au centre et au sud. La zone nord, du désert d'Atacama jusqu'à 160 kilomètres au nord de Valparaiso, produit surtout des vins vinés, issus de Muscat. La zone centrale bénéficie d'un climat proche de celui de la Californie du Nord à cause de la brise ra-

fraîchissante qui vient du Pacifique, mais les vins issus de cépages bordelais, bourguignons ou allemands ne sauraient rivaliser avec leurs cousins de France ou d'Allemagne; ils sont plus proches des Rioja et doivent leur générosité au climat chaud. La zone sud est surtout connue pour ses vins de table issus du cépage indigène *Pais*, bien que des variétés européennes cultivées dans la partie centrale commencent à s'introduire ici également.

Les vins chiliens sont sans doute les meilleurs d'Amérique du Sud.

Brésil

Les vignobles occupent la pointe sud du Brésil, complantés en grande partie de cépages hybrides qui prospèrent dans ce climat humide. Si au Chili c'est l'influence française qui se fait nettement sentir, au Brésil c'est l'Italie qui prime, avec le Barbera à l'origine de vins rouges fruités, tandis que Trebbiano, Muscat et Malvoisie interviennent dans les blancs issus de *Vitis vinifera*. La qualité des vins est cependant inférieure à celle des vins du Chili ou de l'Argentine.

Uruguay

Les vins d'Uruguay ressemblent à ceux du Brésil. Les cépages hybrides américains sont ceux qui résistent le mieux au climat, mais des expériences se poursuivent avec des plants *Vitis vinifera* et certains résultats, notamment avec les Cabernet Sauvignon, sont encourageants.

Ci-dessus, vignoble près de Cafayate, dans la province de Salta, au nord de l'Argentine.

L'Afrique du Sud

La viticulture en Afrique du Sud est la plus ancienne parmi les pays extra-européens : elle remonte au milieu du XVIIe siècle quand les premières vignes furent plantées par les colons néerlandais. Dès le début du siècle suivant, le célèbre Constantia — vin de dessert riche et liquoreux, rival du Madère et du Tokay — était déjà exporté en Europe. Les huguenots français qui s'installèrent à cette époque dans le pays contribuèrent à multiplier les surfaces plantées. Quand les Britanniques prirent possession du Cap en 1805, un commerce florissant s'établit avec la Grande-Bretagne, encouragé par des tarifs douaniers préférentiels. La suppression de ces avantages ainsi que les ravages causés par le phylloxéra aboutirent à l'effondrement de la vini-viticulture à la fin du siècle. La reconstitution du vignoble a commencé en 1918 avec la formation de la KWV (Association coopérative des Vignerons d'Afrique du Sud) et s'est poursuivie en 1931 grâce à la SAWFA (Association des fermiers viticulteurs de l'Afrique du Sud). Cette dernière mit en place des contrôles de qualité. En 1972, le gouvernement adopta une réglementation contrôlant les « Vins d'origine » en délimitant quatorze régions et en imposant un sceau officiel d'identification pour certifier le cru, le millésime et le cépage de chaque vin. Les vins issus d'un seul cépage à 100 % sont autorisés à porter la mention *Superior*, et la mention *Estate* (domaine) est limitée aux vins mis en bouteilles à la propriété.

Les vins d'Afrique du Sud viennent de deux régions principales : la plaine côtière qui comprend Constantia, Durbanville, Malmesbury, Stellenbosch et Paarl, et, à l'est, le Klein Karoo qui englobe Robertson, Worcester et Tulbagh. Le sol de la plaine côtière est sablonneux avec des éléments granitiques tandis qu'il est plus schisteux dans le Klein Karoo. Le climat est méditerranéen avec deux fois plus de pluies dans la zone côtière que dans la région du Klein Karoo.

Les cépages sont pour la plupart d'origine européenne, greffés sur des plants locaux. Le principal cépage des rouges est le Cinsault du sud de la vallée du Rhône, connu ici sous le nom d'Hermitage; marié avec le Pinot Noir, il devient le pinotage et donne un vin de qualité supérieure. Le Pinot Noir est cultivé seul, tout comme le Shiraz (Syrah), le Merlot et le Cabernet Sauvignon. Les vins sont généralement amples, fruités et généreux, parfois trop forts en alcool. Les plus typiques sont issus du pinotage, mais certains estiment que les meilleurs vins proviennent des assemblages de Cabernet Sauvignon et de Merlot de la région de Stellenbosch. Parmi les blancs, le plus apprécié est issu de Chenin Blanc (Steen), il est fruité et souple. On peut découvrir quelques rares vins botrytisés comme le Nederburg Edelkeur. Les cépages Sémillon, Clairette et Ugni Blanc fournissent des vins séduisants, peu acides, tandis que le Riesling de style allemand est tout à fait réussi, notamment à Nederburg. Parmi les autres cépages européens : le Palomino d'Andalousie et, pour les vins de dessert liquoreux, le Muscat d'Alexandrie.

La région viticole la plus importante quantitativement et qualitativement parlant se situe autour de Stellenbosch. Vient en deuxième position Paarl, connu grâce aux vins élaborés par la KWV et à ceux approchant le Xérès (sans aucun doute les meilleurs en dehors de l'Espagne), ainsi qu'à quelques « Porto » très réussis du type ruby, tawny et millésimé. Dans le Klein Karoo, où l'irrigation est indispensable, se situe une importante production de vins de table.

Ci-dessous, *vignoble d'une ferme néerlandaise type près de Franschhoek*.

Cours supérieur

La dégustation comparative

Le Cours supérieur vise à mettre en application tout ce que nous avons appris en théorie. Discuter du sol, du climat, des cépages, des méthodes de vinification et des millésimes est une chose; décrire le goût même d'un vin en est une autre, et rien ne remplace la méthode *verre en main*. En effet, dans les cours de dégustation à l'Académie, nous laissons parler les vins eux-mêmes, afin de mieux illustrer (ou de réfuter) les points que nous souhaitons souligner. Il est rare que nous proposions plus de huit vins par séance, mais ce chiffre a été augmenté dans les notes de dégustation qui suivent afin d'élargir la gamme. L'élément le plus important dans une dégustation étant sans doute la comparaison, nous avons essayé de décrire les vins eux-mêmes, d'examiner dans quelle mesure ils reflètent leur appellation ou leur style et de les comparer avec les vins dégustés dans le même groupe. Nous avons également indiqué les numéros de page qui font référence à ces vins dans les cours précédents, ou à des vins comparables dans le Cours supérieur.

Nous avons déjà traité (pages 16 à 27) de la technique même de la dégustation et de ce qu'il faut y rechercher. Il existe beaucoup d'ouvrages consacrés à la dégustation, parmi lesquels celui de Michael Broadbent, *Wine Tasting*, paru en 1968, est un ouvrage de référence. En français, le livre le plus technique et le plus remarquable est sans doute *Le goût du vin* par le Pr Emile Peynaud. Il est donc inutile de revenir sur la technique de la dégustation déjà évoquée dans notre premier chapitre. Nous allons plutôt nous consacrer au goût des vins eux-mêmes.

Le Cours supérieur se divise en quatre parties :

1. La dégustation de base

Nous avons choisi des vins qui entrent dans une gamme allant du sec au doux et du léger au corpulent. Notre choix s'est limité principalement aux vins français. Alors que certains vins sont incontestablement secs, doux, légers ou corpulents, la plupart de ceux élaborés pour accompagner des mets se placent dans une catégorie entre ces deux extrêmes. De même, l'acidité et la corpulence d'un vin sont perçues de façons diverses par différentes personnes. Un Parisien, par exemple, trouvera un Muscadet moins sec qu'un Niçois. Ce dernier, à son tour, jugera un Châteauneuf-du-Pape fruité et agréable quand le premier aura tendance à le considérer comme lourd et corsé. Nous avons sélectionné des vins de toutes les catégories, en prenant en considération les variations de style. Les trois dégustations de vins blancs ainsi que les trois dégustations de vins rouges doivent s'étudier séparément.

2. Les différents cépages

Dans cette partie, nous étudions les principaux cépages plantés dans le monde avec, de nouveau, l'accent sur la France car, à l'exception du Riesling, les cépages mondialement utilisés sont pour la plupart d'origine française. Notre intention est de montrer ce que donne un même cépage confronté à des conditions totalement différentes de sol, de climat et de vinification. Le goût propre à chaque cépage a tendance à se manifester de façon très marquée dans des vins jeunes (le goût ne doit pas se confondre avec le goût fruité du raisin commun à la plupart des vins jeunes). Dans les vins plus âgés, la prédominance du cépage cède la place aux arômes et aux saveurs secondaires et tertiaires, mais le style du vin rappelle toujours le cépage dont il est issu. En France on tend à juger un vin d'après son appellation (Meursault, Hermitage) plutôt que selon son cépage (Chardonnay, Syrah), mais les deux facteurs sont en étroite corrélation. De telles appellations géographiques n'existent pas dans le cas des vignes plantées en dehors de la France et c'est ainsi que l'on considère les vins plus en fonction de leurs cépages que de leur origine régionale.

3. L'influence du millésime et de l'appellation

Dans cette série de quatre dégustations nous avons deux dégustations verticales (vin d'un seul château ou d'un seul domaine de plusieurs années différentes) et deux dégustations horizontales (plusieurs appellations différentes d'une même année). Le but de la dégustation verticale est d'isoler le facteur millésime; tout ici est constant sauf les conditions météorologiques. Le but de la dégustation horizontale est de démontrer l'importance du sol, du microclimat, du choix de cépage et de la vinification pour des vins comparables d'un même millésime. De nouveau, nous sommes limités à des vins français, et à ceux de Bourgogne et de Bordeaux, les deux régions viticoles les plus importantes et les plus homogènes de France. Cette partie se termine sur une dégustation comparative de vins vinés.

4. La couleur du vin

La couleur est plus facile à décrire que l'odeur ou le goût. A l'exception du Muscat, un vin ne sent jamais le raisin : jeune, il possède des arômes floraux ou fruités qui évoluent pour devenir un bouquet herbacé, épicé et boisé — une gamme infinie d'évocations. Le goût du vin suit la même évolution. Les vins se conforment à certains styles (le Médoc est austère, l'Alsace est fruité, par exemple), et ces styles dépendent de beaucoup d'éléments notamment du lieu de l'élaboration et des cépages utilisés. Même si le style d'un vin est facile à reconnaître, son goût est difficile à décrire. Il est quand même intéressant d'examiner des vins de régions, de cépages et de millésimes différents, d'étudier les variations de couleur et de comprendre pourquoi cette diversité existe. Nous avons choisi les robes photographiées dans les pages 180-185 dans une gamme de tons allant du léger au soutenu, et du jeune au mûr.

Nous avons essayé de faire une transcription des dégustations qui ont vraiment eu lieu à l'Académie du Vin. Ces notes n'ont pas été retouchées afin de leur laisser leur spontanéité.

Les blancs très secs

Il s'agit de vins relativement peu corsés et d'une bonne acidité. Le dénominateur commun des vins considérés ci-dessous est une absence totale de moelleux en bouche. Une certaine acidité leur est nécessaire pour créer une sensation de fraîcheur qui se fond avec le fruit et avec les divers caractères du vin. En revanche, une acidité excessive est un défaut dû à des vendanges de raisins insuffisamment mûrs.

Jeunesse et légèreté vont souvent de pair dans les vins blancs très secs, car les vins semblent perdre de l'acidité en vieillissant. En réalité, celle-ci reste constante alors que les impressions gustatives se modifient, soit parce que le vin gagne en corps et en fruit, soit parce qu'il perd de sa fraîcheur juvénile.

Parmi les vins choisis pour cette dégustation, certains doivent être bus jeunes; selon le goût du dégustateur, ils pourront être bus dès la mise en bouteilles ou bien être attendus un an ou deux. Quelques-uns n'ont été sélectionnés que pour leur extrême jeunesse.

	ŒIL	NEZ	BOUCHE	CONCLUSIONS
	**Gros-Plant du Pays nantais** 1981 Léon Boullault			Loire-Atlantique/*Gros-Plant*
	Jaune très clair, presque blanc.	Arôme sec et très particulier, évoquant l'air marin et les algues. Net et frais.	Franc, sec, presque vert. Plaisant malgré une certaine austérité. Excellent avec les crustacés.	Vin sans prétention mais parfait dans son genre. Simple, direct. On ne peut plus brut.
	**Muscadet de Sèvre-et-Maine** 1981 *sur lie* Léon Boullault			Loire-Atlantique/ *Melon de Bourgogne, connu sous le nom de Muscadet*
	Or très pâle, avec une nuance verte.	Fruité, floral, musqué, racé.	Excellente attaque fruitée. Bonne acidité. Fin de bouche persistante de pommes vertes. Equilibré.	Plus complexe et fruité que le Gros-Plant. Aussi sec mais moins austère. Vin digne de ce bon producteur.
	**Apremont NM Vin de Savoie** Boniface & Fils			Savoie/*Aligoté, Roussette et Jacquère*
	Blanc à peine teinté de jaune.	Nez charmant et floral, légèrement fumé, arôme d'angélique.	Rondeur en bouche, s'ouvre bien, pointe de CO_2.	Vin très plaisant, moins sec que les deux précédents. Agréable goût de terroir. A boire jeune.
	Coteaux Champenois Blanc de Blancs NM R. & L. Legras			Champagne/*Chardonnay*
	Net, jaune clair. Très frais.	Racé, complexe, très bon nez pierre à fusil, typique du Chardonnay issu d'un sol crayeux. Arôme de levure perceptible.	Moins plaisant. Une certaine âpreté. Du fruit mais trop d'acidité. A boire en petite quantité.	Apreté en fin de bouche sans doute due à un excès de *vin de presse*. Manque de finesse.
	Pouilly-Fumé 1981 J.C.Dagueneau			Loire/Centre/*Sauvignon*
	Jaune d'or pâle. Plus intense que les quatre premiers.	Nez de fruits et d'épices, menthe, cassis, groseille. Encore au stade végétal.	Goût de Sauvignon assez mordant, mais plus discret qu'au nez. Finesse. Fin de bouche nette.	On s'attendrait à plus d'élégance, mais vin sans défauts. Moins fruité qu'un Sancerre.
	Ch.-Reynon 1982 Bordeaux			Bordeaux/Entre-Deux-Mers/*Sémillon et Sauvignon*
	Jaune très pâle, presque incolore.	Très parfumé, élégant, sans agressivité. Direct.	Du corps. Bonne acidité, sel, épices. Fruit en fin de bouche. Encore un peu fermé.	Vin réussi, fruité, finesse et élégance harmonieuses. Bon exemple de Bordeaux blanc « nouveau style ».

ŒIL	NEZ	BOUCHE	CONCLUSIONS

Ch.-Rougemont 1981 Graves — Bordeaux/Graves/*Sémillon et Sauvignon*

ŒIL	NEZ	BOUCHE	CONCLUSIONS
Jaune clair, net et vif.	Nez difficile à définir. Nuances herbacées.	Bonne attaque, floral, herbacé; jasmin, amandes fraîches. Beau, complexe. Fin de bouche très nette sans acidité excessive.	Plus complexe et plus intéressant que le Pouilly-Fumé (100 % Sauvignon). Bonne évolution à prévoir. Bon exemple d'un Graves « cru bourgeois ».

Crozes-Hermitage 1981   Paul Jaboulet Aîné — Côtes-du-Rhône nord/*Roussanne et Marsanne*

ŒIL	NEZ	BOUCHE	CONCLUSIONS
Jolie robe jaune très claire.	Nez délicat et floral de chèvrefeuille.	Plein en bouche sans mollesse. Chèvrefeuille. Fruité. Certaine austérité en fin de bouche.	Très réussi. L'absence de fermentation malolactique le rend très sec et souligne son bouquet délicat et floral.

Bourgogne Aligoté 1979   J-F. Coche-Dury, Meursault — Bourgogne/Côte de Beaune/*Aligoté*

ŒIL	NEZ	BOUCHE	CONCLUSIONS
Jaune-paille pâle, quelques reflets verts. Robe bien définie.	Nez assez complexe, fruits et noisette. Très agréable.	Racé. Pointe de citron à l'attaque. Acidité bien enrobée. Fruité. Légèrement acidulé en fin de bouche.	Plus ample qu'un Aligoté type (grâce au terroir Meursault et peut-être aux fûts utilisés). Très bon vin.

Vouvray 1981 Sec   Le Haut Lieu, Huet — Loire/Touraine/*Chenin Blanc*

ŒIL	NEZ	BOUCHE	CONCLUSIONS
Jaune clair, parfaitement limpide. Très belle robe.	Bouquet éclatant : rose, jasmin, chèvrefeuille, citron. Complexe et persistant.	Pommes vertes en attaque, puis miel. Long en bouche. Très jeune.	Exemple parfait d'un jeune Vouvray (100 % Chenin Blanc) d'une bonne année. L'âge permettra de fondre l'acidité et de développer le fruit. A garder.

Riesling 1981 « Schlossberg »   Domaine Weinbach — Alsace/*Riesling*

ŒIL	NEZ	BOUCHE	CONCLUSIONS
Jaune clair brillant.	Nez guilleret de fruits jeunes, citron, pamplemousse.	Bonne attaque, acidité fruitée. Vineux. Saveur éclatante.	Un grand vin encore loin de son apogée. Comme le Vouvray, il deviendra plus intense, plus ample et mieux enrobé en vieillissant.

Mâcon-Villages 1981   Coupe Perraton   Georges Dubœuf — Bourgogne/Mâconnais/*Chardonnay*

ŒIL	NEZ	BOUCHE	CONCLUSIONS
Très jolie robe jaune clair nuancée d'or. Impression d'ampleur.	Nez de Chardonnay herbacé; évoque des fruits exotiques.	Goût séduisant, fruité, fin et plein de verve. Beaucoup de race.	Bel exemple d'un Mâcon blanc, net et élégant. Un vin parfait à son échelle. A boire jeune (1-3 ans) mais peut se garder.

Chablis 1981 1er cru Fourchaume   Cave La Chablisienne — Bourgogne/Chablis/*Chardonnay*

ŒIL	NEZ	BOUCHE	CONCLUSIONS
Fraîcheur et netteté de robe, jaune clair aux reflets verts.	Joli nez subtil. Pain grillé, angélique. Vif et léger.	Bien construit, nerveux et fruité, goût de pierre à fusil. Netteté et persistance en bouche.	Vin élégant, un Chablis « nouveau style » jamais passé en fûts de bois. Réussi. Bonne évolution à prévoir.

Puligny-Montrachet 1980   Domaine Leflaive — Bourgogne/Côte de Beaune/*Chardonnay*

ŒIL	NEZ	BOUCHE	CONCLUSIONS
Jaune-or pâle, net et vif.	Très joli nez floral, églantine. Une touche de bois. Grande finesse.	Bien équilibré. Déjà très agréable malgré sa jeunesse. Finit bien mais un peu court.	Un Puligny-Villages bien fait pour une année moyenne. Peut bien se conserver encore 3 ans mais manquera toujours de chair.

Les blancs secs

Cette catégorie couvre la majorité des vins blancs produits en France. Ce sont des vins secs car ils ne contiennent pas de sucre résiduel. Nous avons choisi pour cette dégustation des vins plus charnus et plus complexes que les précédents afin de démontrer les différents styles de vins fins blancs produits en France et l'importance du rôle joué par les millésimes, la vinification et le vieillissement.

On peut boire la plupart de ces blancs secs dans leur jeunesse, tout de suite après leur mise en bouteilles, mais ils sont loin de leur apogée. Leur taux d'alcool, d'acidité et d'extrait demande du temps pour que le style et le caractère propre de chaque vin puissent s'exprimer pleinement. Une fois prêts, ils accompagnent merveilleusement les repas, qu'ils transforment parfois en une véritable fête. Nos commentaires ont été particulièrement critiques, compte tenu de l'excellent potentiel de ces vins.

ŒIL	NEZ	BOUCHE	CONCLUSIONS
Arbois 1980 Rolet Père et Fils			Jura/Arbois/*Savagnin-Chardonnay*
Jaune paille net, sans l'aspect riche d'un Sauternes.	Nez de noisette légèrement oxydé. Arômes rappelant le Xérès.	Saveur aromatique de noisette qui emplit la bouche. Très charpenté. Noix en fin de bouche. Très sec.	Exemple classique d'un vin du Jura; caractère oxydé sans être tout à fait un vin jaune. Déjà mûr. Se conservera bien.
Ch. de Fieuzal 1981 Graves			Bordeaux/Graves/*Sauvignon et Sémillon*
Jaune paille très clair. Riche.	Epicé, aromatique, fleurs sauvages, acacia, légèrement herbacé.	Assez sec en attaque. Encore fermé. Sec en fin de bouche. Atteint son apogée à l'âge de 4 ou 5 ans.	Beau Graves blanc. Plus complexe que le Ch.-Rougemont (p. 143) mais n'atteint pas la classe des meilleurs Graves, tels que Domaine de Chevalier ou Laville-Haut-Brion.
« R » de Ch.-Rieussec 1981 Bordeaux Supérieur			Bordeaux/Sauternes/
			Sémillon, Sauvignon et Muscadelle
Jaune clair, frais. La robe ne laisse pas deviner l'ampleur et le gras de ce vin.	Nez floral. Nuances de miel et de tilleul. Très agréable.	Plus souple que le Ch. de Fieuzal. Bonne acidité, léger goût de sel. Commence seulement à s'ouvrir. Allie le moelleux d'un Sémillon à l'acidité des vendanges précoces.	Exemple réussi d'un vin sec sauternais, le plus connu étant le célèbre « Y » de Ch.-d'Yquem qui est encore plus riche. N'a pas atteint sa pleine maturité.
Pouilly-Fuissé 1981 Domaine de l'Arillière			Bourgogne/Mâconnais/*Chardonnay*
Joli jaune-or pâle. Plein, plus riche que le Chablis Fourchaume 1981 (p. 143).	Arôme de beurre frais et de noisette. Encore une pointe de SO_2.	Plein de chair en bouche. Fin de bouche un peu sévère, due au SO_2. Excellent à l'âge de 4 ans.	Le second vin du Ch.-Fuissé, issu de vignes plus jeunes. Le Pouilly-Fuissé, plus ample qu'un Mâcon blanc, a besoin de plus de temps pour se faire.
Hermitage 1980 J.-L. Grippat			Côtes-du-Rhône nord/*Marsanne et Roussanne*
Jaune-or pâle, très joli. Plus blanc que le Pouilly-Fuissé, mais assez gras.	Nez onctueux, floral, rond, plein, sensuel, complexe. Arôme de pêche. Harmonie entre la richesse et l'acidité.	Assez léger, fruité. Nuance de verveine séchée. Finesse et équilibre. Bonne fin de bouche. A boire maintenant.	Beau vin d'une année moyenne. Moins aromatique que l'Hermitage de Guigal 1979 mais plus fin que le Crozes 1981 (p. 143).
Pinot Auxerrois 1979 « Hengst » Josmeyer			Alsace/*Pinot Blanc et Auxerrois*
Très jolie robe or pâle aux reflets verts.	Aromatique. Nez évoquant le Sauvignon. Bon équilibre entre le fruit et une acidité légèrement citronnée.	Aromatique, assez charnu, manque un peu de fruit et d'élégance.	Un vin d'Alsace classique d'un bon vignoble. Un peu lourd comme apéritif, n'a pas la classe du Riesling.

ŒIL	NEZ	BOUCHE	CONCLUSIONS

Châteauneuf-du-Pape 1980 Château de Beaucastel

Vallée du Rhône sud/
Roussanne et Grenache Blanc

| Jaune assez clair, reflets verts, impression de rondeur. | Arômes intenses de fruits confits, sucre brûlé ou caramel. | Rondeur en bouche, suave, souple. Fin de bouche nette. Saveur chaude de l'alcool équilibrée par une bonne acidité. Vins « ensoleillé ». | Les Châteauneuf-du-Pape blancs sont rares (1 % de l'appellation). Se boit jeune, mais peut se développer de façon très intéressante. |

Vouvray Sec 1978 Clos Baudouin Prince Poniatowski

Loire/Touraine/
Chenin Blanc

| Très belle robe jaune-or. Du gras. Assez évolué. | Nez de miel bien marqué mais plus de verdeur en rétro-olfaction. Bons arômes tertiaires. | Bon équilibre entre le fruit et l'acidité citronnée du Chenin Blanc. Agressivité de la jeunesse. Trouve sa meilleure expression en compagnie d'un mets. | Beau Vouvray sec (aucune trace de sucre résiduel) d'une grande année. A perdu un peu de la verve de la jeunesse. |

Chablis 1979 Grand Cru « Les Clos » René Dauvissat

Bourgogne/Chablis/*Chardonnay*

| Jaune-or pâle. Robe nette et bien définie. | Nez intense de noisette qui devient plus complexe. | Plus évolué, un vin sérieux, pointu. Acidité en fin de bouche. Vin typé, peut-être un peu creux. | Un Chablis de Grand Cru réussi, originaire d'un des meilleurs vignobles. Petite déception et manque de grandeur dus à une année de surproduction. |

Puligny-Montrachet 1979 1er cru Clavoillon Domaine Leflaive

Bourgogne/Côte de Beaune/
Chardonnay

| Jaune très clair, aux reflets verts, pâleur inhabituelle pour ce millésime. Aspect élégant. | Léger et élégant, très peu boisé, floral (églantine). Encore un peu fermé. | Vif et léger en bouche, floral, amande fraîche, assez discret, mais élégant en fin de bouche. | Un potentiel plus grand que le Puligny-Montrachet 1980 (p. 143). Parfait à l'âge de 5 ans. |

Corton-Charlemagne 1979 Bonneau du Martray

Bourgogne/Côte de Beaune/
Chardonnay

| Jaune soutenu nuance or. | Nez riche de noisette et d'essence d'amande. Encore un peu fermé, mais promet d'être intense. Bon potentiel, grande classe. | De la mâche et du muscle. Saveur complexe avec touche de bois neuf. Très bonne acidité, beaucoup de fruit et de longueur attendant de s'exprimer. | Un grand Corton-Charlemagne. Peut rivaliser avec un Montrachet en chair et en profondeur. Exemplaire, meilleur après 6 années de bouteille. |

Meursault 1978 Clos de la Barre Comte Lafon

Bourgogne/Côte de Beaune/
Chardonnay

| Jaune paille pâle. Très belle robe. Jeune pour un 1978. Assez gras. | Riche, plein. Du miel et des pêches se mariant avec le chêne neuf. | Riche et suave. Fruit intense. Grande fermeté en fin de bouche due au vieillissement dans le bois. Du style, de la complexité, de la longueur. A attendre 3 ans. | Un des plus beaux exemples de Meursault, riche, plein, net, complexe. La vinification en petits fûts et le vieillissement dans le bois rehaussent son caractère intrinsèque. |

Chassagne-Montrachet 1978 1er cru « Morgeot » Delagrange-Bachelet

Bourgogne/
Côte de Beaune/*Chardonnay*

| Robe dorée assez évoluée. Vin ample, plus gras que le Meursault. | Nez intense de beurre frais et de noisette. Encore jeune, complexe, suave, bon support acide. | Saveur ample et riche. Du velours finement ourlé d'acidité. Un vin sérieux contrastant avec le Puligny qui est plus élégant et plus léger. Prêt à boire mais mieux vaut attendre. | Très différent du Meursault mais aussi beau. M. Delagrange a réacidifié ses vins (légalement) en 1978 pour leur donner plus de soutien et permettre une meilleure évolution. |

Les blancs demi-secs et moelleux

Tous ces vins laissent en bouche une impression de moelleux: leur caractère aromatique et capiteux les exclut de la catégorie des vins blancs secs. A la fois très pleins et très parfumés, ils ont trop de personnalité pour se marier avec les mets.

Le taux de sucre des vins demi-secs et moelleux varie selon le type et le millésime. Un vin comme le Sauternes, qui est doux par définition, sera d'autant plus riche et liquoreux que l'année aura été plus ensoleillée; un tel vin exige des raisins gorgés de sucre, lequel sera par la suite transformé en alcool et en sucre résiduel. Les vins de Vouvray, d'Anjou ou de l'Alsace, par exemple, que le vinificateur choisit d'élaborer en liquoreux, ne sont produits que dans les années où la surmaturation des raisins permet de donner la richesse et la concentration voulues.

En effet, la surmaturation est le facteur clé. Placés dans des conditions climatiques propices, la plupart des cépages nobles atteignent une forte concentration de sucre. Dans certaines régions, cette concentration est atteinte grâce à la *pourriture noble*, ou *botrytis*. Les tentatives faites pour élaborer un vin doux équilibré ont été rarement couronnées de succès dans les années où les raisins ne sont pas suffisamment mûrs, ou en l'absence de botrytis.

Quelle que soit leur richesse, les beaux vins liquoreux ne doivent jamais être écœurants; de même que les vins blancs secs doivent exprimer pleinement leur caractère sec, les vins doux doivent affirmer leur caractère moelleux. Contrairement aux vins demi-secs, ils se goûtent mieux sans accompagnement.

ŒIL	NEZ	BOUCHE	CONCLUSIONS
Condrieu 1981 E. Guigal			Côtes-du-Rhône nord/*Viognier*
Jaune assez pâle, net, aux reflets or-vert. Très gras d'aspect.	Arômes éclatants d'abricots secs, de vanille, d'amandes, même de lychees. Puissamment aromatique, sans être écœurant.	Bouche épanouie. Vin ample, élégant, sensuel, irrésistible, floral, saveur d'amandes. Fin de bouche nette et persistante.	Equilibre extraordinaire entre la richesse et le moelleux des saveurs de fruits exotiques. Un vin opulent, net en fin de bouche. Se goûte mieux sans accompagnement.
Tokay d'Alsace 1979 Domaine Weinbach			Alsace/*Tokay (Pinot Gris)*
Beau jaune net. Sa jeunesse surprend. Riche.	Bouquet frappant de rose. Grande classe. Aromatique avec une note de citron en rétro-olfaction.	Beaucoup d'élégance. Souple et persistant en fin de bouche. Joli contraste entre le bouquet un peu citronné et une saveur très suave. Très long en bouche.	Vin de réserve d'un grand domaine et d'un bon millésime. Aromatique à merveille. Prêt à boire mais se gardera. Riche mais non écœurant. Presque aussi étonnant que le Condrieu.
Gewurztraminer 1981 Vendages tardives Domaine Weinbach			Alsace/*Gewurztraminer*
Jaune d'or très pur. Teinte jeune, très gras.	Bouquet exubérant. Evoque des raisins gorgés de sucre. Grâce au botrytis, un nez aromatique développé, épicé, musqué, riche et voluptueux.	Eclate en bouche. Riche, parfumé, velouté. Encore entièrement enrobée. A atteint son apogée.	Vin captivant du même domaine. Peut évoluer encore vers plus de richesse et de moelleux. Texture, arôme et impact admirables.
Gewurztraminer 1976 Vendanges tardives Sélection personnelle Jean Hugel			Alsace/ *Gewurztraminer*
Hugel & Fils Or pâle avec de légers reflets verts. Très jeune d'aspect.	Bouquet merveilleusement pur et concentré. Miel d'abord, puis citron. Nez racé et intense.	Du panache et de la classe. Grande élégance et forte personnalité. Saveur de raisins secs et support superbe de fruits. Riche, vif, velouté.	Vin classique du Domaine Hugel célèbre pour ses Vendanges tardives. Le 1976 est un peu moins riche et moins vif que le 1979.

ŒIL	NEZ	BOUCHE	CONCLUSIONS
Vouvray 1976 Demi-Sec « Le Mont » Huet			Loire/Touraine/*Chenin Blanc*
Jaune moyen virant à l'or.	Riche nez de miel, élégance florale du Chenin Blanc.	Riche, plein, avec arrière-goût presque caramel. Ample. Gagnera à vieillir.	L'année 1976 était la plus ensoleillée de la décennie et la richesse de ce demi-sec surprend.
Bonnezeaux 1969 Château de Fesle			Loire/Anjou/*Chenin Blanc*
Jaune doré très dense aux reflets verts. Belle couleur lumineuse.	Bouquet floral magnifique éclatant au nez. Encore jeune. Presque un « Riesling ».	Goût de miel doux et profond avec une pointe d'acidité. Très beau.	Plus dense que le Vouvray mais moelleux comparable.
Vouvray 1966 Moelleux « Le Mont » Huet			Loire/Touraine/*Chenin Blanc*
Très belle robe. Jaune paille doré, très pur.	Bouquet floral de chèvrefeuille très prononcé qui dément son âge.	Grande finesse, assez léger pour un moelleux mais néanmoins de pur style Touraine. Très bonne fin de bouche harmonieuse.	Plus léger que le Vouvray 1976 puisque l'année 1966 a été moins riche. Ce vin a néanmoins un équilibre et un moelleux parfaits.
Ch.-Hauras 1976 Cérons			Bordeaux/Cérons/*Sémillon et Sauvignon*
Jaune doré splendide.	Bouquet plein et majestueux de Sémillon. Peu de botrytis. Plutôt un nez *rôti*. Abricots secs. Bien construit.	Bien équilibré, riche, bonne longueur. Vin impressionnant.	Une « petite appellation » dans la gamme des Bordeaux liquoreux. Très réussi.
Ch.-Coutet 1971 Barsac			Bordeaux/Barsac/*Sémillon, Sauvignon et Muscadelle*
Très beau jaune citron intense. Etonne par sa jeunesse.	Nez de miel avec un soupçon de paille. Commence à prendre un peu de bouteille.	Saveur riche et délicieuse où perce une pointe de citron. Sa richesse surprend. Très beau.	Excellent vin d'un millésime quelque peu méconnu mais plein de qualité. Chair et acidité suffisantes pour le soutenir pendant longtemps.
Ch.-Suduiraut 1976 Sauternes			Bordeaux/Sauternes/*Sémillon et Sauvignon*
Or ambré clair, Couleur fabuleuse plus profonde et évoluée que le Ch.-Coutet	Bouquet écrasant de richesse. Fruits secs concentrés, intense, riche. Un peu de biscuit.	Très riche. Le gras, le fruit et le moelleux d'un grand Sauternes, avec la pointe d'acidité qui évite de lasser le palais.	Plus éclatant que le Coutet, plus massif, impressionnant. Vin opulent et fastueux.
Ch.-Coutet 1976 Barsac			Bordeaux/Sauternes/*Sémillon et Sauvignon*
Jaune doré moyen. Jeune et frais. Assez gras. Classique.	Bouquet floral, abricots et pêches. Riche, avec une pointe de citron.	Goût assez intense de miel, équilibré par une fraîcheur due à l'acidité. Beau vin, bien construit.	Exemple presque parfait du style Barsac, très harmonieux mais s'exprimant avec moins d'emphase que le Sauternes.
Ch.-Suduirant 1967 Sauternes			Bordeaux/Sauternes/*Sémillon et Sauvignon*
Belle robe jaune-paille, pas encore paille dorée. Onctueux.	Bouquet de Sauternes presque idéal. Capiteux, riche, opulent.	Très riche et liquoreux. Direct, presque sans acidité, un vin ample et concentré.	Très petite récolte de raisins très mûrs et botrytisés. L'alcool, plutôt que l'acidité, sert de support. Encore très jeune.

Les rosés

Nous comparons ici les différents styles de rosés produits en France. Peu de vins sont spécifiquement rosés, c'est-à-dire que l'appellation s'applique rarement à un vin rosé seul; le Tavel, le Rosé de Marsannay et le Rosé des Riceys sont parmi les exceptions. Le mélange de vin rouge et de vin blanc n'est pas admis dans les vins d'appellation contrôlée (sauf dans le cas du Champagne rosé), mais l'addition de raisins blancs aux raisins rouges, qui ne dépasse pas généralement 20 %, est admise. Un rosé est essentiellement un vin rouge léger, dont la jolie robe rose vient d'un contact du moût avec les peaux beaucoup moins prolongé que dans l'élaboration de vrais vins rouges. Le goût du vin dépend autant du style de la vinification et du vieillissement que de sa région d'origine.

L'une des conclusions qui se dégagent de cette dégustation est qu'un rosé doit être frais et agréable, et, sauf pour quelques rares exceptions, tels que l'Arbois et le Palette, il perd sa raison d'être s'il ne répond pas à ces critères. Une autre remarque s'impose; les rosés ont beaucoup moins de bouquet qu'un vin blanc ou un vin rouge. Un bouquet prononcé signifie en général que le vin est issu d'un seul cépage (Pinot Noir, Cabernet Franc) plutôt que de plusieurs.

	ŒIL	NEZ	BOUCHE	CONCLUSIONS
Bourgueil Rosé 1981 Domaine des Raguenières — *Loire/Touraine/Cabernet Franc*	Très pâle. Une touche de violet. Printanier et joli.	Légers arômes de fruits, framboises, violettes. Délicat.	Sec, léger, manque de persistance en bouche. Tout en légèreté et finesse. Petit goût de terroir.	Vin de saignée. Très délicat, parfumé, charmant. Exemple type d'un rosé de Loire réussi.
Sancerre Rosé 1981 Vincent Delaporte, Chavignol — *Loire/Centre/Pinot Noir*	Rosé pâle, mais plus soutenu que le Bourgueil, rose-saumoné.	Nez fruité. Plus de charpente et d'agressivité que dans le Bourgueil, mais reste léger.	Bonne attaque fruitée. Assez mordant en fin de bouche. A boire avec des mets.	Très jolie robe de Pinot Noir, vinifié par macération. A l'acidité naturelle du terroir sancerrois.
Vin Gris de Toul 1980 Michel Vosgien, Buligny — Nord-est/Lorraine/ *Pinot Noir, Pinot Meunier et Gamay*	A peine teinté.	Nez discret. Touches de fruit.	Frais, net, léger, acidulé en fin de bouche. A boire sur place avec la cuisine lorraine.	Robe très pâle car le jus s'écoule directement du pressoir après foulage (rosé de pressurage). Jusqu'à 15 % de raisins blancs peuvent être ajoutés avant la presse.
Rosé de Marsannay 1980 Domaine Clair Daü — Bourgogne/Côte de Nuits/*Pinot Noir*	Jolie robe, rose tuilé. Commence à perdre de la fraîcheur.	Bouquet étoffé et élégant. Floral, avec une nuance de roses.	Souple, fruité et persistant en bouche. Très peu d'acidité comparé au Sancerre (également Pinot Noir).	Un des plus célèbres rosés de France. La couleur s'obtient par une macération de 48 heures.
Rosé des Riceys 1980 Morel Père & Fils — Aube/Champagne/*Pinot Noir*	Rosé foncé. Riche, assez gras. Perd un peu de sa fraîcheur.	Arômes de pomme sauvage et de coings.	Goût sec de coing, texture proche d'un vin rouge. Plus intéressant qu'agréable.	Rosé de saignée avec incorporation de vin de presse.
Côtes-de-Provence Rosé 1981 Domaine des Féraud — *Provence/Grenache et Cinsault*	Rosé vif et franc, plus foncé que le Tavel. Assez gras.	Nez de fraises mûres et d'épices. Très beau.	Moelleux, fruité, savoureux, bien équilibré. Rosé exemplaire.	Une macération à basse température pendant 36 heures donne à ce rosé plus de couleur et de saveur que d'habitude. Vin racé. A comparer au Bandol.

	ŒIL	NEZ	BOUCHE	CONCLUSIONS

Arbois Rosé 1980 Rolet Père & Fils — Jura/Arbois/*Poulsard*

ŒIL	NEZ	BOUCHE	CONCLUSIONS
Robe roussâtre un peu fanée. Plus rouge que rosé.	Nez faible de fraises, mûr.	Fruité, boisé, assez intense, même tannique; seule sa couleur en fait un rosé.	Rosé élaboré comme un vin rouge, macération de 3 semaines en cuve.

Alsace Rosé 1978 Pierre Seltz — Alsace/*Pinot Noir*

ŒIL	NEZ	BOUCHE	CONCLUSIONS
Robe foncée, entre rosé et rouge. Même couleur que le Rully 1979 (p. 150).	Bouquet de fraises mûres typiquement Pinot.	Plein, alcoolisé, a perdu un peu de sa fraîcheur. Aurait dû être bu avant l'âge de 4 ans.	La vendange est égrappée. Macération à froid 24 heures, et fermentation à basse température pendant 2-3 jours. Puis le moût est séparé des parties solides et continue de fermenter dans des fûts.

Rosé de Porto-Vecchio 1981 Domaine de Torraccia — Corse/*Niellucio, Grenache et Sciacarello*

ŒIL	NEZ	BOUCHE	CONCLUSIONS
Très belle robe rose tendre nuancée d'orange.	Arôme d'herbes séchées sur un support de fruit.	Net, fruité, assez alcoolisé, frais et vif. Bonne acidité. Rosé très réussi.	Vendange précoce pour éviter maturité et oxydation. Macération courte pour obtenir une belle robe, souvent la raison d'être d'un rosé.

Bandol 1981 Domaine Tempier — Provence/Bandol/*Grenache, Cinsault et Mourvèdre*

ŒIL	NEZ	BOUCHE	CONCLUSIONS
Plus orange pâle que rosé.	Nez tendre et discret.	Apparaît bien structuré et défini après un premier nez décevant. Plein, harmonieux. De la personnalité. Un des meilleurs rosés de la région provençale.	Présence de 5-6 cépages dont le Grenache pour la rondeur, le Cinsault pour la finesse, le Mourvèdre pour la couleur et la structure.

Tavel Rosé 1980 Ch. de Trinquevedel — Vallée du Rhône sud/Tavel/*Grenache et Cinsault*

ŒIL	NEZ	BOUCHE	CONCLUSIONS
Très joli rose clair, robe légère pour un Tavel.	Frais, arômes austères de fruits.	Charnu, épicé, fruité. Assez alcoolisé mais équilibré grâce à une bonne vinification.	Le Tavel est sans doute le rosé le plus célèbre de France. Le style varie selon le vinificateur : des vins pleins vieillis en fût aux vins plus légers à boire jeunes et frais.

Palette Rosé Ch.-Simone — Provence/Palette/ *Mourvèdre, Grenache, Cinsault et d'autres cépages*

ŒIL	NEZ	BOUCHE	CONCLUSIONS
Rouge orangé fondu. Très gras.	Nez boisé, cèdre. Sérieux.	Fort goût de bois. Type vieux vin dans le style d'un Bordeaux évolué. Au goût, appartient plus à la catégorie des rouges qu'à celle des rosés.	L'élevage en fût accentue le caractère tannique déjà apporté par le Mourvèdre, rendant difficile l'appréciation de ce vin construit comme un rouge. Production limitée.

Cabernet d'Anjou 1979 Demi-Sec Domaine de Fesle — Loire/Anjou/ *Cabernet Franc et Cabernet Sauvignon*

ŒIL	NEZ	BOUCHE	CONCLUSIONS
Très joli rose tendre. Assez riche.	Arômes fruités et tendres.	Doux, tendre, agréable. Accompagne avec bonheur fruits et gâteaux.	Ce type de vin doit comporter 1° de sucre résiduel au minimum. Il est donc demi-sec.

Les rouges légers

Cette dégustation est consacrée aux vins qui se boivent de préférence en primeur. De même que les vins blancs très secs (voir p. 142-143), les vins rouges légers peuvent parfois se garder, mais leur attrait principal réside dans leur fraîcheur et leur goût fruité. Ce que nous recherchons ici est un vif goût de fruit, cette fraîcheur donnée par l'acidité et l'absence ou presque de tanin. Nous avons exclu les vins courants de table puisque, de toute façon, ceux-ci sont des assemblages destinés à la consommation immédiate et, qu'ils soient légers, moyens ou corsés, ils ne sont pas des vins de garde. En outre, nous n'avons pas accordé la place qu'ils méritent aux excellents vins qui nous arrivent maintenant de la Provence et du Languedoc. Ces vins se boivent jeunes mais on ne peut pas pour autant les qualifier de vins vraiment légers.

Les vins dégustés ici ont surtout en commun le fait qu'ils sont agréables à boire : ni l'origine, ni le cépage, ni le millésime (et quelquefois même la combinaison de ces trois éléments) ne peuvent accroître le potentiel de vieillissement de ces vins, mais ils ont tous un style bien défini et reconnaissable.

	ŒIL	NEZ	BOUCHE	CONCLUSIONS
	**Cheverny 1982** Jean Guéritte			Loire/Centre/*Gamay*
	Beau rouge carmin nuancé de violet. Lumineux.	Fruits d'été écrasés.	Encore trop acidulé et anguleux, mais avec un beau goût de terroir, franc et fruité.	Pas aussi flatteur qu'un Beaujolais, mais bon exemple d'un Gamay du Val de Loire.
	**Côte-de-Brouilly 1981** Pierre Ferraud			Bourgogne/Beaujolais/*Gamay*
	Ravissant rouge ourlé de violet, aspect frais et jeune.	Fleurs sauvages, violettes, fruits écrasés.	Net, fruité, rafraîchissant, peut-être trop alcoolisé.	Un cru Beaujolais avec plus de corps qu'un Villages. Très plaisant; à boire avant 2 ans d'âge. Vinification par macération semi-carbonique.
	**Saint-Pourçain 1981** Gérard Pétillat			Loire/Centre/*Pinot Noir*
	Cerise foncé, ample et tendre.	Même style de nez que les deux vins précédents. Moins élégant, plus rustique.	Corpulence moyenne, finale légèrement acidulée. Bon équilibre. Accompagne surtout les spécialités locales.	Le Gamay planté au nord du Massif central paraît plus acide. Très bon vin de tous les jours. Peut se garder.
	Arbois 1979 Rolet Père et Fils			Jura/Arbois/*Trousseau, Poulsard et Pinot Noir*
	Pâle, rouge brique tuilé, presque rose.	Plutôt rustique. Léger. Nez de fraises.	Fruité, roses fanées. Agréable, féminin.	Goût moins « particulier » que l'Arbois blanc (p. 144). Intéressant. Sera à son mieux en 1984.
	**Bourgogne Passetoutgrain 1979** René Thévenin			Bourgogne/Côte de Beaune/*Pinot Noir et Gamay*
	Rouge moyen. Séduisant.	Agréable, fruité.	Ferme, fruité plus généreux que le Côte-de-Brouilly, une certaine minceur en fin de bouche.	Vin agréable de Saint-Romain. Légèreté en bouche due au pourcentage élevé de Gamay. A boire jeune.
	**Rully 1979** Domaine du Prieuré Armand Monassier			Bourgogne/Côte Chalonnaise/*Pinot Noir*
	Pâle, rouge-orangé. A peine plus ample que l'Arbois mais assez gras.	Joli nez de fraises type Pinot. Un peu mou.	Agréable en début de bouche, gouleyant, un peu trop d'alcool par rapport au fruit.	Sans doute fortement chaptalisé et une année à grand rendement. Agréable à boire jeune et légèrement rafraîchi.
	**Savigny-lès-Beaune 1979** Simon Bize			Bourgogne/Côte de Beaune/*Pinot Noir*
	Rouge moyen, tendre, franges plus pâles, assez belle robe pour un 1979.	Joli nez de fraises, cerises sauvages. Evolution intéressante.	Souple, impression de fruits mûrs, excellent en milieu de bouche, ferme en finale.	Vin assez léger, d'un producteur connu pour ses vins élégants. Peut être bu maintenant, pour profiter des beaux arômes de Pinot, mais peut attendre 3-4 ans.

ŒIL	NEZ	BOUCHE	CONCLUSIONS

Côtes-de-Provence 1981   Domaine des Féraud
Provence/ *Cabernet Sauvignon, Grenache et Syrah*

ŒIL	NEZ	BOUCHE	CONCLUSIONS
Jolie robe carmin violacé. Assez gras.	Bons arômes fruités, mûres sauvages écrasées, épicé.	Fruité, exubérant en bouche. Bon terroir et saveur agréablement profonde. Rugueux en fin de bouche. Déjà excellent, mais peut se garder.	Vin de Provence de style moderne très bien fait. La macération semi-carbonique accentue le fruité de la jeunesse; le Cabernet lui donne de la charpente et l'éloigne du style provençal.

Côtes-du-Rhône-Villages 1981   Domaine Sainte-Anne
Côtes-du-Rhône sud/ *Grenache, Cinsault et Syrah*

ŒIL	NEZ	BOUCHE	CONCLUSIONS
Eclatant de jeunesse. Pourpre-violet, très frais.	Très fruité, cassis, pivoine.	Attaque fruitée directe mais plus austère que prévu. Manque de souplesse. Très ample en bouche.	La même macération semi-carbonique que pour le vin précédent donne un vin plus robuste comme il convient à un Côtes-du-Rône-Villages. Peut se boire maintenant.

Crozes-Hermitage 1979   Paul Jaboulet Aîné
Côtes-du-Rhône nord/ *Syrah*

ŒIL	NEZ	BOUCHE	CONCLUSIONS
Belle robe ample. La teinte pourpre de la jeunesse a disparu.	Nez fruité, épicé, cassis, menthe.	Première impression très agréable de fruits tendres et d'épices. Une pointe de tanin en fin de bouche. Bon.	Aurait pu se boire très jeune pendant que l'éclat des fruits jeunes masquait le tanin. S'arrondit maintenant. Sans doute à son apogée et n'évoluera plus.

Chinon 1981   Charles Joguet
Loire/Touraine/*Cabernet Franc*

ŒIL	NEZ	BOUCHE	CONCLUSIONS
Joli rouge-carmin tendre ourlé de violet.	Très bon fruit. Violettes.	Fruit net, framboises, bonne acidité, caractère et équilibre typiques de la Loire.	Vin exquis. Peut évoluer encore mais atteindra son apogée après un an ou deux en ce qui concerne le fruit.

Côtes-de-Bergerac 1981   Ch. de Géraud
Sud-Ouest/Bergerac/ *Merlot, Cabernet Sauvignon, Cabernet Franc, et Malbec*

ŒIL	NEZ	BOUCHE	CONCLUSIONS
Jolie robe rouge cerise, nuances de violet dues à sa jeunesse.	Nez admirable. Ressemble au Chinon.	Assez léger mais bien équilibré et bonne persistance en bouche. Un vin très agréable.	A boire assez rapidement pour son fruité.

Ch.-Rougemont 1981 Graves
Bordeaux/Graves/ *Merlot, Cabernet Sauvignon et Cabernet Franc*

ŒIL	NEZ	BOUCHE	CONCLUSIONS
Rouge fringant, frappant par sa beauté.	Arômes primaires de fruit. Un peu plus ample que le Bergerac.	Bonne attaque fruitée. Plus de caractère et de style qu'un simple Bordeaux. Bonne longueur en bouche. Légèrement herbacé.	Vin moderne, élaboré par Pierre Coste. Le fruité masque le tanin. Délicieux à boire maintenant mais peut se garder. De plus en plus de Bordeaux sont élaborés dans ce style.

Ch.-Prieuré-Lichine 1980   Margaux 4e Cru Classé
Bordeaux/ *Cabernet Sauvignon, Cabernet Franc, Merlot et Petit Verdot*

ŒIL	NEZ	BOUCHE	CONCLUSIONS
Rubis moyen. Assez pâle sur les bords.	Nez très agréable, frappant, fruité, féminin.	Fruité (cassis), souple, bon équilibre, élégance séduisante, pas de tanin.	Un vin léger, bien équilibré d'un millésime « léger ». Très bon maintenant (voir p. 153 pour le 1978).

Les rouges

Cette catégorie comprend presque toute la gamme des vins rouges français d'AOC. Les plus légers titrent rarement moins de 11 degrés et les plus corsés ne dépassent pas 14 degrés. En moyenne, ils se situent aux alentours de 12 degrés. Mais la teneur alcoolique n'est pas le seul critère qui a déterminé notre choix. Leur profondeur, leur complexité et leur équilibre interviennent également.

Nous avons choisi des vins des principales régions viticoles françaises selon la méthode suivie pour la dégustation des vins rouges légers. Il se peut que nous retrouvions de mêmes appellations, soit de millésimes plus anciens, soit de terroirs plus prisés. Nous suivrons le même principe dans la dégustation qui traite des vins rouges corsés.

A quel moment un vin atteint-il son apogée et avec quoi doit-on le boire ? Il n'y a pas de réponse à ce genre de question. Chaque type de vin, chaque vin même, atteint un stade où il ne peut que décliner. Les vins jeunes étudiés ici doivent être bus dès maintenant, les plus âgés étaient agréables il y a quelques années déjà. Mais, contrairement aux vins rouges légers, ils ne se boivent pas obligatoirement jeunes. Ce qui nous intéresse dans cette sélection est leur potentiel.

	ŒIL	NEZ	BOUCHE	CONCLUSIONS
Morgon 1981 Clos-de-l'Evêque Pierre Ferraud				Bourgogne/Beaujolais/*Gamay*
	Rubis ample bordé de violet lumineux.	Ferme, fruité. Notes de cuir. Animal.	Rondeur fruitée qui emplit la bouche. Bonne structure, presque tannique. A boire, ou à garder encore 2 ans.	Un très bon Morgon, issu d'un vignoble d'un seul tenant aux rendements faibles. Un des rares crus de Beaujolais qui se gardent.
Chinon 1981 Dioterie Cuvée Vieilles-Vignes Charles Joguet				Loire/Touraine/ *Cabernet Franc*
	Carmin violacé, beau et profond. Soutenu jusqu'au bord.	Violettes écrasées, feuilles de cassis, vif, jeune et fruité. Terroir typé.	Fruits nets et intenses en bouche. Cassis, framboises. Profondeur sans lourdeur. Finale assez ferme mais bonne persistance du fruité.	Vin fabuleux. Peut déjà se boire avec un immense plaisir mais découvrira de nouvelles facettes en vieillissant.
Crozes-Hermitage 1979 Thalabert Paul Jaboulet Aîné				Côtes-du-Rhône nord/*Syrah*
	Robe très ample et intense avec l'éclat de la jeunesse. Laisse des traces de pigments et de glycérine dans le verre.	Arômes d'épices, cassis, vanille et cannelle. Séduisant.	Saveur complexe de cassis. Fruité. Finale tannique. A perdu le fruit éclatant de la jeunesse mais a gagné en sérieux.	Vin plus sérieux comparé au simple Crozes-Hermitage 1979 (p. 151) mais ne tiendra pas aussi longtemps que le 1961 (p. 155). Apogée à l'âge de 5 ans.
Bandol 1975 Domaine Tempier				Provence/*Mourvèdre, Grenache et Cinsault*
	Rouge profond, ample et velouté. Paraît jeune pour un 1975.	Bouquet riche de « cuir de Russie ». Complexe. Animal.	Fruit concentré, long et profond. Très structuré. Moelleux en fin de bouche. A attendre.	Un des meilleurs vins de Provence. La longueur et la profondeur des saveurs fruitées sont dues au Mourvèdre. Un Bandol vieux ressemble souvent à un Médoc.
Morey-Saint-Denis 1980 Domaine Dujac				Bourgogne/Côte de Nuits/*Pinot Noir*
	Rubis moyen, un peu dégradé sur les bords. Bonne couleur pour un 1980.	Jolis arômes épicés de cerise. Beau nez de Pinot Noir.	Fruité, encore ferme. Acidité en fin de bouche. Bon terroir. Elégant à 5 ans d'âge.	Bon exemple d'un Morey-Saint-Denis très bien fait dans une année dite moyenne pour les Bourgogne.
Aloxe-Corton 1978 Tollot-Beaut				Bourgogne/Côte de Beaune/*Pinot Noir*
	Rubis dense et profond. Encore jeune.	Arôme suave, animal. Bouquet typique du style Corton.	Bonne attaque. Une note sucrée équilibrée par une fermeté de jeunesse. Bon fruit. Bonne profondeur. Trop jeune.	Très beau vin de la meilleure année de la décennie (en Bourgogne). Excellent équilibre. Bourgogne sans compromis. Excellente perspective. A boire en 1988-2000.

ŒIL	NEZ	BOUCHE	CONCLUSIONS

Corton-Bressandes 1969   Dubreuil-Fontaine
Bourgogne/Côte de Beaune/*Pinot Noir*

Rouge brique moyen. Soutenu au centre, dégradé sur les bords. Mûr.	Bouquet de fraises, fruité et fondu. Note animale, gibier.	Fruit net et ferme du Pinot. Vif, malgré sa maturité. Bon sans être grand. Peut se garder mais n'évoluera plus.	Beaucoup de vins du millésime 1969, en particulier les Corton, étaient plus robustes. Bien qu'élégant, celui-ci souffre d'une vinification trop légère.

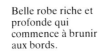

Cahors 1978   Ch.-de-Haute-Serre
Sud-Ouest/Cahors/*Malbec, Merlot et Tannat*

Rouge-pourpre, plein et velouté. Très bonne couleur.	Nez assez intense de baies. Plus intéressant que flatteur.	Fruité, souple en bouche, finale un peu rustique. A boire ou à garder. Accompagne bien la cuisine locale.	Au siècle dernier le Cahors était d'une longévité proverbiale. Un des meilleurs exemples récents.

Ch.-Haut-Bailly 1979 Graves Grand Cru Classé
Bordeaux/Graves/
Cabernet Sauvignon, Cabernet Franc, Merlot et vignes de plus de 80 ans d'âge.

Rubis, ample et lumineux. Très belle couleur.	Grande classe. Fruité intense avec des nuances de chêne.	Ferme. Racé. Riches arômes. Commence tout juste à perdre son profil de primeur.	L'année 1979 était très bonne dans le Bordelais où la surproduction a eu moins d'incidence qu'en Bourgogne.

Ch.-Prieuré-Lichine 1978 Margaux 4ᵉ Cru Classé
Bordeaux/Médoc/
Cabernet Sauvignon, Cabernet Franc, Merlot et Petit Verdot

Très joli rubis profond. Sans âge. Complet.	Nez boisé, fumé, fruit de cassis.	Bonne texture, du fruité. Style tendre du Merlot et du Margaux. Concentration du Cabernet.	Un 1978 bien équilibré. Bon mais pas exceptionnel (voir p. 151 pour le 1980, plus léger). Bientôt prêt.

Ch.-Laroze 1978 Saint-Emilion Grand Cru Classé
Bordeaux/Saint-Emilion/
Merlot, Carbernet Franc et Cabernet Sauvignon

Belle robe riche et profonde qui commence à brunir aux bords.	Un nez de fruits concentré, presque de la confiture, style Merlot. Assez élégant.	Riche et plein en bouche; du tanin, mais le vin évolue bien. Du caractère et de la longueur.	L'année 1978 n'était pas aussi bonne pour les Saint-Emilion que pour les Médoc. Cas contraire en 1979.

Ch.-Grand-Puy-Lacoste 1976 Pauillac 5ᵉ Cru Classé
Bordeaux/Médoc/
Cabernet Sauvignon et Merlot

Couleur nette et profonde. Commence à mûrir.	Nez de Pauillac intense; capsules de plomb, fruits écrasés.	Une attaque corsée, plein en bouche. Beaucoup d'extrait sans beaucoup de finesse. Pas tout à fait prêt. A boire en 1984-1986.	L'année 1976, très chaude, a donné des vins colorés, forts en extrait mais un peu courts en saveur.

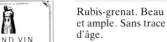

Ch.-Latour 1973 Pauillac 1ᵉʳ Cru Classé
Bordeaux/Médoc/
Cabernet Sauvignon, Cabernet Franc, Merlot et Petit Verdot

Rubis-grenat. Beau et ample. Sans trace d'âge.	Arômes de violettes sauvages, cèdre. Classique, net. Il lui manque l'intensité habituelle des Latour.	Goût exquis de fruit et de cèdre. Tanins entièrement fondus. A boire ou à garder. Très bel équilibre.	La surproduction en 1973 a donné des vins légers mais attrayants. La plupart ont amorcé leur déclin, mais pas celui-ci.

Ch.-Ducru-Beaucaillou 1971 Saint-Julien 2ᵉ Cru Classé
Bordeaux/Médoc/
Cabernet Sauvignon, Cabernet Franc, Merlot et Petit Verdot

Rouge moyen. Ferme et mûr.	Beau bouquet de baies rouges. Violettes. Harmonieux.	Ferme en bouche avec une saveur fruitée, tendre et mûre (un Ducru presque féminin).	Les vins de 1971 étaient plus légers que les 1970, surtout dans le Médoc (voir p. 173). En voici un bel exemple.

Les rouges corsés

Contrairement aux vins rouges légers qui peuvent, et parfois doivent être bus dans leur jeunesse et aux vins rouges de corpulence moyenne qui peuvent aussi se boire jeunes mais gagnent à être attendus, le vieillissement est indispensable aux vins rouges corsés. Le mot corsé ne se réfère pas seulement à la teneur en alcool de ces vins mais aussi à leur richesse aromatique et tannique.

Nous avons limité notre choix aux trois principales régions qui produisent ce type de vin rouge : la Bourgogne,

le Bordelais et la vallée du Rhône. D'autres régions produisent de beaux vins qui vivent longtemps, tels le Cahors, le Madiran, le Bourgueil et le Bandol, mais ceux-ci n'appartiennent pas à la même catégorie.

Le potentiel de ces vins réside dans les cépages — plantés dans la plupart des régions viticoles du monde — et dans les sols; l'ensemble est complété par la qualité de la récolte et l'habileté du vinificateur.

ŒIL	NEZ	BOUCHE	CONCLUSIONS

Ch.-Grand-Puy-Lacoste 1978 Pauillac 5ᵉ Cru Classé — Bordeaux/Médoc/ *Cabernet Sauvignon et Merlot*

ŒIL	NEZ	BOUCHE	CONCLUSIONS
Rubis profond, intense et chatoyant.	Nez massif, concentré, encore fermé.	Bonne charpente. Beaucoup de fruit en puissance. Raisins très mûrs. Ne se livre pas complètement. A garder au moins 10 ans.	Pauillac classique, ancien style, au soutien tannique marqué.

Ch.-La Mission-Haut-Brion 1975 Graves Grand Cru Classé — Bordeaux/Graves/ *Cabernet Sauvignon, Cabernet Franc et Merlot*

ŒIL	NEZ	BOUCHE	CONCLUSIONS
Couleur très profonde, intense et sombre. Grande richesse.	Nez immense, aromatique, concentré, intense, encore très jeune.	Vin ample, solide, qui emplit la bouche. La sévérité masque un riche fond de cassis et d'épices. Complexe. Très long en bouche. Sera superbe dans 10 ans et durera au moins 30 ans.	Vin très réussi d'un excellent millésime où les Médoc sont plus sévères que les Graves. Fruité incroyable. Grand potentiel de vieillissement. Impossible à boire jeune.

Ch.-Latour 1970 Pauillac 1ᵉʳ Cru Classé — Bordeaux/Médoc/ *Cabernet Sauvignon, Cabernet Franc, Merlot et Petit Verdot*

ŒIL	NEZ	BOUCHE	CONCLUSIONS
Robe étonnante pour un 1970. Rouge foncé intense, nuances de bleu comme un vin jeune. Extraordinaire.	Arômes concentrés, cèdre, baies mûres, bois. Encore un peu fermé. Grand avenir. Puissant.	Charpenté et racé. Vin harmonieux, sans lourdeur. Encore tannique mais sans âpreté. Fruité incroyable. A boire en 1990-2010.	Très jeune pour un 1970, peut-être parce que cette bouteille arrive directement des caves du Château (en 1982). Illustration parfaite d'un Pauillac (et d'un Latour).

Ch.-Trotanoy 1964 Pomerol Grand Cru — Bordeaux/Pomerol/ *Merlot et Cabernet Franc*

ŒIL	NEZ	BOUCHE	CONCLUSIONS
Rouge brûlé, riche et profond. Léger dégradé vers les bords. Très soutenu pour un vin de 20 ans.	Riche, très élégant. Boisé mêlé à des arômes de cire.	Fruité, sucré, riche et concentré. Mûr, rond, fringant. Vin ample, robuste et fin. A boire jusqu'en 1995.	Vin concentré mais élégant. Aucun signe de fatigue. En 1964 les Pomerol et les Saint-Emilion surpassaient les Médoc. Année chaude, faible récolte, beaucoup d'extrait. Ne s'est ouvert qu'au bout de 15 ans, ce qui est rare pour un Pomerol.

Volnay 1964 1ᵉʳ Cru Les Champans — H. de Montille — Bourgogne/Côte de Beaune/*Pinot Noir*

ŒIL	NEZ	BOUCHE	CONCLUSIONS
Rouge profond et solide, pas du tout marqué par l'âge. Très beau.	Bouquet concentré de fruits sucrés et mûrs : cassis, mûres sauvages.	Riche et moelleux en début de bouche. Beaucoup de fruit et d'extrait. Ferme, tanins bien fondus. Très beau. A boire maintenant.	Un millésime marqué par le beau temps chaud. Un peu moins concentré que le 1976. Vin parfaitement harmonieux.

	ŒIL	NEZ	BOUCHE	CONCLUSIONS

Richebourg 1978   Domaine de la Romanée-Conti   Bourgogne/Côte de Nuits/*Pinot Noir*

Rubis, sombre et intense. Robe très riche pour un Bourgogne mais sans trace de lourdeur.	Nez de cerise noire intense, encore fermé mais élégant et profond.	Très belles saveurs concentrées et veloutées. Equilibre superbe. Bien défini. Long et puissant. A garder au moins jusqu'en 1988 et au-delà.	Vin riche, parfaitement équilibré. Peu de Bourgogne atteignent cette puissance et ce potentiel. Le millésime 1978 est sans doute moins puissant que le 1976 mais plus équilibré.

Corton-Clos-du-Roi 1976   Chandon de Briailles   Bourgogne/Côte de Beaune/*Pinot Noir*

Rubis foncé, légèrement dégradé sur les bords.	Fruit intense et concentré. Encore assez fermé.	Dense, un rien austère comme un Médoc. Tannique. Le style « Pinot » peu apparent. Sera sans doute superbe vers 1988. A besoin de s'assouplir.	Année insolite en Bourgogne : forte concentration à l'intérieur des raisins, épaississement des peaux d'où tanin marqué.

Vosne-Romanée 1972 1ᵉʳ Cru Les Beaux-Monts   Leroy   Bourgogne/Côte de Nuits/*Pinot Noir*

Belle robe profonde, rouge teinté de brun.	Nez riche, somptueux, légèrement herbacé. Typique des 1972. Ferme.	Merveilleusement bien construit, robuste autant que riche et vif. Fruits mûrs. Complexe. Velouté malgré une fin de bouche tannique. « Une main de fer dans un gant de velours ».	Très beau. Un 1972 bien structuré à l'acidité marquée. Millésime moins réputé que le 1971. Ce genre de vin incite à revenir sur ce jugement.

Côte-Rôtie 1978 « La Mouline »   E. Guigal   Côtes-du-Rhône nord/*Syrah et Viognier*

Couleur incroyable, rouge-noir, presque opaque. Merveilleux.	Arômes intenses de mûres sauvages. Fruité mûr. Impressionnant et persistant au nez.	Vin à la fois massif, velouté et élégant. Merveilleuse texture, saveur et persistance ; richesse et complexité incroyables. Optimal vers 1990.	Le meilleur vin français de ce millésime, de l'avis de plusieurs personnes.

Châteauneuf-du-Pape 1978   Ch.-de-Beaucastel   Côtes-du-Rhône sud/
Grenache, Syrah, Cinsault, Mourvèdre, Picpoul et Counoise

Robe très profonde, presque noire, mais pas aussi intense que « La Mouline ».	Encore fermé. Beaucoup de fruit avec une note de cuir. Animal. Plein de promesses.	Riche, complexe, épicé. Vin ample et rugueux aussi intense qu'un Porto. Fruit concentré. A boire vers 1986-2000.	Un des domaines à Châteauneuf-du-Pape qui élaborent des vins de garde quand la vendange s'y prête.

Vacqueyras 1967   Paul Jaboulet Aîné   Côtes-du-Rhône sud/*Grenache, Syrah et Cinsault*

Rouge foncé. Un peu fané sur les bords.	Nez fermé, légèrement fumé (cigare). Odeur de camphre. Beau.	Doux, concentré, du moelleux. Fruité. Amorce la pente descendante, commence à sécher.	Un millésime très réussi d'une appellation moins prestigieuse.

Hermitage 1961 « La Chapelle »   Paul Jaboulet Aîné   Côtes-du-Rhône nord/*Syrah*

Superbe couleur sombre. Belle limpidité. Mûr sans trace de fatigue.	Somptueux bouquet de cassis et de cuir. Très complexe et satisfaisant.	A la fois riche et frais. Prune, cerises confites. Très bonne persistance. A son optimum mais peut durer encore.	Un des meilleurs vins de France, d'une grande longévité. La minuscule récolte a donné un vin prodigieux, très concentré, qui exigeait d'être attendu

Les vins effervescents

Par cette dégustation nous découvrons les différents vins effervescents français. Le plus célèbre est, bien entendu, le Champagne. La méthode champenoise est reconnue comme étant la meilleure façon de faire prendre la mousse à un vin tranquille (et la seule, selon beaucoup de vinificateurs et de consommateurs). Elle est d'autre part la plus chère et celle qui demande le plus de temps.

Le prix que le consommateur est prêt à payer intervient beaucoup dans le choix d'un vin effervescent. En France et hors de France, il existe quelques très beaux mousseux, pour la plupart élaborés selon la méthode champenoise, originaires notamment du Val de Loire et d'Alsace, d'Espagne, d'Italie, d'Allemagne et des côtes est et ouest de l'Amérique.

ŒIL	NEZ	BOUCHE	CONCLUSIONS
Espigou Brut Vin Mousseux Sicarex-Méditerranée			Midi/ *Muscat, Ugni Blanc*
Pâle, net, bulles fines.	Léger aôme de Muscat. Manque d'un vrai nez.	Agréable, vif, rafraîchissant. Bouche neutre. Aucune persistance des bulles en bouche.	Net et frais, agréable par temps chaud. La méthode de la cuve close ne donne pas des mousseux très intéressants.
Gaillac Brut Jean Cros		Sud-Ouest/Gaillac/*Sauvignon, Sémillon et Mauzac Blanc*	
Belle robe claire et nette. Fine mousse. Bien.	Joli nez floral, légèrement aromatique.	Très sec, presque agressif; plus de souplesse en fin de bouche. Net, intéressant, bonne persistance de mousse.	Vin bien fait. Moins agressif que la plupart des Champagne.
Clairette de Die Brut Cave coopérative		Côtes-du-Rhône sud/*Muscat et Clairette*	
Jaune pâle net.	Nez de Muscat prononcé. On croit manger du raisin Muscat.	Doux et fruité en attaque. Goût de Muscat moins prononcé que dans certains Asti. Souple et agréable en fin de bouche. Assez sec.	Vin harmonieux, net. Exploite parfaitement les arômes des raisins.
Vouvray Brut Pétillant Huet		Loire/Touraine/*Chenin Blanc*	
Jaune moyen soutenu. Sans excès de mousse.	Bouquet de miel. Chenin typé. Très joli. Nez de Vouvray caractéristique.	Souple, très peu pétillant. Elégant et estival.	Très beau vin qui manque un peu d'effervescence. Les Saumur et Vouvray élaborés selon la méthode champenoise ont plus de gaz mais plus d'agressivité.
Crémant d'Alsace Blanc de Blancs Pierre Seltz		Alsace/*Riesling, Pinot Blanc, Pinot Noir et Auxerrois*	
Jaune moyen. Peu de bulles.	Assez agressif, manque de finesse.	Plutôt lourd pour un mousseux, pas très élégant. Décevant.	Les meilleurs crémants d'Alsace sont issus du Riesling assemblé avec un peu de Pinot Blanc. Ils sont très appréciés; production : plus d'un million de bouteilles par an.
Crémant de Bourgogne Cave coopérative de Lugny		Bourgogne/Mâconnais/Chardonnay/ *Aligoté, Pinot Blanc et Pinot Noir*	
Excellent aspect, jaune clair et net. Mousse fine et abondante.	Très joli nez fleuri de Chardonnay. Très beau, bien fait.	Attaque nette, fruitée, bonne acidité. Très peu de dosage. Finale nette et vive.	Excellent exemple d'un mousseux réussi. Parfait en apéritif.

ŒIL	NEZ	BOUCHE	CONCLUSIONS

Champagne Bonnaire Blanc de Blancs Brut — Cramant — Champagne/*Chardonnay*

Jaune pâle, peu marqué. Très fines bulles, très effervescent.	Arômes de jeune Chardonnay : pommes vertes, frais, appétissant.	Net, frais, léger, élégant. Manque de corpulence mais a de la race. Excellent apéritif.	Champagne monocru d'un bon propriétaire à Cramant, l'un des crus à 100 % de la Côte des Blancs. Aurait gagné avec un peu plus de bouteilles.

Champagne Jean Vesselle Blanc de Noirs Brut — Bouzy — Champagne/*Pinot Noir*

Jaune moyen soutenu, totalement différent du Bonnaire. Assez bonne mousse.	Puissant arôme de biscuit. Nez net et franc.	Puissant, rond et un peu agressif en bouche. Fin de bouche nette. Vin charpenté et charnu. Ne répond pas au goût actuel pour les vins plus légers.	Un autre monocru, encore d'un vignoble classé à 100 %, mais cette fois de Bouzy. D'une facture totalement différente du Cramant de Bonnaire. Vinosité d'un Blanc de Noirs.

Champagne Lanson Black Label — Reims — Champagne/*Pinot Noir, Chardonnay et Pinot Meunier*

Jaune clair, très effervescent.	Nez frais, vin jeune et agressif.	Net, bon fruité. Mousse persistante. Acidité. Fin de bouche sans mollesse.	Champagne non millésimé classique d'une grande marque connue. Typique Champagne d'assemblage.

Champagne Besserat de Bellefon Brut Intégral — Reims — Champagne/*Chardonnay et Pinot Noir*

Jaune pâle virant au doré. Mousse légère.	Nez de pain brûlé, de biscuit, presque noisette. Le Chardonnay s'exprime plus que le Pinot.	Net, bien fait, très sec. Excellent en finale.	Un Brut intégral (sans aucun dosage) prêt à boire. Très bien élaboré mais peut sembler léger après un vin plus ample.

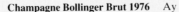

Champagne Bollinger Brut 1976 — Ay — Champagne/*Pinot Noir et Chardonnay*

Très belle robe jaune moyenne, soutenue sans excès. Bulles fines et persistantes.	Nez riche, vineux, plein.	Complet en bouche. Goût de biscuit. Bonne mousse. Souple et riche. Fin de bouche nette et complexe. Un Champagne sérieux, totalement satisfaisant.	1976, année de grosse chaleur, a donné des Champagne d'une richesse anormale, contrastant avec la fermeté, l'austérité des 1975. Champagne « ancien style » où la saveur domine la mousse.

Champagne Bollinger Brut 1973 (RD) — Ay — Champagne/*Pinot Noir et Chardonnay*

Robe soutenue légèrement plus dorée que le 1976. Bulles fines et persistantes.	Nez mûr, évoquant la fraise, une pointe de chèvrefeuille.	Complexe, saveur de vieux vin, ferme, bonne mousse. Fin de bouche encore plus nette que le 1976. Champagne très intéressant, une œuvre d'art.	Ce vin a été dégorgé le 16 juin 1982 après plus de 8 ans sur pointes. Beaucoup de personnalité. Peut-être trop mûr de l'avis de certains.

Champagne Gosset Brut Rosé — Ay — Champagne/*Pinot Noir, Chardonnay et Pinot Meunier*

Très belle robe rose saumonée. Excellente mousse. Couleur très séduisante.	Souple, arômes fruités de Pinot, fraises.	Assez fruité en bouche. Riche, bien équilibré, acidité peu marquée.	Champagne rosé très bien élaboré, dosage sensible. Robe très réussie. Bon à boire à tout moment.

Les Riesling

Dans les huit dégustations suivantes nous essayons de décrire les résultats obtenus par les grands cépages français plantés dans des sols et des climats différents. A l'exception du Riesling pour lequel nous nous sommes référés aux vins allemands, les vins français servent de critère. Nous avons essayé de donner une gamme aussi large que possible et de réunir les bouteilles représentatives du cépage.

Nous avons déjà évoqué tous ces cépages (voir p. 70-85) et ils figurent sans exception dans les dégustations précédentes (des renvois sont indiqués dans le texte).

On peut affirmer que le cépage Riesling donne l'un des vins les plus fins du monde. C'est un cépage à faible rendement qui mûrit lentement dans les climats semi-continentaux en profitant d'une belle arrière-saison qui peut se prolonger jusqu'en hiver, ce qui permet aux raisins de se gorger de sucre et d'acquérir la saveur qui permet de réaliser ce vin incomparable.

En Europe, le Riesling prospère seulement sur les coteaux ensoleillés et ne réussit que s'il est planté dans les terrains les plus favorables. Si l'exposition est mauvaise, le sol mal adapté ou les conditions climatiques difficiles, le vin sera dur et acide. Le Riesling est un vin sec aux arômes délicats et floraux, net, souple et riche en bouche. Relativement faible en alcool, il possède une forte acidité, fraîche et citronnée, qui se marie parfaitement avec son fruité.

Le Riesling, plus que tout autre cépage noble, se trouve partout dans le monde. Dans cette dégustation, les Riesling d'Allemagne ont une place privilégiée car ils sont exemplaires. Malgré les différences d'origine et de vinification, les caractéristiques du cépage s'affirment : finesse, franchise d'attaque, grande fraîcheur, délicatesse et persistance des arômes.

ŒIL	NEZ	BOUCHE	CONCLUSIONS
Kaseler Nieschen Riesling Kabinett QMP 1981 Deinhard			Rüwer/Allemagne
Assez pâle, net, printanier.	Frais, vif, citronné.	Beau fruit. Finale nette et fraîche. Vin assez simple mais bien fait, bien typé Riesling.	Typique d'un Riesling allemand : faible en alcool, fort en acidité. Sera à point en 1984.
Wehlener-Sonnenuhr Riesling Spätlese 1981 QMP Deinhard			Moselle/Allemagne
Très jolie robe de primevère, un peu plus soutenue que celle du vin précédent.	Nez léger et piquant de fruit et de citron. Très élégant.	Fruité, net et frais, plus riche que le vin précédent mais avec le même arrière-goût de citron. Très long. Beau vin. Bonne évolution en perspective.	Vin de la même année que le précédent, issu de vendanges plus tardives. Plus plein, plus riche sans être doux, plus de classe. Grande fraîcheur, complexité. Bonne longueur en bouche.
Riesling 1981 Domaine Weinbach			Alsace
Plutôt pâle mais plus soutenu qu'un Muscadet ou un Sylvaner, par exemple.	Nez marqué de fruit et de citron, semblable mais moins intense que le « Schlossberg » du même domaine (p. 143).	Beaucoup de fruit et de style. Goût franc et élégant typiquement Riesling. Une certaine ampleur et une bonne acidité. Peut se garder.	Vin plus ample que les vins secs de style allemand. Moins délicat, également aromatique, plus de corps. Préfère la compagnie des mets. Sa corpulence est la conséquence d'un climat plus ensoleillé.
Riesling Renano Colli Orientali dei Friuli 1980 DOC Az. Viticola Valle			Frioul/Italie
Jaune moyen. Aspect velouté.	Fruité moelleux, très séduisant.	Une pointe de CO_2, goût de pêche. Vin assez plein. Saveur vive et agréable du Riesling. A boire plus jeune.	Plus moelleux mais moins de structure qu'un Riesling d'Alsace. Moins de bouquet et d'acidité qu'un Riesling allemand.

ŒIL	NEZ	BOUCHE	CONCLUSIONS

Johannisberg Riesling 1980   Joseph Phelps Vineyards   Napa Valley/Californie, Etats-Unis

Jaune clair, net et frais.	Bouquet aromatique, citron-acidulé, indubitablement un Riesling.	Attaque nette et fruitée. Fraîcheur. Ampleur inattendue. Léger goût de pêche. Finit sur une note de citron. Fruit éclatant. A boire maintenant.	Riesling de vendanges précoces qui titre 11° et contient 1,15 % de sucre résiduel. Style plus allemand que français. Une telle maturité n'est atteinte en Allemagne que dans les bonnes années.

Rhine Riesling 1979   Petaluma   Piccadilly/Australie du Sud

Jaune doré aux reflets verts. Gras. Très beau.	Nez très aromatique de citron et de miel. Intense et encore jeune.	Fruité, épicé, une certaine lourdeur en milieu de bouche mais bon soutien acide. Peut se boire ou se garder.	Très beau vin. Plus ample que le Riesling d'Alsace, bon soutien acide. Moelleux dû au climat ensoleillé.

Riesling 1978 « Clos-Sainte-Hune »   Trimbach   Alsace

Jaune clair, net, encore teinté de vert.	Nez de citron marqué. Complexe, élégant mais encore fermé.	Ferme, très fruité mais encore relativement acide. Meilleur en compagnie de mets. A attendre de nombreuses années.	Riesling intense et fin. Vin sérieux qui contraste avec des cuvées de moindre calibre qui doivent se boire en primeur.

Riesling 1976 Vendanges tardives Sélection personnelle Jean Hugel   Hugel et Fils Alsace

Jaune moyen teinté de vert. Aspect très jeune pour un 1976. Gras.	Bonne concentration d'arômes : fruité et floral.	Délicieux. Attaque florale étonnante. Très typé Riesling. Plutôt ample que moelleux avec une bonne acidité. Peut durer longtemps.	Merveilleux exemple d'un Riesling Vendanges tardives français. A comparer avec le Gewurztraminer de la même année (p. 146).

Johannisberg Riesling 1981 Late Harvest   Joseph Phelps Vineyards   Napa Valley/ Californie, E.-U.

Très joli jaune doré. Aspect gras.	Nez puissant de miel. Manifestement liquoreux.	Très riche et savoureux avec bon soutien acide. Style « vin de dessert » classique. Néanmoins, s'apprécie mieux seul.	Tout à fait style allemand. Faible en alcool (9,6°), sucre résiduel important (8 %) et forte acidité. Très bel exemple d'un vin où le caractère du cépage domine sans conteste.

Oestricher-Lenchen Riesling Auslese 1976 QMP   Deinhard   Rheingau/Allemagne

Jaune doré, légèrement plus profond que le Riesling Hugel 1976. Très gras.	Bouquet complexe de miel et de fleurs, assez semblable à un Vouvray.	Fruits mûrs et bonne acidité. Un moelleux moins manifeste que dans un vin liquoreux. Bonne longueur. Belle évolution à prévoir.	1976 : le dernier grand millésime en Allemagne. Ce vin est issu de raisins très mûrs, en partie botrytisés.

Oestricher-Lenchen Riesling Auslese-Eiswein 1979 QMP   Deinhard   Rheingau/Allemagne

Jaune doré soutenu, très riche et concentré.	Bouquet onctueux de miel, pêche et abricot.	Aussi plein, intense et long en bouche qu'un Château-d'Yquem. Presque une essence de vin, sans aucune mollesse grâce au soutien acide.	Vin incroyablement concentré, riche et équilibré. Il faut rendre hommage au véritable sacerdoce des vignerons allemands.

Les Chardonnay

Le cépage Chardonnay produit le meilleur vin blanc sec du monde. Il ne s'agit pas de dénigrer les qualités d'autres cépages nobles, mais dans l'élaboration des vins blancs *secs*, le Chardonnay n'a pas d'égal. Son caractère n'est pas aussi marqué que celui du Riesling, par exemple, qui s'annonce clairement en tant que tel quel que soit son lieu d'implantation ou la façon dont il est vinifié. Le Chardonnay est moins aisément identifiable.

En France, plusieurs vins illustrent de manière classique ce cépage : le Champagne Blanc de Blancs, le Chablis, le Meursault, la famille des Montrachet, le Pouilly-Fuissé, le Mâcon Blanc. Ils diffèrent tellement les uns des autres qu'on pourrait douter qu'ils proviennent du même cépage. Mais de quel autre pourraient-ils être issus ? Certainement pas du Riesling, du Chenin Blanc, du Sauvignon ou du Sémillon. Il faut tenir compte du terroir pour établir les divers styles possibles de vins de Chardonnay : le Chablis diffère du Meursault, un Coteaux champenois et un Pouilly-Fuissé présentent peu de similitudes. Le caractère de ces appellations génériques provient de leur sol et du climat; s'y ajoutent les différentes méthodes de vinification admises pour chaque région. Ainsi, un Meursault fermenté en cuve close qui n'est jamais passé en fût de chêne donnera des résultats autres que ceux habituellement attendus, tout comme un Mâcon Blanc élevé en fût et vieilli dans le bois. Même à l'étranger où les principes d'appellations contrôlées sont moins rigoureux en ce qui concerne les aires d'implantation, le style des vins dépend toujours du sol, du climat, de la vinification et du vieillissement.

Malgré leurs différences, ces vins ont en commun un goût de Chardonnay. Les robes varient du jaune vif, clair ou doré au jaune à reflets verts. Un nez fruité et floral tout à la fois, rappelant la pomme, le beurre frais, la noisette et le chêne, domine. En bouche, on retrouve essentiellement ces mêmes caractéristiques. Ces vins sont équilibrés, sans excès de douceur ni d'acidité. Un Chardonnay est idéal pour accompagner un repas.

La dégustation illustre la grande faculté d'adaptation du Chardonnay aux différentes régions ainsi qu'aux styles de vinification.

ŒIL	NEZ	BOUCHE	CONCLUSIONS
Chardonnay du Haut-Poitou 1982 VDQS		Cave coopérative du Haut-Poitou	Poitou
Robe légère, jaune clair, à peine plus soutenue qu'un Muscadet.	Vif, franc, fruité, acidulé.	Vif et frais, aussi sec qu'un Bourgogne Aligoté ou un Vouvray sec. Agréable et gouleyant.	Type Chardonnay mais moins fruité qu'un Mâcon, par exemple.
Chardonnay di Mezzocorona da Tavola 1981		Cantine Soc. Mezzocorona	Trentin/Italie
Jaune assez clair, avec reflets verts, type Mâcon.	Nez de pomme avec une touche de beurre frais. Bien typé.	Léger, fruité, harmonieux, vif en bouche. Très bon apéritif, excellent aussi pour accompagner un repas.	Très bon exemple d'un Chardonnay du nord de l'Italie. Léger, n'a pas l'ampleur d'un Pouilly-Fuissé mais rappelle un vin du Mâconnais.
Chardonnay di Lavis da Tavola NM		Cantine Givelli	Trentin/Italie
Jaune assez clair, proche de la robe du Haut-Poitou	Léger, discret, de la finesse.	Net, léger, dans le style d'un petit Chablis, une certaine élégance mais manque de profondeur.	Contraste intéressant avec le Mezzocorona, originaire de la même région; issu sans doute de vendanges moins mûres.
Coteaux Champenois Chardonnay		Ruinart Père et Fils	Champagne
Net, jaune clair vif, teinte légèrement plus soutenue que celle des trois vins précédents.	Vif, fruité, acidité marquée.	Ferme, bonne attaque, assez fruité avec dominante acide. Verdeur en fin de bouche.	Typique d'un Chardonnay de climat froid, pointu mais insuffisamment typé Côteaux Champenois.
Chablis 1979 Grand Cru « Les Clos »		Louis Michel	Chablis/Bourgogne
Jolie robe jaune paille clair.	On s'attendrait à plus de nez. Du fruit, nuance de pierre à fusil. Assez élégant.	Ferme et sec. Peu fruité. Fin de bouche franche, goût de pierre à fusil. Chablis assez typé, décevant pour un grand cru.	Le bouquet et le goût du Chardonnay sont moins évidents dans les vins de Chablis que dans ceux de la Côte de Beaune ou du Mâconnais.

ŒIL	NEZ	BOUCHE	CONCLUSIONS
Beaune 1979 Clos des Mouches Joseph Drouhin			Côte de Beaune/Bourgogne
Très belle couleur, jaune pâle, reflet citron. Assez gras.	Très bon bouquet de Chardonnay. Fruité, frais, une touche de noisette dominée par le boisé du chêne neuf.	Beaucoup de fruit et une grande finesse. Goût de chêne encore très prononcé. A attendre un peu, gagnera en harmonie. Grand vin.	La complexité et le caractère de ce vin résultent autant de la vinification que de la situation géographique du vignoble.
Chardonnay 1981 Iron Horse			Sonoma Valley/Californie, Etats-Unis
Jaune très clair, mais non sans consistance.	Frais et fruité avec de légers arômes de chêne et de pomme.	Net, frais. Equilibre entre fruit et acidité. Boisé bien intégré. Vif, élégant. A de l'avenir.	Un exemple assez discret d'un Chardonnay du nord de la Californie, sans trop d'alcool ni trop boisé.
Chardonnay 1981 Edna Valley Vineyard			San Luis Obispo/Californie, Etats-Unis
Jaune moyen, beaucoup plus dense et plus riche que le précédent.	Nez riche, arômes de biscuit et de caramel. Beaucoup de sève.	Riche, complexe, boisé, onctueux. Un vin ample, charnu, fruité et aussi plein qu'un Bâtard-Montrachet.	Entièrement différent du précédent. Une autre expression classique du Chardonnay.
Chardonnay 1980 Château St. Jean			Sonoma County/Californie, Etats-Unis
Jaune vert assez clair. Très jolie robe.	Nez suave et complexe. Arômes légèrement balsamiques.	Rond, fruité, léger goût de beurre frais. Une pointe d'acide citrique en fin de bouche. Bien équilibré. Accompagne bien un repas.	Moins puissant que l'Edna Valley. Un très bon Chardonnay sans prétention. L'acidité citronnée masque l'alcool.
Chardonnay 1980 Robert Mondavi Winery			Napa Valley/Californie, Etats-Unis
Très jolie robe bouton d'or.	Nez riche et très typé, boisé et pain beurré. Onctueux, riche bouquet de Chardonnay.	Vin ample et bien équilibré. Harmonie entre fruit, acide, alcool et boisé. A besoin de vieillir pour bien s'exprimer.	Moins d'attrait et d'élégance que le Ch. St. Jean, mais plus ambitieux. Dans le style d'un Beaune Clos des Mouches en plus « mûr ».
Chardonnay 1978 Trefethen Vineyards			Napa Valley/Californie, Etats-Unis
Jaune moyen, quelques reflets verts. Assez gras.	Très joli nez, floral et délicat avec une pointe de vanille et de chêne.	Moelleux, goût de fruit bien arrondi, nuances de citron et de vanille. Elégant et racé. A son optimum. Très beau.	Vin très réussi, dans le style d'un Puligny-Montrachet. Vin complet et harmonique.
Chardonnay 1980 Brown Brothers			Milawa/Victoria, Australie
Jaune vif brillant, assez soutenu.	Au nez : beurre frais, chêne et vanille. Typique de la Californie.	Rond, riche, fruité typé Chardonnay. Bon équilibre. Un peu plat en fin de bouche.	Vin moderne typique d'un Chardonnay de pays chaud. L'impression de verdeur est due plus au chêne qu'au raisin. Vin sans prétention.
Chardonnay 1978 Cowra Vineyards Petaluma			Piccadilly/Australie du Sud
Jaune d'or soutenu, plus foncé que le Chardonnay 1980 de Mondavi. La robe la plus riche de cette série.	Arôme riche, bois brûlé. Beaucoup de fruit et de corps.	Un vin très ample et charnu, avec une bonne acidité et une dominante boisée. L'ampleur d'un Bâtard-Montrachet ou d'un Corton-Charlemagne. Très long en bouche. Impressionnant.	Même style que l'Edna Valley. Richesse aromatique (beurre frais et chêne), assez complexe pour éviter la banalité. Un vin « fait main », puissant, racé, profondément Chardonnay.

1980
Château St. Jean
ALEXANDER VALLEY
Chardonnay
ROBERT YOUNG VINEYARDS

Napa Valley
CHARDONNAY
ROBERT MONDAVI WINERY

Les Chenin Blanc

Le Chenin Blanc, également connu en France sous le nom de Pineau de la Loire (et qui n'a aucun rapport avec la famille des Pinot de Bourgogne, d'Alsace et de Champagne), est un cépage très versatile. En France, on lui doit tous les grands vins de Touraine et d'Anjou, vins qui se classent au niveau des plus beaux vins blancs français. Le Montlouis, le Vouvray, le Saumur, le Savennières, le Bonnezeaux et les Coteaux-du-Layon ont en commun le fruité mielleux et l'acidité citronnée qui leur permettent de rivaliser avec le Riesling. Les années où les raisins sont atteints de botrytis, ils peuvent rejoindre les meilleurs Sauternes. Comme le Riesling, le Chenin Blanc donne des vins fruités et acidulés en cas de vendange précoce ou d'un millésime léger : des vins demi-secs lors d'une récolte plus tardive, jusqu'aux suaves vins de dessert issus de raisins vendangés parfois en novembre. Il est souvent utilisé dans l'élaboration de vins mousseux (méthode champenoise), ainsi qu'en témoigne la production traditionnelle dans la région de Saumur.

Cultivé hors de France, le Chenin perd un peu de son acidité et donne des vins plus souples au charme facile. Les Chenin doux de Californie tendent à être un peu doucereux, mais les vins provenant de vendanges précoces sont absolument délicieux.

Cette dégustation présente un éventail de Chenin Blanc de la Loire ainsi que deux vins de Californie.

ŒIL	NEZ	BOUCHE	CONCLUSIONS
Chenin Blanc 1981 Kenwood Winery			Sonoma Valley/Californie, Etats-Unis
Jolie robe jaune très clair	Frais, floral, très plaisant.	Une pointe de CO_2. Fruité, très légèrement moelleux. Fraîcheur et netteté en fin de bouche.	Joli vin à facettes, rappelle un Vouvray 1982.
Chenin Blanc 1981 Alexander Valley Dry Creek Vineyard			Sonoma Valley/Californie, Etats-Unis
Jolie robe jaune clair brillant, ressemblant au vin précédent.	Vif, bon fruit, pas très gras.	Très net en bouche, fruit bien défini, une pointe de sucre en fin de bouche. Vin très réussi.	Fermentation à basse température produisant 12° d'alcool et 0,5 % de sucre résiduel.
Jasnières 1978			Coteaux du Loir
Jaune paille assez soutenu.	Nez de noisette, miel, bonbon caramel. Ressemble plus à un Chardonnay de Californie qu'à un Chenin Blanc français.	Demi-sec en attaque, ferme en fin de bouche. Du poids et une bonne acidité. Vin complexe et intéressant.	Les mauvaises années, l'acidité du Jasnières le rend imbuvable. En 1978 les raisons ont été vendangés tard, à pleine maturité.
Savennières-Coulée de Serrant 1976 Mme Joly			Anjou/Loire
Jaune paille clair, plus brillant que le Jasnières, très gras.	Léger nez de miel avec un rappel de citron et une pointe de SO_2.	Net (moins de SO_2, qu'au nez), floral, très typé Loire-Anjou. Fin de bouche ferme, même un peu acide, surtout pour un 1976. Se gardera 10 à 20 ans. Exige quelques années pour s'assouplir.	Vin très rare, où s'expriment la fermeté et la bonne acidité naturelle du Chenin Blanc de la Loire. Contraste singulièrement avec les deux premiers vins, faits pour être bus jeunes.
Montlouis 1976 Demi-Sec Claude Levasseur			Touraine/Loire
Robe jaune à reflets verts, teinte franche, nette. Aspect très jeune pour un 1976.	Bouquet de miel puis touche de citron très agréable. Aucun signe de fatigue.	Beaucoup plus doux que la Coulée de Serrant, bien que seulement demi-sec, beaucoup moins dense. Un vin charmeur à boire à tout moment.	Jusqu'en 1938, le Montlouis se vendait sous le nom de Vouvray. Ces deux vins sont très proches. Le Montlouis possède moins de corps, au profit peut-être de la finesse.
Coteaux-du-Layon 1953 Château de Beaulieu			Anjou/Loire
Vieil or, couleur ambrée teintée de reflets verts. Pourrait passer pour un bel Armagnac.	Puissant nez de fruit et de miel.	Belle maturité, goût intense de confiture d'oranges amères. Finesse et persistance en bouche. Parfait à 30 ans d'âge, mais se gardera encore de nombreuses années.	Goût très marqué par le botrytis, doux mais sans être écœurant. Bien typé Chenin, cépage caractéristique de la Loire. Goût de miel très nuancé, légère acidité. Plus délicat qu'un Sauternes.

Les Sauvignon Blanc

Le Sauvignon Blanc n'a ni la complexité ni la profondeur d'un Chardonnay, d'un Riesling ou d'un Chenin Blanc français, mais il reste un des principaux cépages blancs du monde. Il se caractérise surtout par un arôme éclatant de groseilles et de groseilles à maquereau, souvent avec des nuances herbacées, du fruit très net au palais et une note finale légèrement acidulée. Le Sauvignon affirme sa personnalité la plus accusée dans la Loire, où il est le cépage unique des vins de Sancerre, Pouilly-Fumé, Quincy, Reuilly et Ménetou-Salon, ainsi que du Sauvignon de Touraine très populaire. Ces vins ont en commun un fruité frais et franc allié à un goût de terroir plus ou moins prononcé. Tout comme le Sauvignon du Haut-Poitou et le Sauvignon du Saint-Bris (près de Chablis), ce sont des vins parfaits pour la consommation quotidienne. Très appréciés à table pour leur caractère franc et direct, ils réclament d'être bus jeunes.

Une fois transplanté dans le sud-ouest de la France (dans la région de Bordeaux notamment), ce cépage gagne en souplesse. Dans l'appellation Graves planté dans un sol maigre et graveleux et assemblé principalement avec le Sémillon, le Sauvignon donne des vins d'une grande finesse, fermes et d'un bel avenir. Le Sauvignon joue un grand rôle dans l'élaboration des Sauternes, Barsac et autres blancs liquoreux.

Le Sauvignon Blanc partage avec son cousin le Cabernet Sauvignon la capacité de s'adapter aux climats chauds. On le trouve dans le midi de la France, dans le nord de l'Espagne, en Italie, aux Etats-Unis, en Amérique du Sud et en Australie. Il réussit particulièrement en Californie où son style semble hésiter entre le « Blanc Fumé » de la Loire et le « Graves ». Cela dépend plus du choix du vinificateur que du cépage lui-même.

Cette dégustation, ainsi que les notes sur trois vins à base de Sauvignon (voir p. 142-143), réunit quelques exemples classiques de vins de ce cépage.

ŒIL	NEZ	BOUCHE	CONCLUSIONS
Sauvignon 1982 Cheverny Jean Guerrite			Loire
Net, jaune très clair, jeune et frais.	Fruité, arôme de groseille légèrement acidulé, très vif.	Frais, vif, fruit un peu acide. Du caractère.	Bien typé Sauvignon de la Loire. Belle expression du terroir.
Sancerre 1982 Jean Vacheron			Sancerre/Loire
Jaune clair, net, plus soutenu que le Cheverny.	Nez exubérant de Sauvignon. Très fruité, groseille, groseille à maquereau.	Bon équilibre entre fruit (très marqué), alcool (élevé) et acidité (faible). Sancerre typé.	Sancerre classique très typé Sauvignon. A boire jeune.
Château-La Louvière 1979 Graves André Lurton			Graves/Bordeaux
Jaune très clair, vif et net.	Moins de fruit que le Sancerre, un peu agressif, n'est pas encore fait.	Bien constitué, ferme. Très réservé comparé au Sancerre. Fruité un peu masqué par une façade austère. A boire à l'âge de 5 ans.	Ce vin provenant du meilleur secteur de l'appellation Graves ne comporte aucune des caractéristiques évidentes du Sauvignon, sauf celle d'être sec. Le caractère Graves domine.
Sauvignon 1981 Sterling Vineyards			Napa Valley/Californie, Etats-Unis
Pâle, jaune clair, pâleur un peu inattendue.	Bonne acidité, boisé. Nez très plaisant, à la fois net et subtil.	Plus proche d'un Graves que d'un Sancerre. Sauvignonné sans agressivité. Bien défini, belle longueur en bouche.	Vin très bien fait. Parfaitement boisé juste ce qu'il faut.
Fumé Blanc 1980 Robert Mondavi Winery			Napa Valley/Californie, Etats-Unis
Jaune moyen, plus intense que les précédents, présence de *jambes*.	Fort nez musqué (proche de cette odeur « pipi de chat » typique du cépage), groseille et chêne.	Plein, très rond en début de bouche, finit sans mollesse. Malgré sa teneur en alcool élevée (+ de 14°), garde sa fraîcheur grâce à son caractère sauvignonné.	Le style classique de Mondavi. Des raisins très mûrs et un passage de 6 mois dans du chêne neuf donnent un vin très ample contrastant totalement avec le vin précédent.

Les Pinot Noir

C'est à partir du seul Pinot Noir que les Bourgogne rouges peuvent être élaborés, à l'exception des crus du Beaujolais qui peuvent être étiquetés Bourgogne. Le nom de ce cépage évoque de façon irrésistible les vins de cette région. Le Pinot Noir est aussi l'un des trois cépages champenois (il représente 24 % du vignoble) et on le trouve également dans d'autres régions de France, tout comme le Chardonnay, mais ses facultés d'adaptation sont moindres. Alors qu'il existe plusieurs styles de vins issus de Chardonnay, ceux nés de Pinot Noir sont moins variés. Leur couleur, à de rares exceptions près, n'est jamais trop appuyée ni trop foncée; un nez de fruits écrasés (fraises, cerises sauvages) les caractérise dans leur jeunesse; en vieillissant, ils évoluent vers un bouquet de fruits fanés ou même des arômes animaux. En bouche ils doivent être toujours nets et frais. On caractérise couramment un Bourgogne par sa richesse et son ampleur en oubliant que les meilleurs vins issus de Pinot sont élé-

gants, d'un fruité persistant. Contrairement aux Cabernet, au Merlot ou à la Syrah, l'assemblage avec d'autres cépages ne lui convient pas car il y perd sa finesse et sa classe. Le Pinot Noir prospère dans un climat tempéré et, plus que tout autre cépage, il a tendance à être le reflet du sol et du climat qui le voient naître.

En France, le Pinot se cultive dans plusieurs régions, la Champagne, la Loire, la Bourgogne, le Jura et l'Alsace. Il donne des vins nettement différents selon la région ou même selon chaque microclimat. A l'étranger, ceux qui cultivent ce cépage cherchent à obtenir des vins proches des Bourgogne. N'étant pas placés dans les mêmes conditions climatiques, les vins sont très différents. Compte tenu de cette dépendance, la confrontation des divers Pinot ci-dessous sera moins probante qu'une dégustation comparative de Cabernet Sauvignon. Dans cette dégustation nous avons choisi des vins de cépage qui reflètent en même temps leur région d'origine.

ŒIL	NEZ	BOUCHE	CONCLUSIONS
Pinot Valais NM			Valais/Suisse
Intensité moyenne, rouge brique, velouté, assez évolué.	Très fruité. Assez puissant mais manque de finesse.	Bon fruité, typé Pinot, peut-être trop d'alcool.	Bien fait, fruits, franchise. Manque de complexité et de profondeur, mais assez satisfaisant.
Pinot Noir NM Merdinger-Bühl			Bade-Wurtemberg/Allemagne
Pâle, robe jeune, très joli.	Manque de nez mais net et frais.	Franc en bouche, très beau fruité, léger, bien équilibré.	Très faible en alcool (10.5°), agréable et rafraîchissant, laisse percer le fruit du Pinot.
Pinot Nero Alto Adige 1980 DOC Casa Vinicola W. Walch			Haut-Adige/Italie
Pâle, rose foncé, plus brun doré que rouge.	Manque de Pinot au nez; un fruité rappelant plutôt un Morgon ou un Fleurie.	Souple, typé Pinot. Proche du Pinot du Valais ou d'Arbois. Mûr avec une bonne acidité.	Agréable vin du Tyrol du Sud, bien fait. Il lui manque l'autorité des Pinot de Bourgogne.
Arbois Pinot Noir 1979 Rolet Père & Fils			Jura
Léger, aspect jeune, couleur plus soutenue que l'Arbois 1979 issu d'un assemblage (p. 150).	Fruité, discret, cerises sauvages. Mûr.	Bon fruit, bien équilibré mais avec plus d'acidité que les vins précédents. A son optimum.	Plus typé Arbois que Pinot. Les vins de 1981 ont plus le nez, la bouche et la profondeur du Pinot.
Sancerre 1979 Jean Vacheron			Sancerre
Robe brillante, plus colorée que celle des vins précédents.	Fruité, arômes floraux, caractère Pinot typique. Racé.	Bonne persistance avec une certaine astringence due au vieillissement en bois. Elaboré avec soin.	L'un des meilleurs Sancerre rouges. La finesse du Pinot se manifeste clairement mais ne domine pas le terroir.
Bouzy Rouge 1979 Jean Vesselle			Champagne
Pâle, rouge clair, net. Jolie robe un peu mince.	Léger, fruité délicat. Fin et léger.	Délicat, fruits discrets, manque de corps. Trop simple pour être un digne représentant d'un Coteaux Champenois rouge de Bouzy.	Manifestement un vin du nord, franc mais un peu léger. L'année 1978 a été plus favorable aux Bouzy Rouge à cause du plus faible rendement.

ŒIL	NEZ	BOUCHE	CONCLUSIONS
Volnay-Santenots 1979 Comte Lafon			Bourgogne
Vermillon jeune et profond, violacé sur les bords. Belle couleur, corsée pour un 1979.	Arômes vifs d'églantine, cassis, cerise sauvage, chêne. Souple et complexe.	Très bon fruit. Encore beaucoup de tanin, presque robuste pour un Volnay. Net, grande profondeur et longueur en bouche. Très pur et fin.	Le Pinot Noir à son sommet. Faible rendement et belle vinification. Vin de référence qui contribue à la réputation de la Bourgogne.
Viña Magdala 1976 (Pinot Noir dominant) Torrés			Villafranca del Panadés/Espagne
Rouge moyen, dégradé sur les bords. Bien équilibré.	Arôme exquis de fraise (typiquement Pinot), de fruits mûrs. Touche de vanille due à l'élevage en fûts de chêne.	Vin souple et mûr. Bon équilibre acidité/fruits, moelleux. Vin très séduisant sans lourdeur.	Vin très bien fait, plus souple que les Pinot de France et plus léger que ceux de Californie.
Pinotage 1976 (Pinot Noir et Cinsault) Meerendal Estate			Durbanville/Afrique du Sud
Rouge rubis profond. Aspect jeune pour le millésime.	Nez de raisins secs, concentré, même un peu cuit.	Goût semblable au nez. Concentré, manque de finesse, mais a du nerf et de la saveur.	Un contraste avec le Torrés; manifestement un vin de pays chaud. La finesse du Pinot se perd dans l'assemblage avec le Cinsault.
Hawkes Bay Pinot Noir 1981 Cook's Wine Company			Auckland/Nouvelle-Zélande
Rouge cerise, dégradé sur les bords. Très jolie robe.	Nez fruité, un peu rustique. Plus proche d'un Mercurey que d'un Beaune.	Franc de goût, bien fait, bon équilibre fruit/acidité. Léger goût métallique. Encore un peu jeune.	Bon exemple d'un jeune Pinot Noir élevé en fûts de chêne. Le climat tempéré favorise ce style de vin, léger et fruité.
Pinot Noir 1978 (demi-bouteille) Knudson-Erath			Oregon/Etats-Unis
Rouge cerise. Aspect encore jeune.	Nez élégant de Pinot. Acidité marquée.	Attaque nette, fruité, agréable. Légère acidité de pommes sauvages.	Vin intéressant. Manque de moelleux mais bien représentatif d'un Pinot Noir.
Pinot Noir 1978 Carneros Creek			Napa Valley/Californie, Etats-Unis
Robe rubis très séduisante. Harmonieuse.	Délicieux nez de Pinot, bon fruité, presque féminin.	Saveur délicieuse, fruit et finesse du Pinot, franc de goût. Bon équilibre et bonne longueur.	Très bon vin d'une zone tempérée de Napa Valley. Bel équilibre extrait/fruit, style français, fruité marqué. Relativement faible en alcool.
Pinot Noir 1979 Chalone Vineyards			Monterey-County/Californie, Etats-Unis
Rouge brique assez soutenu, un peu dégradé sur les bords.	Nez épicé avec l'acidité de la jeunesse suivi d'arôme riches et intenses de fruits.	Encore jeune et agressif. La richesse du fruit s'allie avec la fermeté du tanin et de l'acidité. Bien construit. Très bon Pinot, bien typé.	Chalone est connu pour ses Pinot Noir et ses Chardonnay proche des vins de la Côte-d'Or. Moins direct, plus complexe que le vin précédent.
Pinot Noir 1979 Robert Mondavi			Napa Valley/Californie/Etats-Unis
Rouge soutenu, indiquant une bonne maturité et richesse.	Arôme délicat, fruité, plus riche que les autres vins américains.	Délicieux goût de fraise caractéristique du Pinot. Longueur en bouche renforcée par l'alcool mais toujours équilibrée.	Un très grand vin, qui tend au style du Richebourg. Il doit être bien fait pour conserver les caractéristiques du Pinot Noir.

Les Cabernet Sauvignon

Quel que soit le cépage qu'on étudie, il évoque presque immédiatement un type particulier de vin français. Au Chardonnay on associe le Bourgogne blanc, au Gamay le Beaujolais, à la Syrah l'Hermitage, etc. Dans cet ordre d'idées, le Cabernet Sauvignon fait songer aux vins du Médoc. Bien que les Médoc soient rarement vinifiés à partir de Cabernet Sauvignon pur, ce sont les vins de cette région et en particulier ceux de Pauillac et de Saint-Julien qui viennent immédiatement à l'esprit quand on parle de Cabernet. Quel que soit le lieu de son implantation, ses caractéristiques restent les mêmes : robe rouge, ample et intense (presque de l'encre noire quand le vin est jeune), un arôme fort et épicé de cassis, de poivrons verts avec une touche de cannelle ou de cèdre, une saveur profonde, austère, de la mâche. Une certaine âpreté et un caractère tannique dominent quand le vin est jeune, mais avec un fruité bien défini. Fermeté et fraîcheur caractérisent d'une manière générale un vin issu de Cabernet. Sa grande qualité : une bouche d'une délicieuse netteté.

Le Cabernet Sauvignon est un cépage affirmant la même personnalité partout où il est planté dans le monde (tout au moins dans les régions où les conditions climatiques permettent la maturation des raisins rouges). En France, s'il ne dépasse pas les limites de la Loire au nord, il est planté partout dans le Sud-Ouest et s'est établi dans des vignobles du Sud de la France soucieux d'améliorer leur qualité. En Italie le Cabernet Franc, au parfum de framboises, connaît une grande popularité. Moins répandu, le Cabernet Sauvignon est responsable d'une petite quantité de vins exceptionnels. En Europe de l'Est, en Afrique du Sud, en Australie et en Amérique, le Cabernet Sauvignon fait partie des cépages classiques. Cépage unique, le Cabernet Sauvignon donne des vins carrés et stricts. Assemblé à d'autres tels que le Merlot ou le Cabernet Franc (selon le sol et le climat), sa finesse est soulignée. Il apporte charpente, fruit et élégance. Que le Cabernet Sauvignon soit un cépage noble est évident ainsi que le prouvent cette dégustation et les précédentes.

ŒIL	NEZ	BOUCHE	CONCLUSIONS
Domaine de Saint-Jean 1980 Vin du Pays varois M. et Mme Hirsch			Provence
Rouge-vermeil, profond et riche, assez soutenu.	Arôme herbacé, style « chaud », typé californien en moins intense.	Cassis, menthe, arômes primaires typique du Cabernet. Assez tannique, peu de fruité.	Bon exemple de pur Cabernet planté en Provence.
Cabernet Sauvignon 1979 Rothbury Estate		Hunter Valley/Nouvelle-Galles du Sud, Australie	
Rouge brique vif. Couleurs jeunes et lumineuses.	Arômes assez discrets de baies. Elégant, bon fruité.	Fruité moelleux et fin de bouche ferme. Encore tannique. Bien fait. Cabernet classique de style médocain. A garder.	Vin élégant, sobre, certaine austérité « poussiéreuse » derrière le fruit rappelant le style français.
Cabernet Sauvignon 1978 Nobilo Vintners			Auckland/Nouvelle-Zélande
Rubis profond et soutenu. Commence à prendre de l'ampleur.	Parfum de cassis avec une touche de chêne.	Vin très bien équilibré, fruits francs en attaque; finale élégante, fruitée et boisée. Atteint son apogée à l'âge de 2-3 ans.	Excellent vin, style Saint-Julien. Le climat plus tempéré permet au Cabernet de mûrir sans devenir trop concentré ni trop intense.
Cabernet Sauvignon 1978 « Panadés » Jean León			Pla de Panadés/Espagne
Très jeune, rouge-pourpre à reflets violacés.	Bouquet pur Cabernet, arômes de feuilles, fruits sauvages, boisé prononcé.	Fruité sans trop de gras. Astringence encore marquée qui agace les dents; s'effacera au profit du caractère fruité. Beau vin vigoureux.	Vin très ferme après le Nobilo, moins riche que les vins italiens. Cabernet de qualité, distingué, un peu austère.
Venegazzù 1978 Montello e Colli Asolani Vino da Tavola			Comte Loredan-Gasparini Vénétie/Italie
Rubis profond et soutenu. Couleur très ample.	Fruit moelleux, prune sauvage. Ferme.	Fruité, souple, avec une pointe de tanin. Caractère régional marqué. Excellent équilibre. Peut se garder.	Un vin très réussi des collines proches de Venise. A le velouté d'un Merlot.

ŒIL	NEZ	BOUCHE	CONCLUSIONS
Sassicaia 1978 Vino da Tavola Tenuta San Guido, Bolgheri			Toscane/Italie
Rouge foncé et profond, presque opaque, avec bord violacé. Impressionnant.	Beaucoup de fruits, encore très fermé. Des notes de vanille et de chêne. Intense. Grande classe.	Persistance exemplaire du bouquet. Epicé, moelleux, boisé, fruité. Profondeur et complexité. Encore beaucoup trop jeune. Vinification superbe.	Exemple parfait de Cabernet Sauvignon. Tend à éclipser l'excellent Venegazzù. Un vin du Style Ch. Pichon-Lalande ou Ridge Vineyards.
Cabernet Sauvignon 1978 York Creek Vineyard/Ridge Vineyards			Santa Clara/ California, Etats-Unis
Rouge dense et profond. La couleur adhère aux parois du verre.	Fruit complexe et sauvage. Concentré mais sans lourdeur.	Saveurs intenses de fruit, moelleux en milieu de bouche avec bon support de fruit, tanin et alcool. Très long, beaucoup de vivacité.	Le degré d'alcool assez élevé (13,9°) donne à ce vin une richesse qui contraste avec la légère austérité du Sassicaia ou du Ch.-Léoville-Las-Cases.
Cabernet Sauvignon 1978 Jordan Winery			Alexander Valley/Californie, Etats-Unis
Belle couleur rubis profond et concentré.	Joli bouquet, cassis, arômes herbacés légèrement fumés.	Belle suite en bouche, fruits moelleux et ronds. Très séduisant, une réussite. Toute l'élégance française.	Cabernet dans le plus beau style Haut-Médoc. Très réussi mais il lui manque la grandeur d'un Sassicaia ou d'un Léoville.
Cabernet Sauvignon 1978 Taltarni Vineyards			Victoria/Australie
Superbe robe cassis presque opaque.	Bouquet intense d'épices et de menthe. Fruité, complexe, nuances d'eucalyptus.	Très puissant, riche, cassis, épices. Fruité moelleux. Tanin discret. Très bien fait.	Cabernet classique d'un vignoble très ensoleillé. Bon extrait dû à la concentration naturelle dans le raisin.
Ch.-Léoville-Las-Cases 1978 2ᵉ Grand Cru Classé Saint-Julien			Médoc/Bordeaux
Robe profonde, concentrée, velouté, jeune et intense.	Bouquet d'épices, de fruits mûrs, de jeunes feuilles de cassis et de bois neuf.	Goût franc de Médoc : harmonie entre fruit, alcool et bois. Grande classe. Vin parfait.	Ici l'austérité du Cabernet Sauvignon est tempérée par le Merlot et le Cabernet Franc. Le Petit Verdot ajoute à la couleur.
Cabernet Sauvignon 1974 Montebello Vineyard/Ridge Vineyards			Santa Clara/ California, Etats-Unis
Rouge vermeil profond et soutenu. Encore très jeune.	Bouquet d'épices et de fruits sauvages. Mûr, une note de bois.	Fruit franc et nerveux, tanins qui gagneront à se fondre. Style plus dépouillé et plus français que le York Creek 1978.	Relativement faible en alcool (12,7°) pour un Cabernet de Californie. Ce vin reflète davantage la vigueur fruitée d'un Médoc que le velouté du Cabernet.
Ch.-Léoville-Las-Cases 1970 2ᵉ Grand Cru Classé Saint-Julien			Médoc/Bordeaux
Acajou riche, foncé et profond.	Nez riche, pur concentré de baies (sans doute vendange de raisins bien mûrs). Intense, complexe.	Fruité très riche sur soutien tannique. Grande profondeur sans excès ni exagération.	Une définition exemplaire du Cabernet Sauvignon dans le Médoc.

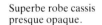

Les Merlot

Ce qui caractérise au premier chef les vins issus du cépage Merlot est leur fruité moelleux. Le Merlot se démarque du Cabernet Sauvignon, avec lequel il est souvent assemblé, par son caractère moins austère, plus riche et fruité, mais une intensité moins grande. Il contient moins de tanin que le Cabernet Sauvignon et son moelleux étoffe la charpente fournie par ce dernier. Sauf dans les grandes années (1961, 1982) et dans les vignobles très ensoleillés (Australie, Californie), le Merlot n'a pas la couleur profonde et concentrée du Cabernet Sauvignon, mais préfère s'habiller d'une teinte rubis, douce et lumineuse. Cépage à débourrement précoce, le Merlot est souvent sujet aux gelées de printemps, et si la vendange se fait par temps frais et pluvieux les baies ont tendance à pourrir. Dans les bons millésimes, grâce à sa maturation précoce, il acquiert une richesse en sucre qui lui donne un moelleux et un fruité incomparables et une grande intensité en bouche.

En France, le Merlot est surtout connu dans la région bordelaise, en particulier à Pomerol et à Saint-Emilion, ses deux territoires de prédilection. La réputation de vins tels que Château-Pétrus et Trotanoy permet de mesurer les possibilités de ce cépage. Dans les régions du Médoc et des Graves, le Merlot vient en deuxième position après les Cabernet et en particulier le Cabernet Sauvignon. On trouve du Merlot dans le sud-ouest de la France et des plantations expérimentales ont été faites le long de la côte méditerranéenne. En Italie du Nord, il donne de beaux vins souples et fruités. Plus le climat est chaud, plus le vin est robuste. Aux Etats-Unis, en Californie et dans l'Oregon, où le Cabernet Sauvignon a tendance à être un peu trop massif et austère, le Merlot réussit très bien.

Les vins issus du cépage Merlot sont souples et faciles à boire. Si l'écueil de la surproduction est évité, ils peuvent prétendre à la considération déjà accordée aux grands Pomerol.

ŒIL	NEZ	BOUCHE	CONCLUSIONS
Merlot Colli Berici 1979 DOC Viticoltone Fabbian			Vénétie/Italie
Rubis, assez gras, aspect velouté.	Souplesse et fruit agréables. Sans grande distinction.	Fruité. Assez complet. Manque un peu de longueur.	Vin agréable qui ressemble à un Saint-Emilion dépouillé. Moelleux fruité mais pas grand-chose d'autre.
Château-La Fleur-Pétrus 1980 Pomerol Grand Cru			Pomerol/Bordeaux
Rouge-brique. Robe vive et jeune.	Fruit moelleux. Rappelle un peu le Pinot Noir; chêne neuf.	Fruit franc et moelleux avec un support boisé. Vin léger. Pas une grande année pour les Merlot.	Petite année qui semble gommer le caractère « Merlot » du vin.
Château-Magdelaine 1979 1er Cru Classé Saint-Emilion			Saint-Emilion/Bordeaux
Belle robe rubis, ample et soutenue.	Beaucoup de fruit et de chêne neuf. Encore très jeune.	Un fruité très agréable et une touche de bois neuf font songer brièvement à un jeune Bourgogne. Beau vin souple qui se gardera et qui gagnera en complexité.	Parmi les 1ers grands crus classés de Saint-Emilion, Ch.-Magdelaine comporte la proportion la plus élevée de Merlot (80 %). Vin plus ample, et plus de personnalité que La Fleur-Pétrus. Encore dominé par le goût de chêne.
Merlot 1979 Stag's Leap Wine Cellars			Napa Valley/Californie, Etats-Unis
Robe rubis profond très ample. Riche et velouté.	Fruit riche et moelleux, épices, cassis. Séduisant.	Merveilleuse saveur épicée et fruitée. Soyeux. Déjà consommable mais meilleur ultérieurement.	Très réussi. Mariage heureux entre le moelleux du Merlot et la saveur épicée des vins de Napa Valley.
Merlot 1978 Sokol-Blosser Winery			Washington/Etats-Unis
Robe rubis assez ample et riche.	Bouquet assez concentré de fruits écrasés.	Fruité. Assez vif et gras avec une pointe de vanille. Encore jeune. Un peu acidulé en fin de bouche.	Vin plus nordique que le Stag's Leap, avec un fruité intense mais moins moelleux.
Merlot 1976 Sterling Vineyard			Napa Valley/Californie, Etats-Unis
Rubis intense, beaucoup de profondeur. Aucune trace de vieillissement.	Fruits épicés et concentrés. Solide. Nez encore fermé.	Complet. Encore très tannique mais net et fruité, sans amertume. Année ensoleillée qui donne beaucoup de couleur et d'extrait.	En contraste total avec le style franc et soyeux du Stag's Leap, ce vin est un Merlot solide qui peut se mesurer aux Cabernet sérieux.

Les Syrah

La Syrah prospère dans les climats ensoleillés : en France, si sa région de prédilection est la vallée du Rhône, surtout dans sa partie nord, elle est également très répandue en Provence. Ce cépage a bien réussi en Australie où il est connu sous le nom de Shiraz ou Hermitage (nom qui souligne sa parenté française). On en trouve également en Afrique du Sud et en Californie où l'on ne doit pas le confondre avec la Petite Syrah. Les vins issus de Syrah ont une robe d'un rouge pourpre profond et des arômes intenses de cassis et d'épices. En bouche, ils sont riches et robustes, fruités avec une certaine rusticité. Un vieillissement de plusieurs années est souvent nécessaire pour arrondir les angles et souligner leur complexité masquée au début par la puissance. En parlant de l'Hermitage, le Pr Saintsbury a dit qu'il était « le plus masculin des vins », assertion exacte. Il ne fait pas de doute que les vins d'Hermitage et de Côte-Rôtie,

originaires de vignobles en terrasses, à flanc de coteau au-dessus du Rhône, avec leur nez intense et leur bouche incomparable, font honneur au cépage Syrah.

La Syrah est le cépage unique des Hermitage, Cornas, Saint-Joseph et Crozes-Hermitage. Il entre pour 90 % dans l'élaboration des Côte-Rôtie (qui peuvent contenir jusqu'à 20 % de Viognier, cépage blanc) et il figure en bonne place parmi les cépages de Châteauneuf-du-Pape, dans les Côtes-du-Rhône sud et en Provence, où son fruité à la fois ferme et épicé équilibre l'ampleur riche du Grenache. Malgré leur réputation de charpente, les vins de Syrah sont rarement lourds. Les raisins possèdent une bonne acidité naturelle qui compense les effets négatifs de la surmaturation dans les climats très chauds. Les vins de Syrah sont facilement identifiables ainsi qu'en témoigne cette dégustation.

ŒIL	NEZ	BOUCHE	CONCLUSIONS
Syrah 1981 Vin de Pays de l'Ardèche			Ardèche
Rouge-carmin assez soutenu. Jolie robe.	Moelleux. Arômes de fruits écrasés, surtout cassis.	Franc de goût, direct, bon fruit, bon soutien acide, tanin naturel.	Très joli vin de table de la région ouest de la vallée du Rhône.
Syrah 1978 Joseph Phelps Vineyards			Napa Valley/Californie, Etats-Unis
Assez soutenu. Plus pâle que les vins français Syrah.	Fruit épicé et élégant.	Bon fruit épicé mais moins de cassis et plus d'acidité que le nez ne le laisse prévoir.	N'a pas la robustesse ni la classe de l'Hermitage.
Cornas 1978 Auguste Clape			Vallée du Rhône nord
Robe profonde de mûres sauvages.	Moelleux, fruits épicés, intense mais moins nuancé, que les deux vins d'E. Guigal (ci-dessous).	Bon fruité en début de bouche, typé Syrah : cassis et mûres sauvages. Finale jeune et tannique. Très bel exemple de l'appellation Cornas.	Le Cornas n'a pas la suavité d'un Côte-Rôtie ni la richesse d'un Hermitage mais c'est un vin de Syrah typique et légèrement rustique.
Hermitage 1978 E. Guigal			Vallée du Rhône nord
Rouge foncé intense, presque concentré.	Bouquet opulent de fruit « syrah concentré », mûres sauvages, cassis, épices.	Très grand vin. Concentration extraordinaire, riche et souple avec beaucoup de caractère.	Une année exceptionnelle. Alliance d'un cépage noble, d'un terroir exemplaire et d'une vinification hors pair.
Côte-Rôtie « La Landonne » 1978 E. Guigal			Vallée du Rhône nord
Encre noire aux reflets rubis chatoyants.	Nez puissant, presque violent, fruits concentrés. Evoque un jeune Porto millésimé.	Très concentré. Extrait et fruit étonnants. Profondeur grâce à 30 mois d'élevage en fût. Incroyable race et panache chez un si jeune vin. Promet d'être exceptionnel.	Contraste fascinant avec « La Mouline » 1978 (p. 155) qui contient 15 % de Viognier. « La Landonne » est à « La Mouline » ce que le Chambertin est au Musigny ou le Latour au Lafite.
Shiraz 1978 Taltarni Vineyards			Victoria/Australie
Robe très ample, pourpre opaque. Plus dense que les deux vins précédents.	Bouquet épicé de baies. Fruit sucré. Puissant.	Vin très ample. Beaucoup de fruit mais encore plus d'extrait et de tanin : « Gare aux dents noires ! ». Finale trop concentrée et un peu dure.	Le cépage Shiraz (Hermitage) donne ici un vin apparenté aux vins français de Syrah et au Zinfandel de Californie.

Bourgogne rouges 1972

Pour cette dégustation, nous avons adopté la même méthode que pour les Bordeaux figurant pages 172-173. Il s'agit de montrer la différence entre les appellations Côte-de-Beaune et Côte-de-Nuits. Ces vins sont élaborés à partir d'un seul cépage, le Pinot Noir; toutefois, style et caractère varient selon les critères suivants : sol, sous-sol, microclimat et vinification. Les vins retenus pour cette dégustation ont été élevés pour la plupart par un seul négociant afin de limiter l'intervention d'autres éléments que le terroir. Ces vins proviennent de propriétaires différents, il est vrai, mais ils ont été choisis par Mme Bize-Leroy pour leur belle structure et leur probable longévité. Ils reflètent son goût personnel mais expriment également le caractère du terroir.

Le millésime 1972 est très controversé mais, avec le 1971 et le 1978, c'est le meilleur de la décennie. L'année 1972 fut plutôt froide et sèche, ce qui entraîna des vendanges tardives en dépit d'un beau mois de septembre. Les raisins étaient sains, la teneur en acidité élevée. Ces caractéristiques conviennent mieux aux Côte-de-Nuits, plus «masculins» par nature, qu'aux Côte-de-Beaune. Le contraste entre les vins issus des vendanges de 1972 et les vins complets et opulents de 1971 est frappant. Avec les années, ces derniers ont parfois décliné faute d'un soutien acide suffisant, tandis que les vins ingrats de 1972 se sont épanouis de façon considérable. Bien que le millésime 1971 bénéficie toujours d'une meilleure réputation, beaucoup d'éleveurs préfèrent le 1972, plus nerveux. Aujourd'hui, ils sont parfaitement évolués mais peuvent se garder encore longtemps.

	ŒIL	NEZ	BOUCHE	CONCLUSIONS
Côte-de-Beaune-Villages Leroy				
	Beau rouge foncé et très belle robe soutenue pour une appellation de moindre envergure.	Encore jeune, même animal, très fruité.	Complet, franc, solide. Vin séduisant et bien fait. Idéal en ce moment.	Très bon exemple de cette appellation qui est souvent surestimée. Très typique d'un 1972.
Auxey-Duresses Leroy				
	Robe moyenne, légère et plaisante, ourlée de rouge-brun.	Parfaitement mûr, fruité, assez léger.	Plaisant, tannique, typique d'un Côte-de-Beaune, une pointe d'acidité mais bonne finale.	Vin séduisant d'une appellation au nord-ouest de Meursault. N'a ni la structure ni la classe d'un Volnay ou d'un Pommard, bien qu'il ait été commercialisé sous ces noms avant la mise en œuvre du système des AOC.
Monthélie Leroy				
	Assez soutenu. Plus profond que l'Auxey-Duresses.	Fruité, élégant, assez ferme, racé.	Délicieux arôme de fruit, rond, presque balsamique. Pas très intense mais merveilleusement équilibré. A son apogée.	Monthélie se trouve au nord-ouest de Volnay et au nord de Meursault. Ses vins tiennent du Volnay mais en plus rustique.
Savigny-lès-Beaune Leroy				
	Rouge moyen assez clair. Robe un peu plus mûre que la plupart de ces vins.	Arômes complexes. Nuance de chocolat, vanille, fruité intéressant.	Très beau, élégant en début de bouche mais se termine sur le tanin, un peu vert. De la classe mais moins bien équilibré que le Monthélie. Trouve sa meilleure expression en compagnie d'un mets.	Les vins de Savigny sont légers et gracieux. Type de vin qui va encore gagner en bouteille.
Beaune-Montée Rouge 1er Cru Leroy				
	Plus ample que le Savigny, plus intéressant. Robe rubis doux.	Assez riche. Arôme de fruits rouges, du moelleux.	Saveur ample, séduisant et presque moelleux, encore du tanin. Très bon vin franc et honnête. A son mieux mais peut se garder.	Un Beaune n'a que rarement la puissance d'un Corton, la structure d'un Pommard ou la finesse d'un Volnay. Il est pourtant merveilleusement harmonieux.

	ŒIL	NEZ	BOUCHE	CONCLUSIONS

Pommard Clos-des-Epeneaux   Comte Armand

| | Très foncé, encore jeune et intense. De loin la robe la plus riche de la Côte de Beaune. | Bouquet riche de fruit velouté. D'une bonne concentration. | Très ample en bouche, équilibre impressionnant entre fruits et tanins naturels. Persistance, complexité et très belle fin de bouche. Peut se garder. | Vin élaboré à partir de très vieilles vignes, d'où production limitée d'un vin dense et tannique, avec beaucoup de fruit. Il n'y a pas beaucoup de Pommard modernes ayant une telle solidité. |

Côte-de-Nuits-Villages   Leroy

| | Belle robe rouge moyen foncé. Bien bâti, assez mûr. | Bouquet mûr, fruité, encore boisé. | Bon fruit, ferme et tannique. | Vin plus rude que le Côte-de-Beaune-Villages. Le fruité est moins évident. |

Fixin-Hervelets 1ᵉʳ Cru   Leroy

| | Robe très ample, riche, soutenue. Beaucoup de promesses. | Superbe bouquet de fruits et fleurs sauvages. Grande profondeur. | Très bon vin robuste, assez nerveux, complet. Grande réussite. A boire maintenant ou peut se garder. | L'essence même de Fixin, le vin le plus septentrional des vins de la Côte de Nuits. Grande bouteille qui mérite d'être recherchée. |

Vosne-Romanée   Leroy

| | Jolie robe de moyenne intensité. Paraît légère quand on la compare au Fixin. | Beau bouquet léger et féminin, avec une pointe de vanille. | Vin racé, bien équilibré, assez léger. Moins dur que beaucoup de 1972. Accompagne bien le poulet. A boire maintenant. A comparer avec le Vosne-Romanée Les Beaux-Monts 1972 (p. 155). | En contraste total avec le Fixin, moins dense mais plus fin. Typé Vosne. En a la classe. |

Chambolle-Musigny   Leroy

| | Très belle robe rouge. Mûr et net. | Bouquet velouté, ample, élégant. | Très bon équilibre, plus de fruit que le Vosne mais moins de longueur en bouche. A boire maintenant. Bon vin de cette commune. | Vin bien fait, un « Volnay » de la Côte de Nuits. Fruité moelleux. Bonne charpente. |

Gevrey-Chambertin Lavaux-Saint-Jacques 1ᵉʳ Cru   Leroy

| | Même robe que le Chambolle, en rouge plus brique. | Beau bouquet pur fruit. Une pointe de réglisse. | Elégant, fruité, mais encore un peu vert. A besoin de 3-5 ans pour se révéler. | Style « vin de propriétaire », distingué et très représentatif du millésime. Vin vigoureux. |

Gevrey-Chambertin Clos Saint-Jacques 1ᵉʳ cru   Domaine Armand Rousseau

| | Jolie robe rubis moyen. Mûr, plus concentré que le Lavaux. | Bouquet long et persistant. Encore un soupçon de cassis. Grande complexité. | De la profondeur. Vin d'un bel équilibre : fruité mûr. Pinot, vigueur. Grande classe. | Très bon premier cru; Charles Rousseau le met presque au niveau d'un Chambertin. Vin stylé qui dément ceux qui dénigrent le millésime 1972. |

Bonnes-Mares 1972   Louis Jadot

| | Rouge brique soutenu aux bords bruns dorés. Mûr. | Bouquet concentré, fruité, riche, long et assez subtil. | Fruit ferme et franc en bouche. Assez robuste. Pointe d'acidité typique des 1972. Bon équilibre entre l'élégance et la puissance. A boire. | Vin assez ample mais moins impressionnant que le Clos-Saint-Jacques. Bonne illustration du style ferme des Bonnes-Mares. |

Bordeaux rouges 1970

Ce type de dégustation permet d'illustrer les différences de nature entre les principales appellations bordelaises en soulignant l'influence du sol et du climat, et surtout le rôle joué par l'assemblage des cépages ainsi que par le style de vinification. Nous avons choisi le millésime 1970 qui est, avec ceux de 1975 et 1978, un des trois meilleurs de la décennie, si ce n'est le meilleur, et le seul qui commence à être prêt à être bu. Ces vins ont été sélectionnés pour leur finesse et leur typicité.

L'année 1970 est exceptionnelle, conjuguant qualité et quantité. Un printemps tardif fut suivi d'une floraison saine à la mi-juin, d'un mois de juillet très chaud, d'un mois d'août plus frais, d'un mois de septembre et de vendanges ensoleillés. La récolte fut très saine et très abondante. Le millésime ne connut ni gelées ni grêle et les cépages purent ainsi atteindre leur pleine maturité. Ce millésime est doué d'une forte personnalité : belle couleur soutenue, franc et fruité au nez et au palais, bonne charpente tannique. Les vins qui ne correspondent pas à ce portrait type ne sont pas vraiment représentatifs du millésime 1970.

En fait, les vins de 1970 étaient prometteurs et tout le monde chantait leurs louanges. Pendant environ cinq ans suivant leur mise en bouteilles ils se sont peu développés. Les vins d'appellation modeste sont maintenant à leur maximum. Ceux de notre dégustation seront pour la plupart à leur apogée jusqu'en 1990.

ŒIL	NEZ	BOUCHE	CONCLUSIONS
Ch.-Camensac 5ᵉ Cru Classé Haut-Médoc			*Cabernet Sauvignon 60 %, Merlot 20 %, Cabernet Franc 20 %*
Rouge riche, plein et concentré, teinté de caramel.	Nez ample et puissant. Nuances de cuir de Russie. Mûr.	Goût concentré de fruits mûrs et de cire. Très « Médoc ». Evolué. Bonne acidité. Bon extrait.	Un vin très bien fait sans toutefois le style et la précision des crus classés plus proches de la Gironde. A son optimum.
Ch.-de-Pez Grand Cru Bourgeois Saint-Estèphe			*Cabernet Sauvignon 70 %, Cabernet Franc 15 %, Merlot 10 %, Petit Verdot 5 %*
Rubis très profond et soutenu jusqu'aux bords. Robe jeune.	Bouquet concentré et musclé de baies. Beaucoup de fruit. Très beau.	Bonne attaque. Retenu, même âpre au début mais s'ouvre ensuite. Finale assez végétale. Excellent. Prêt à boire; peut encore durer.	Exemple exceptionnel d'un cru bourgeois du Médoc. Plus harmonieux, plus réussi que le Cos-d'Estournel
Ch.-Cos-d'Estournel 2ᵉ Cru Classé Saint-Estèphe			*Cabernet Sauvignon 50 %, Merlot 40 %, Cabernet Franc 10 %*
Robe très intense, légèrement plus pleine que le Pez, mais paraissant moins jeune.	Bouquet ferme de fruits mûrs avec une note de cèdre. Assez sec à la fin.	Bien défini avec une concentration intense de fruits. Epicé, très bon en milieu de bouche. Finale un peu dure.	Vin impressionnant, assez « ancien style ». Le fruité tendre du Merlot n'arrive pas à masquer le tanin du Cabernet et le style de vinification.
Ch.-Palmer 3ᵉ Cru Classé Margaux			*Cabernet Sauvignon 45 %, Cabernet Franc 10 %, Merlot 35 %, Petit Verdot 10 %*
Robe très riche et profonde. Brûnit un peu. Impressionnant.	Fruits riches et mûrs. Grande profondeur. Moelleux, élégant.	Complet, velouté, saveur intense et soutenue. Peut encore attendre.	Vin superbe. Certainement le meilleur de la commune en 1970. Fruité du Merlot. Une merveille d'équilibre.
Ch.-Ducru-Beaucaillou 2ᵉ Cru Classé Saint-Julien			*Cabernet Sauvignon 65 %, Merlot 25 %, Cabernet Franc 5 %, Petit Verdot 5 %*
Rouge profond et très intense, un peu moins opulent que le Palmer, mais ferme et franc.	Bouquet classique et concentré. Du bois. Commence à prendre de l'ampleur. Très prometteur.	Fruité, riche, intense et concentré. Bon soutien tannique. Profond et complexe. Commence à s'ouvrir. Très beau.	Encore un vin superbe. Plus austère, moins opulent que le Palmer. Classique, qui durera jusqu'en l'an 2000.

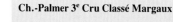

ŒIL	NEZ	BOUCHE	CONCLUSIONS

Ch.-Grand-Puy-Lacoste 5ᵉ Cru Classé Pauillac — *Cabernet Sauvignon 75 %, Merlot 25 %*

Couleur superbe, presque noire. Magnifique de profondeur et de jeunesse.	Nez riche, ample et intense. Des notes d'épices, de tabac, de cannelle. Très intéressant. Bonne persistance.	Extrêmement riche avec un bon soutien tannique. Saveur profonde, nette, presque fraîche. Très prometteur. Durera 20 ans.	Pauillac classique, fruit sauvage intense bien soutenu par le tanin. Vin presque parfait comme le Ducru et le Palmer, mais de style très différent.

Ch.-La Lagune 3ᵉ Cru Classé Haut-Médoc — *Cabernet Sauvignon 55 %, Cabernet Franc 20 %, Merlot 20 %, Petit Verdot 5 %*

Rouge dense très profond, une touche de brun. Solide et riche.	Léger goût de rafle. Cèdre, bois fumé, vanille. Très fruité.	Saveur concentrée, même un peu cuite. Finale tannique. Vin très ample.	Vin classique, ancien style, avant l'ère du bois neuf. Presque mûr avec un bon avenir.

Domaine de Chevalier Grand Cru Classé Graves — *Cabernet Sauvignon 65 %, Merlot 30 %, Cabernet Franc 5 %*

Belle robe rubis, de moyenne intensité. Assez jeune.	Joli bouquet aromatique. Fruité, floral (roses). Impressionnant et charmeur.	Savoureux, vin net. Retenu au départ. Ensuite élégant et avec bonne persistance en bouche.	Graves classique. Vin incroyablement élégant. Encore trop jeune. Très beau. Doit autant à son propriétaire qu'au terroir.

Ch.-La Mission-Haut-Brion Grand Cru Classé Graves — *Cabernet Sauvignon 65 %, Merlot 30 %, Cabernet Franc 5 %*

Couleur très riche et profonde de cassis. Intense, impressionnant.	Arômes intenses, épices, touche de menthe. Bonne concentration de fruits.	Riche, moelleux, épicé, saveur de cassis. Encore dense. A attendre 2-3 ans. Tout à fait le style « Mission ». Puissant. Longue vie à prévoir.	Entièrement différent du Domaine de Chevalier mais également typé « Graves » avec la même fraîcheur en fin de bouche. Couleur et concentration dignes des meilleurs vins de ce millésime.

Ch.-L'Evangile Grand Cru Pomerol — *Merlot 66 %, Cabernet Franc 34 %*

Rouge foncé, ample et profond, presque opaque. Pas de traces de vieillissement.	Ferme. Note de violettes sauvages. Encore un peu fermé.	Très ferme. Charnu, de la mâche. Beaucoup d'extrait sans beaucoup de charme. Doit attendre.	Vin très ample et solide. Plus ferme (et plus jeune) que prévu chez un Pomerol. La vinification et la grande proportion de Cabernet Franc pourraient en être la cause.

Ch.-Figeac 1ᵉʳ Grand Cru Classé Saint-Emilion — *Cabernet Sauvignon 35 %, Cabernet Franc 35 %, Merlot 30 %*

Couleur très profonde. Rouge riche et chaleureux.	Beau bouquet de fruits, riche, épicé, avec une note d'eucalyptus. Très séduisant.	Riche, fruité, moelleux. Elégant. Notes de cuir de Russie et de violettes. Encore très jeune. Vin très ample qui commence juste à s'assouplir.	Excellent. Tout à fait réussi. Très bien défini et encore loin de son apogée. Possède le fruit qui manque à l'Evangile.

Ch.-Ausone 1ᵉʳ Grand Cru Classé Saint-Emilion — *Merlot 50 %, Cabernet Franc 50 %*

Ample, mûr, rouge brique cuit. Léger brunissement sur les bords.	Nez de bois et de vanille. Assez concentré. Fruit mûr.	Saveur ferme de fruit et de bois, mais commence à se dessécher un peu. A boire sans attendre.	Diffère du Figeac (planté sur un sol « Graves »). Ausone vient des Côtes où le sol plus léger couvre le rocher.

Un Bourgogne rouge de 1964 à 1979

Le propos de cette dégustation verticale — ou chronologique — est de mettre en évidence les différences entre les millésimes d'un même vin; parmi les Bourgogne des années 1960 à 1970, nous avons choisi un vignoble de Volnay d'un seul tenant, le Clos de la Bousse-d'Or. Chaque millésime a été élaboré par le même viticulteur, Gérard Potel, ce qui nous permettra d'isoler au mieux le facteur « année ». Le Volnay est considéré comme l'archétype des vins de la Côte de Beaune.

Clos de la Bousse-d'Or, Volnay

Le domaine compte 13 hectares de vignes, avec des vignobles sis à Pommard et à Santenay ainsi qu'à Volnay. Le Clos de la Bousse-d'Or constitue un monopole. Il s'est appelé Clos de la Pousse-d'Or jusqu'en 1967, date à laquelle il a repris son nom d'origine, Clos de la Bousse-d'Or. Entre les terres du marquis d'Angerville et de Mme Hubert de Montille, ce domaine constitue l'une des plus belles propriétés de Volnay. En outre, Gérard Potel est

un viticulteur de talent. Sauf dans les années froides où la rafle risque de donner au vin un goût astringent plus qu'un soutien tannique, M. Potel n'érafle jamais. La fermentation se fait dans des cuves vitrifiées : le chapeau de marc est brisé et recouvert de moût bouillonnant plusieurs fois par jour, soit par pigeage, soit par remontage. Celle-ci dure habituellement de 12 à 14 jours. Le vin reste en moyenne 14 mois dans les fûts, qui sont renouvelés chaque année par moitié. Dans les années soixante, M. Potel ne filtrait pas ses vins avant la mise en bouteilles, mais afin de répondre aux exigences du marché d'exportation il leur fait subir maintenant un très léger filtrage. Il chaptalise le moins possible et pas du tout quand la présence de sucre naturel le permet, comme en 1971 et en 1978. Le rendement par hectare est moyen, parfois faible en raison d'une technique rarement utilisée ailleurs : l'ébourgeonnage, qui a lieu au printemps après une taille très sévère. Les pieds de vigne ont une moyenne d'âge de 20 ans.

ŒIL	NEZ	BOUCHE	CONCLUSIONS
1979			
Très jolie robe rubis, aspect jeune. Assez gras.	Beau fruit de Pinot, nuance de vanille.	Très séduisant, harmonieux, encore jeune mais souple et plus prêt à boire que le 1978, quoique plus mince.	Une floraison bonne mais tardive, un temps modéré d'été et des vendanges ensoleillées (29 sept.) ont donné une belle récolte. Seront prêts assez vite mais ils ont suffisamment de corps pour durer 10 ans.
1978			
Rubis, ample et soutenu. Plus profond que le 1979. A perdu de sa jeunesse.	Riche, velouté, complexe. Profondeur et bon potentiel.	Fermeté en bouche, opulence. Excellent équilibre, toute la finesse d'un beau Volnay.	Printemps froid, floraison tardive et partielle. Très mauvais été, mais un temps sec et ensoleillé dès la fin du mois d'août a permis une vendange « miraculeuse ». Petite récolte de vins fermes, bien équilibrés. A boire dans les années 1985-1995.
1977			
Rouge assez soutenu pour l'année mais le dégradé indique un vieillissement précoce.	Fruité agréable et mûr, presque de la confiture.	Mûr, léger, finale un peu métallique. Se goûte mieux en mangeant. A boire.	Eté long et pluvieux, taux faible de sucre naturel, acidité élevée, manque de couleur en général.
1976			
Robe d'une incroyable jeunesse, ferme. Rouge soutenu, très gras.	Bouquet de fruits sauvages concentrés, évoque les cerises distillées, le marc.	Très tannique, peu caractéristique de ce domaine. Plus d'extrait que de fruit en ce moment. Vaut la peine d'être attendu. 1988-2000.	Récolte de moyenne importance. Vins foncés, tanniques, réclamant une vinification soignée pour conserver la finesse du Pinot. Ressemblent aux 1964 mais avec encore plus d'extrait.
1973			
Rouge pâle moyen, se fane rapidement.	Nez léger de fraise. Séduisant, commence à se faner.	Vin bien équilibré. Encore du fruit mais il décline. Très séduisant à la fin des années 1970.	Année de production record. Beaucoup de vins déclassés et quelques très jolis vins à boire jeunes.

VOLNAY 1ᵉ CRU
CLOS DE LA BOUSSE D'OR
Monopole
19 6
APPELLATION VOLNAY CONTRÔLÉE
SOCIÉTÉ CIVILE DU DOMAINE DE
LA POUSSE D'OR
PROPRIÉTAIRE A VOLNAY (CÔTE D'OR)
GÉRARD J. POTEL
FRANCE

ŒIL	NEZ	BOUCHE	CONCLUSIONS
1972			
Rouge brique soutenu, brunissement sur les bords, maturité évidente.	Bouquet riche, animal, assez intense.	Saveur de Pinot mûr, du moelleux; prêt à boire. Finale de peu de charme. Très bon mais pas typique d'un Volnay.	Floraison assez tardive, temps frais et sec jusqu'au début de septembre. Vendanges assez tardives (4 octobre). Bonne couleur et acidité. Des vins assez austères en contraste total avec les 1971. Peut-être plus réussis dans la Côte de Nuits.
1971			
Rouge brique, mûr tirant sur le roux mais plus brillant que le 1972. Aspect très riche.	Bouquet de fruits confits, opulent sans être gras.	Riche, souple et fruité. Léger goût de grêle en milieu de dégustation; vive acidité, bonne finale. Très bon exemple qui peut durer encore quelques années.	Une floraison inégale suivie d'un beau temps estival interrompu par des orages de grêle à la mi-août a entraîné une diminution de la récolte, donc une concentration plus forte en sucre, mais aussi un goût de grêle caractéristique. Vendanges précoces (16 septembre). de raisins excessivement mûrs d'où des vins riches et puissants.
1969			
Rouge moyen qui brunit sur les bords. Plus pâle que prévu.	Concentré et, curieusement, encore fermé.	Vin ferme, rude et ample, pas très Volnay. Se situe entre le 1971 et le 1964. Ne se montre pas à son avantage.	Floraison tardive, beau mois de juillet et août; septembre pluvieux mais beau temps pour les vendanges (6 octobre). Petite production de vins très tanniques. Bon millésime un peu ancien style. A boire entre 1984-1990.
1966			
Belle robe rouge-brun aux bords dorés. Très belle couleur.	Nez concentré et moelleux de fruits mûrs. Grande finesse.	Moelleux, souple, harmonieux, longueur et équilibre excellents. Pur Volnay. Ses seize années ne lui pèsent pas.	Printemps froid, juin plus chaud, juillet et août décevants, beau temps pour les vendanges (29 septembre). Des vins racés et distingués, assez discrets au départ mais très bien équilibrés.
1964			
Rouge-brun assez ample, plus riche et profond que le 1966.	Nez mûr, presque pétrole, avec des nuances de chocolat.	Bien équilibré ferme. Un vin robuste et mûr sans le moelleux des 1966. Très beau. Accompagne parfaitement la belle cuisine (voir Volnay de Montille, p. 154).	Printemps très froid, très beau temps en juin et bonne floraison. Eté très chaud (comme en 1976), d'où bonne concentration dans les raisins. La vendange (24 sept.) a fourni des vins robustes et charpentés de grand caractère et de beaucoup d'avenir.

Note : les dates citées indiquent le premier jour des vendages au domaine.

Un Bordeaux rouge de 1970 à 1979

La même méthode de dégustation est ici utilisée pour examiner les différences de caractère et l'état d'évolution du vin à un moment donné en choisissant un vin de Bordeaux. La décennie 1970 se distingue par l'abondance des millésimes de qualité. Cela est dû autant à l'amélioration des techniques de viticulture et de vinification qu'au rôle joué par les conditions climatiques.

Nous avons choisi ici de présenter le Château-Giscours, un des meilleurs meilleurs châteaux du Médoc.

Château-Giscours, 3ᵉ Grand Cru Classé, Margaux

Le domaine appartient à M. Pierre Tari, président de l'Union des Grands Crus Classés du Médoc, dont son père, Nicolas Tari, fit l'acquisition en 1952. Le vignoble couvre une superficie de 75 hectares, dont 68 sont actuel-lement complantés de Cabernet Sauvignon (65 %), de Merlot (20 %), de Cabernet Franc (10 %) et de Petit Verdot (5 %). Le sol se compose d'une couche épaisse de graves sur fond de sable, le tout superposé d'une mince couche de terre arable. La couche graveleuse fournit un bon drainage, ce qui est très important car un excès d'eau est nuisible. La vinification est conduite selon des méthodes à la fois modernes et traditionnelles : éraflage suivi d'un léger foulage, moût fermentant dans des cuves vitrifiées et température contrôlée avec soin pour l'empê-cher de s'élever au-dessus de 30 degrés. La durée de la cuvaison varie de dix à vingt jours selon le millésime; 15 % de vin de presse au maximum peuvent être ajoutés au moment des assemblages. Les vins passent entre dix-sept et vingt-huit mois en fûts renouvelés par quart chaque année.

	ŒIL	NEZ	BOUCHE	CONCLUSIONS
1979	Rubis profond et soutenu. Eclat de la jeunesse.	Nez généreux, presque opulent. Beaucoup de fruit.	Ferme, encore tannique mais beaucoup de fruit, de charme et de classe. Beau vin ample, très prometteur. A boire vers 1985-1995.	Les conditions climatiques idéales en juin ont permis une belle floraison. Ven-danges commencées début octobre, récolte abondante de petits raisins sains. Pro-portion importante de peaux par rapport au jus, d'où une belle couleur et beaucoup de corps.
1978	Rubis profond, lé-gèrement plus foncé que le 1979 mais as-pect moins jeune.	Encore fermé mais commence à dévelop-per un nez bien consis-tant de fruits et de baies.	Ample, robuste, complexe, bonne persistance. De la classe. Evolution lente. A boire vers 1990-2000.	Floraison inégale et temps frais jusqu'à la fin août. En-suite, du soleil jusqu'aux vendanges. Raisins sains, bon taux de sucre. Récolte plutôt faible. Les vins ont une belle couleur et un bon équilibre fruit/tanin. Millé-sime classique.
1977	Joli rouge brique, visiblement plus pâle que le 1978.	Fruit séduisant. Légère âpreté.	Bonne saveur et bon équi-libre. Acidité masquée par le fruité. A boire.	Le Merlot a souffert des ge-lées de printemps. Florai-son tardive pour tous les cé-pages. Eté décevant mais bonnes vendanges par temps sec début octobre.
1976	Robe mûre rouge brique, reflets bruns en périphérie.	Floral, élégant, déjà mûr.	Séduisant et savoureux. Encore vif et frais mais manque de profondeur. Bon pour le millésime.	Après un été très chaud et sec, vendanges exception-nellement précoces début septembre. Récolte plus abondante qu'en 1977 ou 1975. Très belle couleur, mais les vins manquent de structure. Quelquefois un peu plats et creux par man-que d'acidité. Bon à boire.

ŒIL	NEZ	BOUCHE	CONCLUSIONS
1975			
Rubis bien soutenu, un peu moins ample que le 1979 et le 1978.	Arômes complexes de Cabernet. Ferme, encore fermé. Très prometteur.	Ferme, complet, dense. Style résolument Cabernet. Encore très dur. A boire vers 1986-2000.	Bonne floraison; été chaud et sec. Vendanges en septembre précédées de quelques pluies. Faible récolte due à la sécheresse. Vins de très bonne qualité, bonne couleur et beaucoup de corps. A garder en cave.
1974			
Très belle robe rubis, étonnamment jeune.	Bon fruit, franc et plaisant.	Bien fait, bon fruit, assez persistant. Bonne finale. Echappe au côté mesquin de ce millésime. Un beau Médoc, à son optimum aujourd'hui.	Bonnes conditions jusqu'à la mi-septembre quand le temps froid et pluvieux s'est installé pour se poursuivre pendant la durée des vendanges. Abondance de vins un peu durs sans grande classe.
1973			
Rouge brique moyen; mûr.	Nez ouvert, fruité, mûr et moelleux.	Séduisant et souple, fruité moelleux. Bien fait, bon pour ce millésime. A boire sans attendre.	Une bonne floraison suivie d'un bel été a fait croire au « millésime du siècle ». Mais des orages pendant les dix premiers jours des vendanges ont entraîné une énorme production de vins plaisants mais assez légers.
1972			
Rouge brun ample et mûr, nuance plus foncée que le 1973.	Ferme avec un certain fruité.	Bien fait, bonne longueur et bon équilibre pour ce millésime. Finale un peu astringente. A boire.	Printemps froid et mauvaise floraison, suivis d'un été frais et pluvieux. Vendanges très tardives commençant à la mi-octobre. Vins de qualité inégale et en général sans intérêt.
1971			
Couleur profonde, soutenue mais pâlissant vers les bords.	Complexe, aromatique, cèdre, épices. Très beau.	Mûr, ample en bouche sans grande complexité. Très bon équilibre et bonne finesse. Illustre bien la distinction d'un Grand Cru Classé. A boire.	Mauvaise floraison donnant lieu à une petite récolte. Temps moyen pendant l'été, beau pour les vendanges. Qualité moins uniforme que les 1970, vins plus légers. Néanmoins, beau millésime.
1970			
Bonne couleur, ample avec des reflets bruns.	Complexe, pas entièrement ouvert mais belle profondeur.	Ample, saveur et textures soyeuses. Très prometteur. Elégance encore assez discrète. Très long en bouche avec arrière-goût légèrement poivré. A boire vers 1985-2000.	Millésime exceptionnel. Récolte d'excellente qualité et très abondante. Printemps frais, floraison tardive, bel été précédé d'une période fraîche et pluvieuse. Beau temps chaud pendant les vendanges qui ont commencé début octobre.

Vins vinés et vins de dessert

Les vins vinés se boivent habituellement seuls, soit en apéritif, soit après le repas. Rien n'interdit, cependant, de les boire en accompagnement de certains plats; par exemple, du Xérès ou du Madère avec la soupe, du Porto avec le fromage; mais ce sont là des coutumes qui varient selon chaque pays. Cette dégustation permet de comparer des vins vinés de style différent, auxquels nous avons ajouté deux vins très rares du Jura : un vin jaune et un vin de paille. Ces derniers ne sont pas des vins vinés mais ils ont une personnalité telle qu'ils se joignent plus facilement à cette catégorie qu'à aucune autre.

Il est difficile de confronter ces vins d'origines si différentes. Au cours de leur élaboration, les vins sont mutés par adjonction d'alcool à des stades très variables selon le type de vin considéré. Certains sont très secs, d'autres sont naturellement doux. Le Xérès et le Madère sont essentiellement des vins blancs qui prennent une teinte plus foncée (qui *madérisent*) en vieillissant, tandis que le Porto et le Banyuls sont des vins rouges qui, avec l'âge, perdent de la couleur. La plupart ont tendance à devenir progressivement plus secs jusqu'à ce que l'alcool domine le fruit. Il faut, cependant, très longtemps avant de parvenir à ce stade.

ŒIL	NEZ	BOUCHE	CONCLUSIONS
Xérès Fino			« La Ina »/Domecq
Jaune paille, clair, brillant, ressemble à la couleur d'un Mâcon Blanc, net et frais.	Sec, presque salé. Nez type de *fleur du vin*, vif et subtil. Sec sans être austère.	Attaque très franche, saveur intense, longue et persistante. Finale nette au goût vif et piquant.	Un Fino sec classique, jeune, harmonie entre finesse et corps.
Vin Jaune d'Arbois 1975 Mise en bouteilles 1982			Rolet Père et Fils/Arbois
Jaune paille soutenu aux reflets verts. Aspect presque huileux.	Nez intense de *fleur du vin*, noix, forte acidité, très typé.	Bouche longue et concentrée. Assez difficile à cause d'une forte acidité. Vins sans concessions. N'a pas le charme d'un vin muté.	Vin millésimé. Goût d'un vieux Xérès Fino, plus concentré et moins alcoolisé. Son long séjour en fût lui donne beaucoup d'intensité.
Vin de Paille d'Arbois 1979			Rolet Père et Fils/Arbois
Or ambré. Belle couleur lumineuse. Très riche d'aspect.	Fruité, surtout abricot. Moelleux et intense, riche et onctueux.	Moelleux, concentré. Plutôt une « essence de vin » qu'un vin. Aussi riche qu'un Eiswein allemand.	Parfait comme apéritif ou vin de dessert après le dîner. Très aromatique. Richesse due à la concentration de sucre dans les raisins passerillés.
Vin Doux Naturel Muscat de Beaumes-de-Venise			Domaine de Durban/Leydier et Fils
Jaune paille, un peu plus ample que le Xérès Fino. Incroyablement riche et très gras.	Très aromatique, abricots, amandes, pâte d'amande. Bouquet ensoleillé, moelleux, délicieux.	Riche, onctueux, très riche. Abricots séchés. Bonne acidité en début de bouche mais finale un peu chargée. Pas trop alcoolisé.	Sans millésime. Surtout du 1981. Manquent la finesse et le côté fleuri de certains Muscat. Très riche, mais manque un peu de nerf comme apéritif.
Vin de Liqueur Pineau des Charentes			Domaine Haute-Roche/Mme Raymond Ragnaud
Jaune paille doré, légèrement plus foncé que le Muscat mais d'un aspect moins riche.	Floral, arômes de fruits fermentés. Assez gras, alcool très prononcé.	Goût de jeunes fruits, de mirabelles. L'alcool perce en fin de bouche sur une note de paille.	L'alcool n'a pas eu le temps de s'intégrer au moût (millésime 1982, bu en 1983). Franc, bien constitué et pas trop sucré.
Xérès Amontillado			« Dry Don »/Sandeman
Ambre moyen. Net et brillant.	Nez plus doux, plus brûlé que le Xérès Fino, légèrement caramel et confiture.	Plus riche et plus corpulent que le Xérès Fino. Même goût un peu brûlé qu'au nez. Bonne acidité en finale qui équilibre le sucre.	Bonne illustration d'un Xérès commercial. Utilisation de caramel pour parvenir à la couleur et à la finition recherchées.

ŒIL	NEZ	BOUCHE	CONCLUSIONS
Vin Doux Naturel Banyuls Vieux 1978			Propriété Saint-Louis/Mme Bertan-Maillot
Rouge brique pâle dégradé brun doré. Assez riche.	Fruits sucrés et concentrés. Plus un vin qu'un vin de liqueur.	Doux, plutôt léger en bouche mais persistant. La surmaturation due au soleil joue un plus grand rôle que l'addition d'alcool.	Légèreté inattendue pour un Banyuls de 4 ans d'âge. Moins concentré, moins style « Porto ». A boire plutôt après le dîner.
Porto Ruby			Fine Ruby/Sandeman
Beau rubis moyen sans reflets bleuâtres, tuilé, mais pas encore fané et « tawny ».	Bonne concentration de raisin et alcool considérable.	Spirituel et épicé. Attaque agréablement fruitée. Légèrement poivré, assez léger pour un Ruby.	Saveur concentrée et agréable sans être extraordinaire.
Porto Millésimé			1980/Taylor
Robe carmin-pourpre, profonde et intense, presque opaque. Bords violacés. Très riche.	Bouquet riche et profond de baies. Rappelle un Zinfandel. Traces d'amertume en finale. A ce stade, une note de Cherry Brandy.	Riche, très ample en bouche, doux, épicé, moins rude que prévu. Tient bien en milieu de bouche et superbe finale.	Echantillon tiré de fût. Le « Château-Latour des Porto ». Sera superbe dans 20 ans. Classique.
Porto Millésimé			1960 (mise en bouteilles 1962)/Dow
Profond, robe vieille tuile d'un Bordeaux 1966. Très joli dégradé de brun doré sur les bords.	Riche, complexe, fruité et doux. Encore épicé mais très complet et bien fondu.	Belle attaque, saveur moelleuse un peu brûlée, concentré et plein en milieu de bouche. Note de violette. Sucre bien fondu. Finit en douceur.	Bel exemple d'un Porto d'un bon millésime un peu léger en pleine maturité.
Porto Tawny			Vingt ans d'âge (mise en bouteilles 1981)/Taylor
Classique, couleur rouge-brun-orangé (tawny) d'un vin rouge vieilli pendant 20 ans en fût. Chaud et lumineux. Bords jaune-vert rappelant un vieux Cognac.	Bouquet sec et de noisette, surtout de noix. Nez épicé, spirituel, fruits secs. Beaux arômes persistants.	Doux, très bonne persistance en bouche du fruité et des épices. Long et bien équilibré. Très bien constitué.	Contraste parfait avec les Porto millésimés. Un peu plus fin et facile à digérer.
Xérès Oloroso			« Royal Corregidor »/Sandeman
Belle robe ambre-caramel, avec des dégradés jaune-vert près des bords. Riche, topaze brûlée. Grande profondeur.	Bon nez caramélisé. Net et franc. Très vif malgré le moelleux.	Caramel en début de bouche. Persistance du sucre sur le bout de la langue équilibrée par une pointe d'acidité en fin de bouche. En pleine maturité.	Oloroso de 20 ans d'âge. Presque aussi riche qu'un Château-d'Yquem. Saveur fine et rare.
Madère Verdelho			1846/Blandy
Jaune-or ambré, plus pâle que l'Oloroso (un vin blanc qui a pris de la couleur en vieillissant, contrairement au Porto Twany de Taylor).	Merveilleux bouquet vif et aérien. Amandes brûlées. Presque aussi spirituel qu'un beau Cognac.	Goût vif et spirituel. Bouche incroyablement intense bien que dépouillée de toute sa richesse et de son gras. Saveur fruitée de bois de rose venant du vin d'origine.	Une expérience étonnante. Parfait.

Les robes : vins blancs

Muscadet de Sèvre-et-Maine 1981. *Vin blanc léger de la Loire*
Très pâle, presque incolore, frais et séduisant. Dans les années très ensoleillées comme 1976, le jaune peut être plus prononcé; mais il a par nature une robe pâle.

Pouilly-Fumé 1981. *Vin blanc léger de la Loire*
Légèrement plus amples que le Muscadet, les Pouilly-Fumé et les Sancerre issus de Sauvignon doivent avoir la couleur d'un vin blanc sec et vif. Après 3-4 ans le vin perd sa fraîcheur et sa robe se ternit.

Riesling 1981. *Vin blanc jeune d'Alsace*
La même nuance que le Pouilly-Fumé, plus soutenue avec des reflets verts. La couleur, typique d'un vin jeune, deviendra plus intense en vieillissant, mais restera assez fraîche grâce à l'acidité.

Meursault 1978. *Grand blanc classique de la Côte de Beaune*
Robe plus ample et profonde que le Riesling. Teinte proche du beurre. Couleur jeune, indice d'un Meursault 1978 bien fait qui n'accuse aucun signe de fatigue.

Chardonnay 1978. Trefethen. *Chardonnay de Napa Valley*
Robe proche de celle du Meursault — un Chardonnay du même millésime, mais en plus évolué. Teinte jeune pour un Chardonnay de Californie.

Arbois 1980. *Vin blanc mûr du Jura*
Jaune moyen, aspect mûr bien que ce vin soit plus jeune que les deux Chardonnay. Cette robe plus intense est due au cépage Savagnin et à l'élevage en fûts.

Vouvray 1966. Demi-sec. *Blanc de la Loire à maturité*
Couleur remarquablement fraîche pour un vin de 16 ans, grâce à l'acidité du Chenin Blanc. Nuance de miel, pleine et soutenue. Peut se maintenir plusieurs années.

Château-Suduiraut 1967. *Sauternes de première qualité approchant de son apogée*
Le jaune doré, riche et plein d'un vin liquoreux au sommet de sa courbe d'évolution. Il va virer au jaune ambré dans les années à venir.

Les robes : vins rosés

Bourgueil Rosé 1981. *Rosé de Touraine très léger*
Rosé clair presque incolore. Le contact très rapide entre
la peau et le jus donne ces couleurs charmantes. Vin à
boire jeune.

Rosé de Bandol 1981
Couleur pâle due au contact bref avec la peau. La teinte
orange doux provient du vieillissement en bois. Ce vin
déjà assez mûr peut encore vieillir.

Domaine des Férauds 1981. *Rosé de Provence*
Un autre style de rosé, de Provence également. Une macération plus prolongée a donné davantage de couleur
mais le vin est entreposé en cuves inox et mis rapidement
en bouteilles pour conserver la fraîcheur du fruit. A traiter comme un vin rouge très léger.

Rosé d'Arbois
Ce vin rosé est vinifié en rouge mais le peu de pigment
dans le cépage Poulsard lui donne son teint rosé. Il se
singularise par le pourtour brunâtre du disque

Les robes : vins rouges

Volnay 1979. *Un Côte-de-Beaune jeune*
Illustre l'aspect jeune et frais d'un Pinot de 3 ans issu d'une récolte abondante. Joli vin d'aspect fruité. Les bords un peu aqueux laissent prévoir une évolution assez rapide.

Volnay 1978. *Côte-de-Beaune manquant de maturité*
D'une récolte beaucoup plus limitée. Couleur plus intense, plus riche et moins *primeur* que celle du 1979. La teinte sang de bœuf révèle une certaine évolution mais on est encore loin de la maturité.

Volnay 1976. *Côte-de-Beaune manquant totalement de maturité.*
D'une année où les peaux étaient exceptionnellement épaisses et foncées, d'où la couleur concentrée. Aspect aussi jeune que le 1978; ne sera pas prêt avant longtemps. Le Pinot Noir a rarement cette intensité.

Volnay 1971. *Côte-de-Beaune mûr*
Un Bourgogne rouge parfaitement mûr, à qui il reste une longue vie. Le rouge ample du 1978 a pris de riches nuances acajou. Cette intensité ne fera que décliner.

Les robes : vins rouges

Brouilly 1981. *Jeune Beaujolais classique âgé d'un an*
Teinte de vin jeune, beau rouge aux reflets violets. L'aspect idéal d'un Gamay : pas trop lourd, pas trop léger, très séduisant. Le vin perdra sa couleur et sa jeunesse vers 3-4 ans.

Chinon 1981 (Charles Joguet, Vieilles vignes). *Vin fin rouge de Touraine*
Très belle couleur. Riche, franc, rouge-carmin à bords violacés. En général ces vins se boivent jeunes. Appréciés pour leur goût de terroir.

Crozes-Hermitage 1979. *Rouge jeune des Côtes-du-Rhône*
Rouge-cassis foncé typique du cépage Syrah. Commence à perdre la teinte pourpre et opaque d'un vin trop jeune. A boire pour son fruité ou à garder.

Zinfandel, Ridge Vineyards, Paso Robles Estate 1978. *Zinfandel intense de Californie*
Encore plus dense que le Crozes-Hermitage. Riche teinte de cassis sans trace de fatigue. La rondeur et le tanin se devinent à la couleur.

Château-Laroze 1978. *Jeune Saint-Emilion*
Robe soutenue, teinte acajou avec de légers dégradés. La pâleur des bords du disque trahit la maturité. L'aspect général est encore très jeune.

Château-Giscours 1979. *Jeune Médoc*
Couleur profonde et lumineuse digne d'un Haut-Médoc réussi. Parfaite prise de couleur avec la profondeur d'un Cabernet Sauvignon. Teinte typique d'un vin jeune (ici âgé de 3 ans).

Château-Giscours 1971. *Médoc à son optimum*
Un Bordeaux entièrement mûr d'un millésime bon sans être grand. La couleur rouge brique aux dégradés rouge-brun et les bords aqueux indiquent qu'il a atteint son apogée.

Vacqueyras 1967. *Côtes-du-Rhône à son optimum*
Couleur plus profonde, plus robuste et plus chaude que le Giscours, mais à peu près au même stade d'évolution. A atteint son apogée et déclinera doucement.

Les vins et les mets 1

Les quatre saveurs fondamentales

L'accord entre mets et vins est complexe, ce qui témoigne de la richesse des associations possibles. Même réduite aux quatre saveurs fondamentales perçues par les papilles de la langue : salé, acide, sucré, amer, la question n'est pas simple. La perception de ces quatre goûts n'est pas simultanée. Les éléments sucrés sont perçus instantanément, mais leur persistance en bouche n'excède pas dix secondes ; l'acide et le salé se manifestent rapidement eux aussi mais leur perception se prolonge ; l'amer est lent à se développer et à croître, mais il subsiste longtemps.

Des études de laboratoires français ont permis de dresser un tableau, encore incomplet, des interactions entre ces quatre saveurs :

- le salé renforce l'amer ;
- l'amer atténue l'acidité ;
- le goût sucré atténue l'impression de salé, d'amer et d'acide ;
- l'acidité couvre, mais très provisoirement, l'amertume ;
- l'acidité augmente la perception du sucre.

Les grands vins ont été conçus pour être bus en mangeant. Mets et vins doivent se prêter leur concours.

Les règles de succession des mets

La succession des mets obéit à un certain nombre de règles :

- ne pas commencer par un plat trop épicé ; une progression dans les saveurs est indispensable ;
- le salé doit précéder le sucré ;
- ne pas servir trop de féculents ;
- ne pas multiplier les plats en sauce, etc.

Les vins doivent être servis selon certaines règles :

- du plus jeune au plus vieux (attention ! vieux ne signifie pas usé) ;
- du plus léger au plus corsé ;
- du plus frais au plus chambré ;
- du moins alcoolisé au plus alcoolisé ;
- du plus sec au plus moelleux ;
- les blancs avant les rouges ;
- pour le même vin, varier le millésime.

La difficulté est d'harmoniser les mets entre eux, les vins entre eux, les vins et les mets.

Il sera parfois difficile sinon impossible de faire coïncider toutes ces règles. On fera en sorte qu'un vin nouvellement servi ne fasse jamais regretter celui qui vient d'être bu. Les solutions classiques exploiteront généralement les similitudes : à plat fin, vin délicat ; à plat robuste, vin corsé ; les associations plus audacieuses, elles, joueront sur les effets de contraste. Certains accords peuvent s'imposer d'eux-mêmes : un plat régional d'une contrée viticole est toujours en harmonie avec un vin issu de ladite région ; un mets cuisiné au vin réclamera le vin de la cuisson ou une bouteille sœur légèrement supérieure.

Les vins de tout un repas

Un repas complet avec un seul type de vin peut paraître plus facile à organiser, mais ce n'est pas toujours évident. Le choix du rouge laisse une bonne marge de manœuvre tandis que la progression semble plus difficile à établir avec le rosé : on limitera ses ambitions à des plats méridionaux simples et de bon goût. Un repas tout au blanc sera composé de poissons, voire de viandes blanches, et de fromages de chèvre !

Le menu au Champagne est un classique. On peut jouer sur l'altitude des cuvées (courante ou haut de gamme) et les proportions respectives de raisins blancs et noirs. On servira le Bouzy rouge avec le fromage, et, naturellement, le Rosé des Riceys accompagnera le fromage des Riceys.

Moins classique, le repas tout au vin liquoreux ou tout au Porto exige des connaissances œnologiques et culinaires ainsi que de l'imagination. Ce peut être une prodigieuse réussite.

Ci-dessus, homard et truites avec une bouteille de

Les vins et les mets 2

Apéritifs

Le classicisme conduit au choix d'un vin blanc sec, tranquille ou effervescent, en guise d'apéritif, mais ce moment de détente avant le repas autorise de nombreuses improvisations. Nous n'évoquerons pas le whisky, le gin, etc., qui préparent mal le palais aux vins du repas.

La bouteille apéritive peut se boire seule ou accompagnée de cacahuètes, de biscuits salés, de toasts au caviar ou au saumon, de petites saucisses chaudes, de feuilletés au fromage ou aux anchois, etc., qui ne gênent pas, sauf les olives et les pickles, la dégustation du vin. Blancs secs, mousseux et Champagne brut (Blanc de Blancs), éventuellement rosés, seront de bonne compagnie. Si l'on ne craint pas de transgresser la règle qui impose le plus sec avant le moelleux, le moins alcoolisé d'abord, on aura recours aux Vins Doux Naturels, aux Xérès et aux vins liquoreux. On lie généralement la dégustation de ces derniers aux desserts, mais, nous le verrons, l'association sucre-vins moelleux n'est pas aisée; de plus, en fin de repas, les convives sont arrivés à satiété et peuvent bouder un vin aussi riche.

La composition du repas influencera le choix du vin apéritif. Un melon en hors-d'œuvre incitera à accueillir les invités avec un vin de liqueur et à en garder pour arroser le melon. Un repas qui débute par un foie gras sera l'occasion de servir un grand liquoreux, bien que ce mets de choix s'accommode à merveille de tous les grands vins de haut niveau, blancs et rouges, de préférence évolués.

Hors-d'œuvre, charcuteries, etc.

Le vin ne doit pas être servi avec la soupe. Le vinaigre est un ennemi du vin, aussi les hors-d'œuvre en vinaigrette sont-ils de mauvaise compagnie. Les assaisonnements au citron sont tout aussi redoutables. La cuisinière peut parfois tourner la difficulté en remplaçant le vinaigre par du vin blanc (dans une salade de pommes de terre, par exemple). Les œufs, excepté ceux cuisinés au vin (œufs en meurette), sont aussi à proscrire.

Avec les charcuteries, on préférera un rosé ou un rouge léger, éventuellement un blanc d'Alsace. Attention! le jambon de Paris confère au vin (rouge surtout) un goût métallique (ce n'est pas le cas des jambons fumés). Les rillettes et certaines terrines ont un moelleux qui ne déteste pas le voisinage d'un Coteaux-du-Layon dont le sucre est compensé par une acidité qui lui donne de la nervosité.

Pas d'association vineuse heureuse avec les escargots, car l'ail entrant dans leur préparation contrarie la dégustation.

Pas de grands vins rouges avec les coquillages et les poissons. Aucun rouge, préten-

Ci-contre, jambon persillé que l'on accompagnera d'un Mâcon-Viré.

dent certains. Quelques exceptions leur donnent tort.

Coquillages

La coutume associe huîtres et blancs secs. Attention ! le sel renforce désagréablement l'acidité du vin. Certains ont tourné la difficulté en choisissant un rouge léger. Les tanins s'accordent mal avec les protéines du poisson et un fruité trop exubérant est incompatible avec les odeurs aminées des produits de la mer.

S'abstenir d'employer du citron qui perturbe tous les types de vin. Si l'on s'en tient à l'alliance classique avec les blancs, les choisir à la fois secs et ronds (Chablis) ou légèrement plus moelleux (Côte-de-Beaune).

Crustacés

La plupart des crustacés, homards, langoustes, coquilles Saint-Jacques, sont d'un prix qui interdit une préparation culinaire médiocre; pour la même raison, éviter l'alliance avec une bouteille ordinaire et choisir de grands blancs bordelais, du Rhône ou de Bourgogne.

Poissons

Les poissons flattent et sont flattés par les vins blancs. On appliquera la règle : à préparation fine, vin nuancé et complexe. Poissons froids mayonnaise : petits blancs vifs, nerveux. Soufflés et terrines de poisson : les blancs les plus subtils, sauf lorsque l'aneth domine. Poissons frits ou grillés : blancs secs moyens. S'ils sont odorants (sardines, anchois) : rosés (rarement flattés). Poissons fumés : blancs secs au caractère accusé ou Xérès si l'on veut éviter les eaux-de-vie blanches (Vodka, Genièvre, Aquavit, etc.). Réserver les grands Bourgogne blancs, les vieux millésimes de la Loire (Vouvray) ou un grand Champagne aux poissons fins cuits au four ou au court-bouillon et accompagnés ou non de sauces nobles (brochet, saumon frais, turbot, etc.). Même règle pour les recettes à base de quenelles.

Pour tout poisson cuisiné au vin rouge (lamproie à la bordelaise, anguille, truite, sole), servir le vin du pochage ou de la sauce, voire un vin de même type mais supérieur.

Bouillabaisse : les vins subtils étant écrasés par le safran, leur préférer des rosés ou des blancs secs pas trop ambitieux.

Caviar : vin blanc sec et racé (Bourgogne, Champagne).

Ci-dessous, à gauche, écrevisses à la nage avec un Seyssel.

Ci-dessous, quiche aux fruits de mer avec un Listel Gris.

Les vins et les mets 3

Volailles

Dans les repas d'antan, où une volaille pré-
cédait une viande rouge suivie d'un gibier, un
rouge léger s'imposait. Aujourd'hui, la volaille constituant souvent la pièce maîtresse du
menu, seul un autre rouge lui succédera avec
le plateau de fromages. On lui réservera un
bon millésime de Bourgueil ou de Chinon si
c'est une volaille à viande blanche (poulet) ou
un rouge plus charpenté (Cahors, Madiran) si
la chair est colorée (canard).

Ne pas oublier les habitudes régionales. La
région de Sauternes-Barsac propose poulet
rôti et vins liquoreux, la Champagne, volaille
au four et « bulles ».

Les volailles pochées aiment les blancs demi-secs ou moelleux. Les volailles en gelée,
un blanc sec fruité.

Des rouges tanniques accompagneront les
confits d'oie et de canard (Médoc, Saint-
Emilion, Madiran). Pas d'hésitation avec les
coqs au vin jaune ou au Chambertin, etc., le
vin de la cuisson s'impose.

Viandes blanches

Appartiennent à cette catégorie le veau, le
porc et l'agneau. Les viandes blanches rôties
n'affichent pas de goûts accusés, aussi aiment-
elles la compagnie des rouges fins. Agneau
rôti et Médoc forment un couple légendaire.
Si l'on choisit un Bourgogne, on préférera un
Côte-de-Beaune.

Les abats de veau (ris, rognons) impliquant
une préparation culinaire raffinée, leurs
compagnons vineux auront de la distinction
(Médoc, Graves, Pomerol ou premiers crus
de Volnay, Pernand-Vergelesses en Bourgogne).

Les recettes à base de sauces blanches
(blanquette de veau, par exemple) ne sont
guère amies des vins. Ne pas sacrifier de
grandes bouteilles mais déboucher un rouge
léger, à boire jeune et frais.

Farineux et légumes

D'une manière générale, les légumes ne
mettent pas en valeur les vins.

Asperges, artichauts, épinards, oseille ont
une acidité qui ne se conjugue pas avec le vin.
Le fenouil impose son goût anisé. Le chou,
lui, sous forme de choucroute, a trouvé un
allié dans le vin d'Alsace ou encore le Champagne.

Les champignons ont un faible pour le jus
de la treille et peuvent flatter blancs et rouges.
La truffe notamment a le secret des mariages
réussis (Pomerol, vieux Jurançon, Champagne, Côte-Rôtie, etc.). Morilles et vin
jaune font un mariage d'amour, tout comme
les cèpes et les Saint-Emilion ou les Pomerol.

Les farineux (nouilles, riz, pâtes), bien que
neutres, ne sont pas des faire-valoir du vin.

Ci-contre, *coq au vin*
jaune aux morilles avec
un vin jaune du Jura.

Ci-dessous, *poulet au*
vinaigre avec un
Beaujolais-Villages.

Viandes rouges

Appartiennent à cette catégorie le bœuf et le mouton. Ce dernier n'existe plus en France. Tout ce qui est vendu sous ce nom est de l'agneau. Le bœuf aime les vins rouges. Cette viande qui a de la sève en exige de ses compagnons. Le plus modeste dans ses revendications : le pot-au-feu. Beaujolais et vins du Mâconnais lui conviennent.

Bœuf grillé : les crus du Beaujolais, les Bourgogne génériques ou les appellations communales ainsi que les Saint-Emilion. Bœuf rôti : vins présents et généreux (bonnes AOC bourguignonnes, vins de la vallée du Rhône).

Dans la cuisine au vin, une bouteille de même origine mais de qualité supérieure à celle employée pour la marinade ou la sauce est conseillée.

Gibiers

Allier des rouges chaleureux et corsés à la viande du gibier aux saveurs prononcées.

Gibier à plume : dans le Bordelais on choisira un cru classé de Graves ou du Médoc; en Bourgogne, des premiers crus de la Côte-d'Or ou un grand millésime de la Côte Chalonnaise (Mercurey, Givry).

Gibier à poil : grands rouges de la vallée du Rhône septentrionale (Côte-Rôtie) ou méridionale (Châteauneuf-du-Pape). Si l'on craint des difficultés de succession au moment du fromage, recourir aux beaux climats de la Côte de Nuits, éventuellement à un Saint-Emilion, un Pomerol à forte personnalité (Château-Canon, Vieux-Château-Certan).

Cuisine épicée

La cuisine fortement épicée, qu'elle soit indienne, d'Afrique du Nord, d'Amérique du Sud, etc., causera des difficultés à la maîtresse de maison soucieuse de les accompagner d'un vin. Une belle bouteille serait sacrifiée, aussi vaut-il mieux avoir recours à un flacon dont la première qualité sera d'être désaltérant; un rouge léger bu frais, un rosé, voire un blanc sans trop d'acidité, celle-ci prenant de l'âpreté en se mariant avec certaines épices

Un Gewurztraminer peut résister à un curry nuancé.

Ci-contre, tarte aux cailles avec un Pinot Noir d'Alsace.

Les vins et les mets 4

Vins et fromages

Est-ce la place de choix occupée par les fromages dans un menu (moment du rouge le plus prestigieux) qui a créé et entretenu la légende de l'alliance parfaite entre fromages et vins ? Si le fromage bénéficie de la présence du vin, la réciproque est plus rare.

Il y a fromage et fromage. Les bons affineurs sont rares. La même étiquette peut désigner des produits qui n'ont aucune parenté (goût et matière). Nos commentaires ne concerneront jamais ces légions de pâtes figées qui se prétendent affinées; quand elles se mettent à couler, il est trop tard et elles agressent le palais, par un goût trop salé ou ammoniaqué. Les fromages qui affirment une origine précise faciliteront le choix d'une bouteille. Il existe un lien naturel entre les spécialités viticoles et fromagères : Munster et vin d'Alsace (Gewurztraminer), Epoisses et Bourgogne (Côte-d'Or), Banon et Côtes-de-Provence, Crottin de Chavignol et Sancerre, Morbier et Arbois rouge, etc. On peut aussi s'appuyer sur la nature même du fromage, c'est-à-dire la matière de base et le mode de traitement.

Ci-contre, fromages bourguignons et des environs (Montrachet, Langres, Gratte-Paille, Charolais mi-chèvre) avec un Côte-de-Beaune-Villages.

Ci-contre, le Roquefort, délicieux avec les vins rouges corsés de la vallée du Rhône.

Pâtes fraîches (tous les fromages frais): blancs secs, rosés ou rouges légers.

Fromages de chèvre: blancs secs et fruités.

Pâtes molles persillées (de vache comme le Bleu d'Auvergne, des Causses, de Bresse, etc., ou de brebis comme le Roquefort): vins séveux et corsés de la vallée du Rhône, ou liquoreux. La tradition du sud-ouest Roquefort-Sauternes s'inspire de la coutume Stilton-Porto.

Pâtes molles à croûte fleurie (Brie, Camembert): leur fruité contrarie celui du vin. Rouges ronds et présents (appellations communales de Côte-d'Or).

Pâtes molles à croûte lavée (Pont-l'Evêque, Livarot): vins robustes (Madiran, Bandol), riches (crus de la Côte-de-Nuits, vallée du Rhône).

Pâtes pressées, cuites (Gruyère, Emmenthal...) et non cuites (Reblochon, Saint-Nectaire, Edam, etc.): grand éventail de vins possibles. Seul le Cantal sera difficile à marier à cause de son amertume. Les autres flattent les rouges, qu'ils soient de Loire, de Bordeaux, de Bourgogne ou du Rhône, pour se borner à ces quatre grandes régions viticoles. Un Beaufort, par exemple, convient à un Bordeaux d'un certain âge, quelle que soit la finesse de ce dernier.

Vins et desserts

Le Francais considère souvent qu'il termine son repas avec le fromage. Le dessert lui apparaît superflu et il n'y accorde qu'une attention distraite. Le moment du dessert couronne un repas digne de ce nom et peut autoriser une grande bouteille. Le mariage, il est vrai, est délicat. L'entremets au chocolat, que ce soit sous forme de mousse, de gâteau ou de sauce coiffant un fruit, une pâtisserie, interdit tout vin: le goût du chocolat envahissant la bouche empêche les arômes du vin de se développer. Le citron est lui aussi proscrit, son acidité tue toute autre saveur, comme la plupart des fruits (orange, abricot, groseille, etc.). Les préparations crémeuses gomment la bouche.

La présence d'alcool dans les macédoines de fruits ou dans les soufflés, à moins d'être plus que discrète, contrarie le bonheur de boire une bonne bouteille. L'excès de sucre aussi. Que reste-t-il? Les biscuits genre quatre-quarts ou à base d'amandes, de noisettes, les gâteaux aux noix, les feuilletages légers, les crêpes sans addition de liqueur, les desserts à base de marrons, les petits fours sans crème, à la rigueur les tartes aux poires et aux pommes, etc.

Que boire? Du Champagne demi-sec, un liquoreux de la Loire ou du sud-ouest. Les Vins Doux Naturels (Muscat, Rasteau, etc.), les mousseux de cépages aromatiques (telle la Clairette de Die traditionnelle) peuvent aussi trouver là leur emploi, de même que les vins de paille, d'un usage si délicat.

Les glaces ou les sorbets se mangent de préférence seuls. Ils peuvent avoir valeur de *trou normand* et autoriser la dégustation ultérieure d'un blanc plus sec (Champagne brut) si l'on ne craint pas de contrevenir à la règle « du plus sec au plus moelleux ».

Les fruits au vin rouge ne réclament aucun vin, et surtout pas rouge.

Le service du vin 1

Quand remonter la bouteille ?

Si l'on a la chance de posséder une cave, on remontera la bouteille une ou plusieurs heures à l'avance selon qu'il convient de la déboucher et/ou de la décanter. Un jeune vin sera transporté et débouché en position verticale. Un flacon d'âge vénérable qui risque d'abriter un dépôt sera déposé avec précaution dans un panier verseur et servi sans être jamais redressé.

Si l'on achète son vin chez l'épicier, le faire au plus tard la veille et le laisser reposer debout dans l'obscurité dans l'endroit le plus frais de l'appartement. Ne jamais le laisser séjourner longuement dans un réfrigérateur même s'il doit être dégusté à température peu élevée.

Quand déboucher ?

Que recherche-t-on en enlevant le bouchon à l'avance ? Permettre au vin de respirer, de s'oxygéner, d'éliminer d'éventuelles odeurs parasites (anhydride sulfureux, mercaptans, etc.). On ne doit guère craindre des phénomènes d'oxydation sauf pour des vins d'une grande fragilité car les échanges sont minimes. Le grand œnologue bordelais Emile Peynaud les considère nuls et soutient que, puisqu'il est indifférent d'ouvrir une bouteille trois heures ou immédiatement avant le repas, autant le faire au dernier moment.

La solution la plus sage : déboucher la bouteille, goûter le vin et choisir de remettre le bouchon (vins jeunes sains, vins très vieux aux esters subtils, volatils), laisser le flacon ouvert (odeurs parasites) ou décanter.

Quand décanter ?

La décantation permet de séparer le vin de son dépôt. Cette manipulation met le vin en contact avec l'oxygène. Dans certains cas, on ne décantera que dans ce but afin d'exalter les arômes d'un rouge qui paraît fermé. On évitera de recourir à ce procédé avec les blancs, les rosés et les rouges fragiles. L'usage veut que les Bordeaux soient les principaux bénéficiaires de cette pratique et parfois quelques rouges de la vallée du Rhône septentrionale.

La décantation compte de farouches partisans. A Château-Palmer (cru classé du Médoc) on ne sert jamais une bouteille à table qui n'ait été préalablement décantée, quel que soit le millésime.

La température

D'une manière générale, les vins à consommer frais sont bus trop froids et les vins chambrés, trop chauds, quoique cette dernière tendance soit moins affirmée aujourd'hui. Ce terme *chambrer* n'a plus lieu d'être utilisé dans le sens de mettre à température de la chambre, car dans les appartements citadins le thermomètre affiche souvent en hiver 21 à 24 degrés alors qu'autrefois la température ne dépassait pas 17-18 degrés dans les salles à manger.

A chaque type de vin, une température optimale de dégustation. Cette indication est toute relative, bien entendu, car un verre de vin à 18 degrés ne sera pas perçu de la même manière en pleine chaleur estivale ou dans un local frais. La plupart des vins blancs demandent à être rafraîchis. Rafraîchir ne veut pas dire « glacer ». A une température inférieure à 8 degrés on est au-dessous du seuil de perception. C'est pourquoi il faut se méfier des vins qui arborent sur l'étiquette « à boire glacé ». Le contenu a de bonnes chances de présenter des défauts qui seront masqués grâce au froid. Rafraîchir signifie également qu'on abaisse *progressivement* la température. On plonge la bouteille dans un seau à demi rempli d'eau et l'on ajoute des glaçons. Ne pas oublier que le vin gagne rapidement dans le verre un ou deux degrés supplémentaires.

Vins blancs liquoreux : compte tenu de cette indication si l'on craint d'accentuer le

Ci-dessous, le tire-bouchon doit comporter une vis avec des spires de large diamètre à bords non coupants en « queue de cochon ». Il doit être de dimensions suffisantes pour assurer une bonne prise sur le bouchon, même le plus long. De gauche à droite : tire-bouchon en bois, à vis et à double molette ; tire-bouchon métallique à deux leviers (exemple de vis mal conçue) ; screwpull ; couteau de sommelier (ou limonadier) ; tire-bouchon à lames.

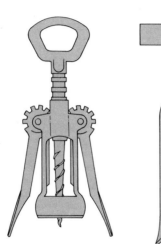
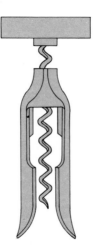
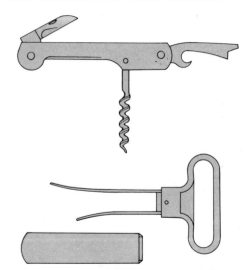

Ci-contre, *la décantation favorise l'expression des arômes les plus subtils.*

caractère liquoreux du vin, il est conseillé de refroidir le flacon à 6 degrés.

Champagne et mousseux : 8 degrés dans le verre. Un ou deux degrés supplémentaires peuvent convenir à des vins effervescents ayant supporté quelques années de vieillissement.

Vins blancs secs : il faut tenir compte de l'altitude du cru. Les petits blancs secs (Entre-Deux-Mers, Gros-Plant, etc.) sont à boire très frais eux aussi (8 degrés). Des blancs plus complexes, au caractère sec néanmoins affirmé (Graves, Alsace par exemple), s'apprécieront entre 10 et 12 degrés. Quant aux blancs riches, gras, laissant poindre une impression de moelleux (grands Bourgogne, Château-neuf-du-Pape blanc, Condrieu, etc.) ils peuvent supporter 13 ou 14 degrés dans le verre.

Vin jaune : le seul blanc qui se déguste relativement chambré (16 degrés).

Vins rosés : ce sont par définition des vins jeunes à qui l'on réclame fraîcheur et fruité. On doit les servir à la température d'une bonne cave, c'est-à-dire 9-10 degrés.

Vins rouges : le raisonnement précédent s'applique aussi aux rouges légers bus en primeur ou fort jeunes car le fruité de la jeunesse n'aime pas la chaleur (Beaujolais, Gamay de toute origine, certains Côtes-de-Provence, etc.). Les rouges de la Loire (Bourgueil, Chinon, Saumur-Champigny), plus charpentés, supportent un ou deux degrés de plus lorsqu'ils sont bus adolescents (13-14 degrés). Les grands vins de la vallée du Rhône et de Bourgogne seront servis à 15 ou 16 degrés tandis que les Bordeaux, plus tanniques, atteindront 16 à 18 degrés, la frontière supérieure (18°) concernant les vins les plus vieux.

Le service du vin 2

Ci-contre, *étapes à suivre*
pour le débouchage
correct d'une bouteille
de vin.

Ci-dessous, *règle d'or : à*
chaque vin sa forme de
verre. De gauche à
droite : verre à
dégustation INAO, verre à
Bourgogne, verre à
Bordeaux, le
verre-ballon (pour les
vins rouges), verre
tulipe, ballon, verre à
vin d'Alsace.

Comment déboucher

Commencer par découper la capsule un demi-centimètre au-dessous du goulot afin que le vin que l'on verse ne soit jamais en contact avec le métal. Pour bien déboucher, il faut disposer d'un bon tire-bouchon à larges spirales aux bords arrondis. Une queue de cochon longue est recommandée si l'on veut extraire sans difficultés les bouchons de toute dimension. Le tire-bouchon à lames exige plus d'habileté de son utilisateur.

Procéder avec douceur sans secouer la bouteille, car le vin déteste la brutalité. Il est stupide de faire sauter un bouchon de Champagne; il faut au contraire freiner son expulsion car la brusque détente des gaz est préjudiciable à la qualité du vin.

La bouteille couchée dans un panier verseur sera débouchée sans quitter ledit panier. On se contentera de surélever légèrement le flacon en glissant entre le goulot et le bord du panier un quelconque bouchon qui augmentera légèrement l'inclinaison et évitera tout risque de laisser du vin s'écouler.

Les verres

Le vin sera versé délicatement dans le verre, mais pas n'importe quel verre. Sa

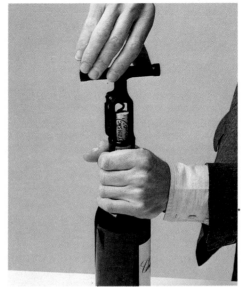

forme joue un rôle primordial, son épaisseur aussi. Il convient qu'il soit incolore, de préférence pas ou peu ciselé et qu'il ait un pied. A l'Académie du Vin, nous usons du verre INAO (voir dessin p. 18) qui peut contenir des blancs, des rouges, des vins effervescents. C'est le verre parfait pour la dégustation comme pour la consommation chez soi. Une version légèrement plus grande existe aussi dans le commerce.

Mais d'autres verres s'offrent à l'amateur : le verre à Bordeaux en forme de tulipe, le verre à Bourgogne extrêmement ventru et se refermant légèrement à l'embouchure, le verre à Alsace, le verre à Champagne en forme de flûte. Il convient d'abandonner l'usage de la coupe pour les vins effervescents, son manque de profondeur ne permettant pas d'admirer les bulles monter et sa forme évasée ne retenant pas le bouquet.

Plusieurs types de verres peuvent être utilisés. L'important est qu'ils soient munis d'un pied et que l'ouverture du gobelet soit d'un diamètre inférieur à la plus grande largeur afin que les arômes soient emprisonnés. On remplit le verre au tiers ou à la moitié. La table doit être recouverte d'une nappe blanche pour apprécier la robe du vin.

Ci-dessous, de gauche à droite : verres à Xérès, à Porto, à Porto ou à Madère, flûtes à Champagne, deux verres à Cognac.

Les vins vinés, les vins mutés et les eaux-de-vie 1

Les Muscat Doux sont produits dans plusieurs régions de la côte méditerranéenne : Lunel, Rivesaltes, Frontignan. On les trouve également à Beaumes-de-Venise, dans le Vaucluse.

On peut diviser les vins doux, dits parfois vins cuits ou vins apéritifs, en plusieurs catégories selon leur mode d'élaboration. Certains d'entre eux sont appelés abusivement vins doux bien que leur fabrication ne fasse pas appel au vin mais au jus de raisin non fermenté ! Parmi ceux-ci, la Mistelle et le Ratafia, des « vins » apéritifs à base de jus de raisin frais non fermenté dans lequel a été introduite une dose d'alcool ou d'eau-de-vie, environ 20 %, de façon que le mélange titre 18 degrés. Ce fort degré alcoolique interdit toute fermentation du jus de raisin qui conserve tout son sucre. Une Mistelle a donc le goût du raisin, elle est très sucrée (200 à 250 grammes de sucre par litre) et alcoolisée.

La désignation Vin de Liqueur concerne les moûts mutés en cours de fermentation. Ce mutage peut être effectué à tout moment. Lorsqu'il a lieu en début de fermentation, le Vin de Liqueur est très sucré alors qu'en fin de fermentation il est sec.

Le terme Vin Doux Naturel s'applique à des Vins de Liqueur français produits dans le Roussillon, aux environ de Perpignan, dans le Languedoc et dans la vallée du Rhône. Ces vins sont mutés à l'alcool neutre titrant 96 degrés. Généralement l'alcool destiné au mutage est ajouté à l'écoulage de la cuve de fermentation. L'assemblage vin-alcool est alors logé dans des fûts et l'élevage proprement dit commence. Les phénomènes d'oxydoréduction contribuent à la formation du bouquet. Les arômes tertiaires se développent, ils rappellent les fruits secs, le café, la vanille.

Dans la région de Banyuls et de Maury, certains producteurs parviennent à de fortes extractions par le mutage sur marc suivi d'une macération sous alcool. L'alcool est versé sur le chapeau dans la cuve de fermentation, la macération se poursuivant une quinzaine de jours. Le type Rancio est obtenu par une lente et forte oxydation des vins en fûts de bois disposés dans des locaux réchauffés par le soleil en été ou même disposés à l'extérieur. Quelques producteurs font vieillir leur « Rancio » dans des bonbonnes modérément pleines abandonnées au soleil soumises aux variations de température.

Le Grenache Noir est le cépage le plus répandu, mais les formes blanches et grises sont également cultivées. Les cépages blancs Mac-

cabeu et Malvoisie (Tourbat, Torbato en Sardaigne) sont également mis à contribution.

Les Vins Doux Naturels plus ou moins ambrés sont essentiellement produits dans le Roussillon, ce sont les **Banyuls** et **Banyuls Grand Cru**, le **Maury** et le **Rivesaltes**, et, dans la vallée du Rhône, le **Rasteau.**

Un autre Vin Doux Naturel d'un type opposé à ceux décrits ci-dessus est vinifié à partir du raisin blanc Muscat (gros grains ou petits grains, selon les cas). Le vinificateur cherche à protéger le jus de raisin de toute oxydation afin d'exploiter pleinement les arômes fins et violents du Muscat. Les vins sont vinifiés en cuves, mis en bouteilles sans délai et doivent être bus de préférence dans l'année.

Le **Muscat de Rivesaltes** est l'un des plus connus, ceux de **Frontignan, Lunel, Saint-Jean de Minervois** et **Mireval** sont excellents ainsi que celui produit dans la vallée du Rhône, le **Muscat de Beaumes-de-Venise.**

Le ratafia est un moût de raisins muté produit particulièrement en Champagne.

Les vins vinés, les vins mutés et les eaux-de-vie 2

Comme nous l'avons déjà vu, l'élaboration des vins vinés exige l'addition d'eau-de-vie au moût pendant sa fermentation. Les vins les plus connus dans cette catégorie, dont la renommée mondiale est toujours inégalée par celle des vins produits en France, sont le Xérès, le Porto et le Madère.

Xérès

Le Xérès diffère des vins vinés doux car sa fermentation n'est pas interrompue : c'est un vin sec dans lequel on ajoute de l'alcool (vinage). Le moelleux que l'on trouve par la suite dans certains Xérès de marque résulte de l'assemblage de vins spécialement choisis à cet effet.

Les vignobles de Xérès se situent entre Cadix et Séville, dans le sud de l'Andalousie, les meilleurs étant groupés autour de la ville de Jerez de la Frontera. Le facteur déterminant pour la qualité des vins réside dans la nature du sol, et c'est l'*albariza* ou craie blanche qui donne aux vins de Xérès leur bouquet, leur finesse et leur distinction. Le cépage normalement choisi pour ce type de sol est le Palomino qui est à l'origine des meilleurs Xérès. D'autres cépages sont utilisés pour les vins de coupage, et en particulier le Pedro Ximénez, dont les grappes sont séchées au soleil pendant plusieurs jours avant leur fermentation en vue d'obtenir un vin doux, très aromatisé, utilisé comme vin de coupage pour les Xérès plus opulents.

Après la fermentation, l'art d'élaborer un bon Xérès réside dans la sélection des vins et dans leur coupage. Une première sélection s'opère au mois de décembre qui suit les vendanges. Les vins les plus légers et les plus délicats sont mis de côté pour faire des Finos et des Amontillados. Ils sont légèrement vinés avec de l'eau-de-vie de vin jusqu'à 15,5 degrés; les vins plus corsés, ayant moins de finesse, sont vinés plus fortement — jusqu'à 17-18 degrés — et sont destinés à faire des Olorosos. Le vin est à ce stade toujours entièrement sec. Après le vinage, les différents vins sont entreposés dans les *criaderas* séparées. Une sorte de voile laiteux (*flor*) se développe à la surface des vins Fino (semblable à celui qui se forme sur les vins de Château-Chalon) à l'intérieur des fûts, qui sont remplis aux trois quarts seulement. Au bout d'un ou deux ans le vin qui est mis en bouteilles est un Xérès pâle, net et sec. L'Amontillado, un vieux Fino, est un Xérès plus coloré et, assez curieusement, plus alcoolisé. Cela est dû à son vieillissement dans le bois. L'Oloroso peut vieillir et rester un Xérès sec, ou être coupé avec du Pedro Ximénez pour faire du Xérès doux, souvent vendu sous le nom de *Cream Sherry*. Pendant son élevage dans le bois, le Xérès passera de fût en fût (suivant ce que l'on appelle le système de la *solera*); le même procédé est utilisé dans l'élaboration des vins de Madère.

A Sanlucar Barrameda, sur la côte, non loin de Jerez de la Frontera, un autre type de Fino appelé Manzanilla s'élabore à partir des mêmes cépages que le Xérès. On prétend que son caractère âpre et piquant lui vient de la brise marine chargée de sel qui arrive tout droit de l'Atlantique.

Porto

De tous les vins vinés, le Porto est sans doute le plus célèbre. Il vient de la région de Cima Corgo et de Baixo Corgo, dans la vallée du Douro, au nord-est du Portugal. Ce vignoble est probablement le plus difficile à travailler à cause de la déclivité vertigineuse de

Ci-contre, de gauche à droite : des vins plus légers et plus fins servent à l'élaboration des finos et des amontillados; la manzanilla est un fino de style Xérès produit exclusivement à Sanlucar de Barrameda.

ses vignes plantées en terrasses et de son sol de rochers schisteux. De nombreux cépages, rouges et blancs, y sont cultivés mais ils influent moins sur le produit que le sol, le climat et l'effort humain. Les vendanges ont lieu vers la mi-septembre. On extrait le plus de matière colorante possible des raisins rouges pendant la courte période de fermentation précédant l'addition d'alcool — une eau-de-vie locale — jusqu'à un taux de 16,5 degrés. Ajoutée à l'alcool naturel déjà présent qui est de 4-6 degrés, elle porte la teneur totale à 22,5-24,5 degrés. Le sucre restant dans le vin lui donne sa douceur. Au printemps suivant, on le transporte dans les entrepôts (appelés *loges*) de Vila Nova de Gaia où il mûrit en attendant de subir des coupages.

Deux catégories principales de Porto sont à considérer : le millésimé et le Porto de fût. Le premier est le produit d'une seule année — et quelquefois d'un seul domaine, ou *Quinta*. Il est gardé en bouteilles où il continue à mûrir. Les négociants ne sont pas toujours d'accord sur le choix de l'année qui constitue un millésime. Des Porto de fût peuvent être Blancs, Ruby (rubis) ou Tawny (brun doré). Contrairement aux Porto Rouges, les Porto Blancs sont vinifiés en Blancs Secs, mais les meilleurs d'entre eux, pour devenir vraiment secs, exigent plusieurs années de fût. Le Rubis est mis en bouteilles après trois ou cinq années de fût; s'il y reste plus longtemps, il a tendance à perdre la richesse de la couleur, qui passe au brun doré (Tawny).

Les négociants en Porto n'utilisent pas le système de la *solera* mais ils conservent des quantités considérables de crus plus anciens qui servent aux coupages nécessaires pour reproduire fidèlement le style de Porto propre à chaque grande marque. Un vieux « Tawny » est un assemblage de crus de plusieurs années et si l'étiquette porte une date — vingt ans d'âge, par exemple — cela veut dire que l'âge moyen des vins de coupage n'est pas inférieur à vingt ans. Les Porto « Ruby » et Blancs sont moins chers que les « Tawny » car ils sont mis en bouteilles plus tôt. Un très beau « Tawny » peut être comparable en qualité à un vieux Porto millésimé mais il reste très différent. Tous ces vins figurent dans les notes de dégustation page 179.

Madère

Le vin de Madère provient de l'île portugaise du même nom et il est presque aussi connu que le Porto. Il est cependant assez rare qu'il soit consommé seul comme d'autres vins vinés. En revanche, son utilisation dans les sauces et dans les gâteaux est beaucoup plus répandue. La renommée du Madère commença à l'époque où les navires en route pour les Amériques faisaient escale à Funchal pour prendre de l'eau fraîche et charger des fûts de ce vin local comme lest. Le long voyage en mer, pendant lequel le vin était maintenu à une température élevée, lui donnait un goût de « brûlé » très apprécié. Aujourd'hui, on arrive à obtenir le même effet par un procédé de vinification appelé *estafugem* (étuvage).

Les raisins de Madère se cultivent dans un sol volcanique et riche en potasse. Il donne quatre types principaux de vins. Le plus pâle et le plus sec s'appelle le Sercial qui est un excellent vin d'apéritif. S'il est vieilli longtemps en fûts, il prend la couleur, développe un goût intense de noisette mais ne perd jamais son acidité.

Ci-contre, *le* cream sherry *(crème de Xérès) est un* oloroso *très doux obtenu par l'adjonction de vin issu du cépage Pedro Ximénez.*

Les vins vinés, les vins mutés et les eaux-de-vie 3

Lorsqu'on distille du vin ou les sous-produits du vin, on obtient une eau-de-vie. En France, le droit de distiller est de plus en plus réduit, désormais réservé aux professionnels. Les grandes eaux-de-vie de vin bénéficient de l'appellation d'origine contrôlée, ce sont les Cognac et Armagnac; d'autres sont tributaires d'appellations réglementées, par exemple, les marcs de Bourgogne, de Champagne et d'autres régions. L'appellation réglementée est conférée à des eaux-de-vie de vin distillées qu'on baptise *fine* dans le langage courant et à la distillation de marc de raisins noirs ou de marc égrappé de raisins blancs.

Les conditions de la distillation sont codifiées; les alambics peuvent être à premier jet ou à repasse, ils peuvent être chauffés à feu nu ou au contraire au bain-marie; la matière à distiller peut être chauffée directement ou indirectement par de la vapeur d'eau qui se charge de vapeurs d'alcool. On peut dans certains cas produire des eaux-de-vie à l'aide de colonnes à distiller. Les règlements s'appliquent également à la limitation du débit horaire et à la définition de la matière première.

Tout l'art de la distillation ou du distillateur consiste à choisir l'appareil le mieux adapté, qui ne retient que le « cœur » de la distillation, la partie centrale, en éliminant le liquide du début et celui de la fin. Puis vient l'élevage, c'est-à-dire le vieillissement en fûts dont le bois, l'âge et le volume interviennent de même que la durée du séjour dans le bois.

Le Cognac

La distillation s'est développée en Charente depuis le XVIIIe siècle. L'Ugni Blanc, que l'on appelle sur place « Saint-Emilion », a remplacé la fragile Folle Blanche à qui l'on devait les Cognac les plus fins.

Les vignes plantées en rangs larges — 2 ou 3 mètres — vendangées à la machine, sont à l'origine d'un petit vin aigrelet titrant 7 à 8 degrés d'alcool, jamais chaptalisé ni sulfité. Le rendement à l'hectare n'est pas limité mais les vignes sont taillées de telle façon qu'elles portent soixante mille bourgeons à l'hectare. L'aire de production est divisée en six zones déterminant six qualités de Cognac. Dans la plupart des cas, les Cognac sont issus de l'assemblage de ces diverses qualités.

La Grande Champagne au cœur de la région, presque 13 000 hectares de calcaire friable d'où sont issues les eaux-de-vie les plus fines et les plus longues en bouche.

La Petite Champagne borde au sud la Grande Champagne. Son sol calcaire s'étend sur 16 000 hectares et livre des eaux-de-vie fines à vieillissement plus rapide que celles provenant du cœur de la région.

Les Borderies. 5 000 hectares de terres silico-argileuses situées au nord de la Grande Champagne permettent la production d'un Cognac caractérisé par sa rondeur.

Les Fins Bois. Cette vaste zone de près de 40 000 hectares encercle les trois précédentes. Le sol est argilo-calcaire; les Cognac Fins Bois sont souples et évoluent rapidement.

Les Bons Bois. Les Bons Bois encerclent la zone précédente. Ils s'étendent sur 21 000 hectares de terres argileuses. Cognac plus court et moins fin.

Ci-contre, contrôle de la densité du Cognac.

Les Bois Ordinaires. Là, 4 000 hectares d'alluvions du quaternaire proche de l'Atlantique donnent des Cognac communs. On dit parfois qu'on y retrouve le sel de la mer.

Le terme *Fine Champagne* ne qualifie pas un terroir, mais le mélange d'au moins 50 % de Grande Champagne et de Petite Champagne.

Le Cognac est toujours obtenu par une double distillation. La première *chauffe* donne le *brouilli* qui titre 30 degrés. Ce brouilli est redistillé, le degré du Cognac atteint alors 70 degrés. Il est logé en fûts de chêne et vieilli en perdant volume et degré alcoolique. On estime que chaque année l'équivalent de 17 millions de bouteilles sont ainsi perdues par évaporation (50 000 hectolitres). Cette consume est appelée la *part des anges*.

Le Cognac mis en bouteilles résulte de cou-

pages des différents terroirs ainsi que de l'assemblage entre des Cognac d'âge différent. L'abaissement du degré alcoolique est obtenu par mouillage. Un extrait de caramel donne teinte et douceur. Le Cognac n'est pas millésimé; on procède par *compte d'âge* à partir du plus jeune des constituants. Trois étoiles indiquent deux ans d'âge au minimum, VSOP, VO, Réserve, quatre ans. Vieille Réserve, Extra, Napoléon garantissent plus de cinq ans de vieillissement. L'âge moyen de l'assemblage est généralement bien plus important.

Ci-contre, chargement du foyer sous un alambic à Cognac.

Les vins vinés, les vins mutés et les eaux-de-vie 4

L'*Armagnac* est une eau-de-vie au moins aussi ancienne que le Cognac. Il s'en produit dix fois moins avec moins de régularité et de plusieurs types, ce qui a nui à sa commercialisation. L'aire d'appellation n'est que partiellement plantée. On la divise en trois secteurs ayant chacun son appellation. Le Bas Armagnac est investi par plus de 11 000 hectares de vignes plantées dans un sol de boulbènes (tertiaire) sur socle argilo-siliceux. On peut distinguer dans ce secteur le Grand Bas Armagnac, proche de Labastide d'Armagnac qui produit le meilleur du meilleur.

Le **Bas Armagnac** exige un long vieillissement, dix années au moins, mais plutôt quarante (en fût). Cette eau-de-vie typée et fine au goût de violette et de pruneaux devient alors l'une des plus prestigieuses du monde, la première peut-être.

La **Ténarèze**. Plus de 8 000 hectares de vignobles sis à l'est du Bas Armagnac sur des terres argileuses ou calcaires sont à l'origine d'un Armagnac très savoureux, plus rustique que le précédent, au goût de prune.

Le **Haut Armagnac**. Cette vaste surface cerne à l'est et au sud les deux secteurs précédents. On n'y trouve que 500 hectares de vignes destinées à la production d'Armagnac, les autres vignobles se consacrant à la production de vin de table. Le sol y est plutôt calcaire. Cette région d'appellation , relativement médiocre, est rarement mentionnée.

Les cépages sont divers. Le meilleur est la Folle Blanche, l'un des plus répandus porte le nom de son créateur, Baco (22 A), mais on peut repérer également des plants de Colombard et d'Ugni Blanc (Saint-Emilion). La technique de distillation n'est pas unifiée. Les tenants du vrai Armagnac préfèrent celui qui s'écoule de l'alambic armagnacais. Cette eau-

Ci-contre, alambic expérimental Lestage, qui tend à perfectionner le véritable alambic armagnacais à distillation continue. A comparer à l'alambic à repasse de Cognac reproduit à la page précédente.

de-vie, qui n'est pas rectifiée, titre de 50 à 55 degrés.

L'abaissement du titrage, jusqu'à 40-45 degrés, est obtenu naturellement, sans mouillement, dans des fûts de bois de chêne local de 400 litres. Chaque fût a « son » Armagnac, chaque Armagnac a « son » fût, car il n'y a pas de transfert. Il se produit un mariage entre eau-de-vie et fût, et chacun sait qu'il n'y a pas deux mariages semblables.

Les vieux alambics armagnacais se font rares. Tous possèdent leur personnalité, tous sont différents. Deux vins identiques distillés par deux alambics l'ont démontré. Les nouveaux sont conçus pour livrer des eaux-de-vie titrant 65 degrés environ. On saisit aisément que plus le degré alcoolique du distillat est faible, plus les composants autres que l'alcool sont importants (et préservés), ce qui fait la richesse et le type de ces Armagnac qu'il faut laisser séjourner très longtemps en fûts. Au-delà de quarante années dans le bois, l'Armagnac « sèche », il faut le mettre en bouteilles ou en bonbonnes.

L'autre façon de distiller l'Armagnac est semblable à celle en usage dans le Cognacais (distillation et repasse). Le produit a moins de caractère et n'a pas besoin de vieillir aussi longuement en fûts.

Les grands Armagnac sont millésimés (contrairement au Cognac), mais certains ne le sont pas. Trois étoiles, Monopole, etc., correspondent à plus d'un an; VO, VSOP Réserve sont appliqués à des Armagnac de plus de quatre ans; XO, Extra, Napoléon, Vieille Réserve, Hors d'âge ont plus de cinq ans.

Ci-contre, cuves métalliques d'assemblage et futailles de bois destinées au vieillissement.

Les fûts en chêne

De nombreuses expériences ont été conduites en Bourgogne et dans le Bordelais afin de déterminer le rôle joué par le bois lors de l'élevage du vin en fûts. En Bourgogne, une cuvée de Mercurey rouge et une autre de Chassagne-Montrachet blanc ont fait dès 1978 l'objet d'une expérimentation systématique. Des chênes de diverses provenances (Limousin, Nièvre, Bourgogne, Tronçais, Vosges), aux pores plus ou moins larges, de teneurs tanniques différentes, sont ainsi essayés. Le mode de débitage des *douelles* (bois fendu ou bois scié) a son importance. Le séchage peut être naturel ou artificiel, le cintrage exécuté à la vapeur ou au feu. Le bois, on le sait, est un milieu perméable. Il permet des échanges gazeux qui entraînent la modification d'un certain nombre de constituants du vin. Il s'agit donc de comparer des vins ayant séjourné dans des fûts de chêne neuf de diverses origines, variant quant au mode de débitage et de cintrage, et des vins issus de fûts usagés partiellement ou non rénovés, ainsi que des fûts en métal émaillés.

Des analyses physico-chimiques (analyse classique, analyse des composés phénoliques, analyse des composés aromatiques) et sensorielles ont eu lieu tous les quatre mois et l'on a enregistré :

perte d'alcool plus importante dans les tonneaux de chêne de Bourgogne demi-fendus étuvés et ceux du Tronçais sciés et fendus;

acidité volatile moindre dans les fûts usagés;

fermentation malolactique plus tardive dans les fûts usagés;

acidité totale et extrait sec à peu de chose près identiques dans toutes les barriques;

les vins conservés dans le bois neuf sont les plus riches en couleur et en tanins. En plus des tanins, le bois apporte au vin des polysaccharides (sucres).

Vingt spécialistes ont participé à trois dégustations échelonnées pendant les seize mois d'élevage du vin, la dernière précédant la mise en bouteilles. Bilan positif pour les fûts de chêne neuf, négatifs pour les fûts usagés et métalliques. Des différences ont été relevées entre les fûts de chêne neuf.

Le cintrage à la vapeur convient moins au vin que le cintrage au feu. Lors du brûlage, la dégradation de la lignine du chêne donne naissance à une odeur vanillée tandis que les sucres présents dans les molécules des hémicelluloses présentent une odeur caramélisée.

Le sciage des douelles ne semble pas avoir entraîné de conséquences négatives.

Pour les rouges, le caractère boisé fourni par les fûts de chêne du Tronçais, de Nièvre et de Bourgogne est supérieur en qualité. Pour les blancs, ce sont les chênes bourguignons de la région de Mercurey et de Citeaux qui ont communiqué le meilleur boisé. A noter que

Ci-dessus, cerclage d'un fût de chêne neuf.

les bois sciés de la forêt du Tronçais ont mieux amélioré le vin pour l'instant que les bois fendus de même origine.

Ces expériences doivent être complétées par la dégustation d'échantillons ayant subi quelques années de vieillissement en bouteilles.

Vin et santé

Pour certaines personnes mal informées, le vin est l'ennemi de la santé. Il convient de distinguer bon usage et abus. Ainsi que tout aliment, le vin devient toxique lorsqu'il est pris à haute dose. Une trop grande concentration d'alcool dans le corps ne peut être éliminée sans dommages. Pour expulser un excès d'alcool, des cellules entières sont brûlées, provoquant un gaspillage de protéines et de vitamines.

Les seuils de tolérance diffèrent entre les individus, notamment entre les sexes : pour la même consommation d'alcool par kilogramme de poids, le taux d'alcoolémie est de 20 à 30 % supérieur chez les femmes. Il dépend aussi des conditions de dégustation (vin bu seul ou au cours d'un repas) ainsi que de la nature des aliments. L'alcool est plus dangereux lorsque les viandes, les laitages et les poissons sont absents. Le jeûne et les graisses sont néfastes car ils diminuent de 20 % son élimination.

En revanche, une consommation modérée et lente du vin est bénéfique pour la santé. L'Académie de médecine a fixé la limite de consommation quotidienne à un gramme d'alcool pur par kilogramme. Un homme de 70 kilos peut boire une bouteille de vin par jour en plusieurs prises.

Le vin peut être un aliment couvrant le quart des besoins caloriques du corps. Il n'est pas très riche en vitamines et en sels minéraux, mais l'alcool qu'il contient est une source de calories qui permet d'économiser des lipides, des glucides et des amino-acides, qui deviennent alors disponibles pour l'effort.

Il n'existe pas de meilleure boisson à table que le vin. C'est non seulement une source d'eau (85 %), mais plusieurs de ses composants facilitent la digestion. Les acides qu'il contient augmentent la tonicité et la contractivité du muscle lisse de l'estomac et joignent leurs effets à ceux des acides stomacaux naturels pour digérer les substances amylacées et albuminoïdes. Les tanins excitent les fibres lisses et favorisent le brassage des aliments. Ils semblent également être de bons véhicules pour la vitamine C.

Le vin est un agent tranquillisant. Son effet calmant et euphorisant n'est pas négligé par les cliniques gériatriques. Une enquête a montré que l'atmosphère de ce type d'établissement variait selon que l'on servait ou non un verre de vin au cours du repas.

Le Wine Institute de San Francisco a constaté que les abstinents avaient une longévité moindre que les buveurs modérés. Le Dr Arthur L. Klasty pense que c'est en partie dû aux effets bénéfiques de l'alcool du vin sur le cœur et la circulation du sang. Le Dr John P. Kane du Cardiovascular Research Institute de l'université de Californie, à San Francisco, penche, lui, pour les effets de l'alcool sur le niveau HDL (= lipoprotéines de haute densité) dans le sang. Il semblerait qu'un niveau HDL élevé serait une protection contre l'artériosclérose.

Ajoutons pour terminer que le vin en tant que tel ne porte pas la responsabilité de la cirrhose du foie, qui était due aux plâtres et aux sulfates ajoutés frauduleusement autrefois avant le bon fonctionnement actuel du Service français de Répression des Fraudes. Aujourd'hui les cirrhoses d'origine vinique sont extrêmement rares.

Ci-dessus, le seuil de tolérance à l'alcool varie selon les individus mais, de l'avis général, une consommation modérée de vin contribue à la santé.

Les fiches de dégustation

Il existe plusieurs types de fiches de dégustation, du plus simple au plus complexe. Nous avons reproduits ci-dessous la fiche de dégustation A. Castell, 1967 (INAO) qui est très largement utilisée en France.

Son avantage principal est sa présentation, en forme de questionnaire : cela oblige le dégustateur à examiner avec la plus grande précision chacun des éléments qui constitueront la matière de son jugement sur un vin donné.

Fiche de dégustation de A. Castell, 1967 (I.N.A.O.)			**Vin (¹)** Blanc Rosé Rouge	**Appellation :** .... **Type :** ....
Analyse effectuée Le : / / Par :	Densité : .... Alcool : .... Sucres résiduels : .... Alcool en puissance : .... SO₂ total : .... SO₂ libre : .... Eventuellement, observations du laboratoire :			Acidité totale : .... Acidité fixe : .... Acidité volatile corrigée : .... pH : .... P/α : .... Indice de permanganate : ....
Mode de vinification :				
1° Examen Visuel	**Surface du liquide**		*brillante - terne - propre - irisée - traces huileuses*	
	Couleurs	**Vin blanc (¹)**	*clair avec reflets verts ou jaunes - jaune pâle - doré - jaune paillé - jaune serin - jaune ambré*	
		Vin rosé (¹)	*pâle - blanc taché avec reflets roses ou violets - gris - rosé clair - rosé foncé - œil de perdrix - pelure d'oignon*	
		Vin rouge (¹)	*rouge clair avec reflets vermillons ou violacés - rouge cerise - rubis - grenat - foncé - fauve*	
		Teinte	*franche - oxydée - cassée*	
	Aspect		*cristallin - brillant - limpide - voilé - louche - terne plombé - trouble avec dépôt ou sans dépôt*	
	Perles		*rapides ou lentes à se former - inexistantes - lourdes - légères*	
Température du vin au moment de la dégustation :				
Eventuellement, facteur empêchant la dégustation :				
2° Examen olfactif	**Arôme**	**Première impression**	*agréable - ordinaire - désagréable*	
		Intensité	*puissant - suffisant - faible - inexistant*	
		Qualité	*très fin - racé - distingué - fin - ordinaire - peu plaisant - grossier - désagréable*	
		Caractère	*primaire - secondaire - évolué - madérisé - rancio - fruité - floral - végétal - animal*	
		Durée	*longue - moyenne - courte*	
	Odeurs anormales		*CO^2 - SO^2 - SH^2 - mercaptans - évent - bois - malolactique - acescence - phéniqué - bouchon défaut : passager - durable - léger - grave*	
	Particularités			
Eventuellement, facteur empêchant ou gênant la suite de la dégustation				

(¹) Rayer les mentions inutiles

3° Examen gustatif		**Première impression**		*très agréable - plaisante - ordinaire - mauvaise*
	Saveurs et sensations originelles	**Douceur**	**Sucre**	*liquoreux - sucré - doux - sec - brut*
			Glycérine et alcool	*moelleux - onctueux - velouté - coulant - rude - desséché*
		Acidité	**Excessive**	*acide - vert - mordant - nerveux - acidulé*
			Equilibrée	*frais - vif - gouleyant - souple*
			Insuffisante	*plat - mou*
		Corps	**Puissance alcool**	*généreux - capiteux - chaud - puissant - lourd - suffisant - léger*
			Chair (extraits)	*étoffé - gras - rond - plein - mince - maigre*
			Tanin	*riche et bon - équilibré et bon - insuffisant - astringent - amer*
		Arôme de bouche	**Intensité**	*puissant - moyen - faible - court - long*
			Qualité	*très fin - élégant - plaisant - commun - usé*
			Nature	*floral - fruité - herbacé - complexe - jeune - foxé*
	Saveurs acquises ou acciden- telles	**Terroirs**		*accusé - sensible - agréable - déplaisant*
		Maladies		*graisse - tourne - aigre - aigre-doux - casse - goût de soufre - rancio - piqûre acétique - piqûre lactique*
		Accidents		*goût de croupi - de moisi - de lie - de bois - de bouchon - phéniqué - métal - SH^2 - herbacé - âcre*
	Impression finale	**Equilibre**		*harmonieux - ample - correct - trompeur - anguleux - fatigué*
		Arrière-goût		*droit - franc - déplaisant - stable - instable*
		Persistance du goût		*très longue - longue - moyenne - courte*
4° Conclusions	**Conformité à l'appellation ou au type :**			
	Note obtenue sur 20 :			
	Interprétation de la dégustation (caractères du vin - son avenir - conseils éventuels)			

La carte des millésimes

Les cartes des millésimes fournissent une évaluation chiffrée de la qualité des vins issus de régions déterminées et produits au cours de la même année. Il en existe de plusieurs types, du plus simple au plus complexe, certaines pouvant porter tout simplement une indication de qualité relative à un territoire assez étendu.

La carte des millésimes de l'Académie du Vin reproduite ci-dessous porte les informations fournies par les éleveurs et les négociants auxquelles nous avons intégré les résultats de nos propres dégustations.

Leur validité est annuelle. Un certain nombre de millésimes plus anciens ne présentent, avec le temps, qu'un intérêt purement académique : c'est le cas de la plupart des vins blancs. D'autre part, la qualité des vins de millésimes plus récents peut avoir évolué ou décliné. Certaines cartes indiquent aussi à quel moment tel vin doit être bu, mais elles ne peuvent bien évidemment prendre en compte des facteurs plus subjectif, comme par exemple le goût du dégustateur, ni le lieu de la dégustation ou la qualité de la conservation. Les Français préfèrent boire leurs vins jeunes, les Anglais les aiment plus âgés; le voyage par mer profite aux vins européens qui, aux Etats-Unis ou en Australie, peuvent être bus plus rapidement qu'en Belgique, par exemple.

Sauf pour les vins qui doivent être bus très

		'43	'45	'47	'48	'49	'52	'53	'55	'57	'59	'61	'62	'64	
BORDEAUX ROUGES	Médoc/Graves	14	20	18	15	19	16	19	17	12	16	20	17	16	
	Saint-Emilion Pomerol	15	19	20	14	19	16	19	18	10	16	20	17	18	
BORDEAUX BLANCS	Sauternes/ Barsac	16	19	19	14	18	16	18	18	15	18	17	15	12	
BOURGOGNE ROUGE	Côte de Nuits	14	19	17	16	20	18	17	16	14	18	19	17	16	
	Côte de Beaune	14	19	17	16	20	17	18	16	14	18	19	16	17	
BOURGOGNE BLANC		12	16	15	15	16	14	14	16	13	16	15	18	16	
BEAUJOLAIS		15	18	19	12	18	16	19	17	16	17	19	17	16	
RHONE	Nord, Côtes-du- Rhône	18	18	16	—	16	16	18	16	14	16	20	16	15	
	Sud, Côtes-du- Rhône	16	18	16	—	18	15	18	18	16	16	17	16	14	
LOIRE	Muscadet/Touraine Anjou	13	19	20	13	14	14	13	15	13	19	16	14	15	
	Pouilly-Fumé/ Sancerre			19	15	14	14	13	14	15	19	14	16	16	
ALSACE		18	19	18	16	19	13	18	18	16	20	18	14	19	
CHAMPAGNE MILLESIMÉ							17	16	19		15	16	17	15	
ALLEMAGNE	Rhin							19	11		18	11		15	
	Moselle							19	11		18	11		18	
ITALIE	Toscane													('68) 16	
	Piémont													('65) 16	
	Frioul/Vénétie														
ESPAGNE	Rioja									('68) 18		12	13	20	
CALIFORNIE COTE NORD	Rouge											18	14	19	
	Blanc											18	14	19	
							'52	'53	'55	'57	'59	'61	'62	'64	

jeunes, le lieu de conservation est capital, car il détermine toute la vie du vin. Rien ne pourra le faire revivre si cette étape n'a pas eu lieu dans de bonnes conditions, ni la manière de le servir ni la bonne volonté du dégustateur.

Pour cette carte de l'Académie du Vin, nous avons choisi une échelle d'évaluation allant de 0 à 20 point, qui correspondent aux classifications suivantes :

    0-9   médiocre
    10-11 passable
    12-13 assez bon
    14-15 bon
    16-18 très bon
    19-20 exceptionnel

Nous l'avons établie à partir du millésime 1952 afin de disposer d'un éventail de trente ans. A l'exception des millésimes de la décennie 1970, nous avons omis les millésimes couramment considérés comme médiocres, même si dans certaines régions (la Toscane, par exemple) les vins ont été assez bons. Les progrès de la viticulture et de la vinification qui sont le résultat de recherches et d'investissements considérables font que les « mauvais » millésimes sont aujourd'hui de plus en plus rares. Nous ne serons jamais vraiment à l'abri de catastrophes naturelles, telles que la gelée de Saint-Emilion en 1956, mais les éleveurs et les vinificateurs disposent de moyens toujours plus perfectionnés pour les maîtriser.

	'66	'67	'69	'70	'71	'72	'73	'74	'75	'76	'77	'78	'79	'80	'81	'82	'83	'84	'85	'86	'87	'88	'89
	18	14	11	19	17	11	13	13	18	15	13	19	17	14	17	19	17						
	18	13	11	19	18	10	13	13	18	16	13	18	18	13	16	19	16						
	15	18	12	17	17	11	13	11	17	17	12	14	16	15	17	10	1̂5						
	17	14	17	14	17	16	13	13	5	17	10	19	15	15	13	14	17						
	17	14	18	14	16	15	13	12	7	17	11	19	16	13	13	13	15						
	16	14	18	16	16	12	16	13	14	16	13	18	16	12	17	17	17						
	17	14	17	16	12	16	12	13	17	8	19	15	12	16	14	18							
	17	12	17	16	14	14	14	12	10	19	12	20	16	15	13	14	19						
	16	17	16	14	16	14	13	12	10	16	11	18	16	15	15	12	15						
	13	11	15	14	15	10	14	10	14	17	11	16	14	13	15	14	16						
	14	14	14	14	19	8	16	14	16	18	12	17	15	15	16	13	14						
	13	15	14	15	19	10	17	14	16	18	12	17	16	13	17	14	20						
	16	12	17	17	15		17		17	16		15	16	(14)	(17)	(14)	13						
	15	16	16	11	19	8	12	5	14	18	8	9	15	8	15	11	18						
	16	12	16	11	19	8	13	5	17	18	8	9	15	8	15	11	18						
	12	15	16	16	20	8	8	14	16	8	16	20	16	16	12	18	19						
	4	16	14	16	20	4	10	18	10	10	10	20	16	14	12	20	17						
	12	12	14	14	16	16	16	14	12	10	14	14	16	12	16	16	16						
	16	14	13	20	11	7	17	13	15	14	8	19	13	15	17	16	15						
	16	16	17	20	18	14	16	20	18	18	16	19	18	18	17	15	13						
	16	16	17	18	18	14	16	18	18	18	16	17	18	19	17	15	14						
	'66	'67	'69	'70	'71	'72	'73	'74	'75	'76	'77	'78	'79	'80	'81	'82	'83	'84	'85	'86	'87	'88	'89

Le vocabulaire de la dégustation

Il ne suffit pas pour le dégustateur d'avoir une grande pratique, des sens affinés par des exercices fréquents, une riche connaissance des vins, il faut également qu'il possède un vocabulaire suffisamment étendu et précis pour exprimer ce qu'il ressent.

Le professionnel, et même le simple amateur doivent être en mesure d'expliquer pourquoi un vin est de grande qualité, ou pourquoi au contraire il est défectueux. Le vocabulaire doit être riche et comporter des possibilités suffisantes d'expression. Ce vocabulaire est difficile à codifier, car il est forcément imagé. Bien souvent, il fait sourire le profane. On fait souvent appel à des analogies qui nécessitent, évidemment, une certaine expérience.

Les stimulations visuelles

L'aspect du vin

Trouble : vin qui manque de limpidité par suite de la présence de matières colloïdales ou de particules en suspension.

Bourbeux : Trouble intense d'un vin jeune non encore soutiré.

Louche : Transparence et brillance légèrement altérées.

Limpide (ou clair) : Parfaitement transparent sans matières insolubles en suspension.

Brillant : très bonne limpidité (vins blancs).

Cristallin : transparence parfaite et lumineuse semblable à celle du cristal.

Disque : partie supérieure du vin dans le verre, formée par le ménisque du liquide. Le disque doit être normalement brillant. Lorsque le vin est altéré, le disque est mat et peut présenter diverses particules.

Jambes : lorsqu'on lèche les parois du verre par le vin, il se forme un léger bourrelet aux contours huileux et incolores. Ce bourrelet peut être très marqué ou inexistant. Les jambes sont les traînées d'aspect huileux qui se détachent du bourrelet et coulent le long des parois du verre. Ces jambes peuvent être plus ou moins épaisses ou minces, elles se forment plus ou moins rapidement et leur nombre est variable. Elles sont liées à la richesse du vin en alcool, sucres, glycérol.

Tranquille : vin qui ne dégage aucune bulle de gaz.

Perlant : léger dégagement gazeux généralement propre aux vins jeunes, aux vins sur lies (Muscadet) ou aux vins qui sont le siège de la fermentation malolactique, ou d'une légère refermentation alcoolique.

Pétillant : classe de vins effervescents tirés à basse pression (2 à 3 atmosphères) et dont le dégagement de gaz carbonique se manifeste par des bulles fines mais peu abondantes et sans mousse persistante. Le gaz carbonique se perçoit davantage en bouche (picotement).

Mousseux : le type en est le Champagne. On observe un dégagement important de bulles fines et persistantes. La pression plus forte est de l'ordre de 4 à 5 atmosphères. Les bulles forment en surface, au niveau du disque, une mousse abondante. Puis cette mousse disparaît au centre pour se rassembler sur les parois du verre et former le « cordon » ou « collier » ou « collerette ».

Gazéifié : vin effervescent obtenu par apport de gaz carbonique sous pression dans le vin contenu en cuve hermétique. Cette pratique donne des résultats médiocres et donne au vin une saveur chimique caractéristique. Les bulles sont grossières et se dissipent rapidement.

La couleur de vin

Robe : ensemble de la couleur et de la limpidité vue par transparence. Un vin a une belle robe lorsque sa couleur est vive et nette.

Robe chatoyante : qui a des reflets brillants.

Vins rouges

Clairet : vin rouge faiblement coloré issu de macération courte (région de Bordeaux).

Rouge rubis : couleur vive et franche de vins encore jeunes et ayant une bonne acidité fixe.

Rouge grenat : couleur que prennent certains vins rouges en vieillissant et qui rappelle celle de la pierre précieuse appelée grenat.

Rouge violacé : nuance particulière que prennent certains vins manquant d'acidité.

Rouge tuilé : nuance rouge orangée que prennent les vins en vieillissant (couleur rappelant celle de la *brique*).

Rouge pourpré : rouge foncé à nuance violacée.

Rouge pelure d'oignon : forte nuance jaune.

Vins rosés

Rose vif : rose lumineux.

Rose « œil de perdrix » : rose nuancé de jaune avec une certaine brillance (rosés d'Anjou).

Rose « pelure d'oignon » : rose intense à nuance cuivrée (rosé d'Arbois, Tavel…).

Vins gris rosés

Vins blancs : vins issus de moûts exprimés par pressurage à partir de raisins blancs et, parfois, à partir de raisins à peaux rouges mais à jus incolore (Champagne « Blanc de Rouges » obtenu avec le Pinot Noir).

Jaune vert : jaune pâle brillant à reflets verts.

Jaune paille : jaune un peu marqué rappelant la couleur de la paille.

Jaune doré : jaune vif semblable au jaune de l'or.

Jaune citron : jaune lumineux semblable à la peau du citron.

Jaune ambré : qui rappelle la couleur de l'ambre jaune (résine fossilisée).

Jaune beige : jaune pâle à nuance grise (couleur terne).

Vieil or : jaune ou à nuance chaude et soutenue.

Jaune « plombé » : jaune grisâtre. Peut s'observer sur vin tanisé.

Œil de perdrix : jaune agréable comme celui de certains Meursault.

Jaune miel : jaune doré pâle à nuance un peu brune.

Les stimulations olfactives

Vocabulaire relatif aux odeurs

Vins arômatiques : vins au parfum très marqué tels que les vins d'Alsace, les vins de cépage Sauvignon.

« *Nez* » : ensemble des odeurs qui se dégagent d'un vin. L'on dit qu'un vin a du nez quand il est riche en odeurs.

« *Nez subtil* » : fin et délicat.

« *Nez fleuri* » : odeur délicate rappelant celle d'une fleur.

« *Nez fruité* » : odeur rappelant celle d'un fruit. S'applique particulièrement à un vin jeune qui porte encore l'odeur du raisin dont il est issu.

« *Bouquet* » : ensemble d'odeurs riches qui se développent au cours du vieillissement.

Odeurs primaires (ou originelles) : odeurs apportées par le raisin lui-même et que l'on rencontre dans les vins jeunes : c'est particulièrement le cas avec le cépage *Muscat* dont l'odeur est très caractéristique.

Odeurs secondaires (ou fermentaires) : odeurs qui apparaissent au cours de la fermentation alcoolique et dont les levures sont responsables.

Odeurs tertiaires (ou de vieillissement) : elles se développent au cours du vieillissement dans le secret des bouteilles à partir de phénomènes subtils d'oxydation puis de réduction. Il s'agit d'odeurs très complexes, plus abstraites et plus riches que les précédentes. Elles constituent le véritable « *bouquet* » du vin.

« *Fumet* » : nom donné par certains auteurs aux arômes tertiaires.

« *Perspective odorante* » : elle désigne pour un très grand vin l'ensemble des arômes primaires, secondaires et tertiaires qui peuvent dans certains cas coexister et s'équilibrer.

Catégories d'odeurs

Odeurs florales : rose, violette, réséda, jasmin, fleur d'oranger, iris, œillet, tilleul, giroflée, primevère, verveine, aubépine, acacia, seringa, chèvrefeuille, jacinthe, pivoine,…

Odeurs fruitées : pomme, framboise, cerise, pêche, coing, prune, cassis, banane, noisette, citron, fraise, noix, abricot, groseille, amande…

Odeurs balsamiques : encens, vanille, camphre…

Odeurs boisées : cèdre, réglisse, résine.

Odeurs empyreumatiques : pain grillé, amandes grillées, café, fumées, tabac, thé, herbes grillées, foin…

Odeurs animales : musc, ambre gris, venaison, gibier, fourrure, cuir…

Odeurs épicées : poivre, santal, girofle, cannelle… Il existe évidemment de nombreuses autres odeurs en dehors de cette classification.

Odeurs spéciales

Odeur de « pierre à fusil » : odeur qui rappelle celle dégagée quand on frotte deux morceaux de silex (c'est le cas du vin blanc d'A.O.C. Jasnières)·

Odeur de suie, de fumée : spéciale à certains vins.

Odeur d'iode : peut se rencontrer dans les vins de régions maritimes, ou ceux issus de raisins atteints par la pourriture noble (Vouvray, Sauternes…). Trop marquée, cette odeur doit être considérée comme un défaut.

Odeur de résine : odeur que prend le vin conservé en fût de bois de conifères ou que l'on peut rencontrer dans certains vins grecs traités à la gemme de pin (antiseptique).

Odeurs désagréables

Odeurs dues à la vendange : odeur de terre (présence de terre dans les grappes), de rambergue (présence de plantes étrangères du genre des Aristoloches apportée à la cuve avec des grappes), de iodine (excès de

« pourriture noble »), odeur foxée (caractéristique des *vitis labrusca*).

Odeurs dues à une maladie ou à un mauvais traitement du vin : odeur d'Acétate d'éthyle (caractéristique des vins atteints d'acescence), odeur butyrique (rance, de vins altérés), de croupi (fûts mal entretenus et humides, rappelant l'eau stagnante), odeur d'« évent » (vins laissés en vidange; formation d'éthénol dont l'odeur rappelle celle de la pomme), odeur de géranium (due à une modification du contenu d'acide ascorbique), odeur d'anhydride sulphureux (SH_2, odeur d'œufs pourris due au soufrage tardif de la vigne ou au sulphitage d'un laissé sur lies).

Odeurs dues aux récipients : odeur de fût, de moisi (due au bois du fût ou au ciment de la cuve laissée humide), de plastique (cuve en matière plastique de mauvaise qualité), de bouchon.

Les impressions gustatives

Acide : vin présentant une dominante acide due à un excès d'acide malique (année difficile ou vendages prématurées).

Astringent : rudesse due à un excès de tanin (impression tactile).

Asséché : vin de degré alcoolique élevé, l'alcool a un effet déshydratant. Excès d'acidité volatile. Vin qui a perdu sa fraîcheur première.

Amaigri : vin appauvri en couleur et en extrait (vin rouge trop vieux).

Austère : vin riche en extrait et désagréable à boire (vin rouge d'hybrides).

Acre : excès de tanins, acidité volatile. Irritant et brûlant.

Aimable : vin agréable, bien équilibré.

Altéré : vin qui ne présente plus des caractères organoleptiques normaux par suite de maladies ou d'accidents chimiques.

Aqueux : vin plat, effet de dilution, caractère d'un vin « mouillé ».

Alcalin : vin riche en chlorure de sodium et potassium.

Agressif : désagréable - dominante acide - irritation (excès d'alcool). Tanins.

Acerbe : désagréable - déplaisant - dominante acide par exemple.

Apre : désagréable - rudesse apportée par un excès de tanins ou d'acidité.

Amer : sensation d'amertume apportée par les matières colorantes ou tannoïdes - maladie de l'amer : décomposition du glycérol (acroléine).

« Bien en bouche » : vin équilibré et riche.

Brut : relatif aux vins mousseux pauvres en sucres résiduaires (l'absence totale de sucres donne l'Extra-Brut).

Bref : vin qui ne laisse pas de sensations agréables et prolongées après l'ingestion.

Brûlant : impression apportée par un excès d'alcool qui donne une impression de chaleur.

Cru : vin maigre ou jeune, peu évolué, assez acide - sans rondeur.

Coulant : vin agréable, souple, pas très fort en alcool - se laissant boire facilement.

Corsé : vin fort en alcool et en extrait de bonne constitution.

Vin qui a du *corps :* sensation de plein; vin de bonne constitution, riche en extrait.

Charpente : vin bien constitué, riche en extrait et en alcool.

Charnu : vin qui remplit bien la bouche, qui impressionne fortement les papilles - corsé.

Creux : manque de chair - déséquilibré - excès d'acidité.

Chambré : vin porté à la température de la pièce où il doit être servi. Expression valable autrefois et à considérer avec réserve étant donné le chauffage actuel des appartements. Valable pour les rouges. Ne doit pas dépasser 17-18°.

Capiteux : vin riche en alcool, qui « monte à la tête », qui enivre.

Chaud : riche en alcool.

Délicat : vin fin et élégant - léger.

Distingué : vin fin, de qualité, présentant des caractères qui lui sont propres.

Déséquilibré : vin mal charpenté, dont les constituants ne sont pas en harmonie avec une dominante acide par exemple.

Décharné : vin maigre, dépouillé de ses qualités originelles.

Dépouillé : vin appauvri en certains de ses éléments par dépôt au cours de vieillissement (vins rouges vieux).

Dur : vin manquant de souplesse, glissant mal dans la bouche. La dureté peut être apportée par un excès d'acide tartrique, d'acidité volatile ou de tanins.

Doux : vin qui a une certaine richesse en sucre, ne heurte pas le palais.

Doucereux : défaut d'un vin qui a une douceur fade, peu agréable.

Equilibré : vin dont les constituants sont dans une juste proportion (c'est le cas des grands vins).

Elégant : vin distingué et racé (vins de cru).

Etoffé : bien constitué - en rapport également avec une couleur - riche.

Epais : vin commun, lourd et sans élégance (vins d'hybrides).

Echaudé : vin dont la fermentation a eu lieu à forte température et qui a été exposé à l'air.

Edulcoré : vin sucré artificiellement.

Exubérant : vin mousseux.

Epanoui : qui enveloppe le palais.

Franc : vin sans altérations, ni défauts.

Friand : saveur agréable, plaisant à boire.

Frais : vin assez acide, sans excès - caractère rafraîchissant agréable désaltérant.

Fade : vin sans caractère, sans saveur.

Finit court : sensations de courte durée.

Fondu : harmonie entre les constituants.

Ferme : manque de souplesse - riche en tanins et en extrait.

Filant : vin atteint de la maladie de la graisse et qui coule comme de l'huile - ou vin riche en dextranes.

Frelaté : vin falsifié et altéré par l'addition de substances étrangères interdites.

Fin : vin de qualité - équilibré et harmonieux (vins de crus).

Fruité : vin dont la saveur rappelle la fraîcheur et le goût naturel du raisin.

Fort : vin à dominante alcoolique.

Frappé : se dit d'un vin refroidi de quelques degrés en dessous de zéro avant d'être consommé (mousseux).

Grain : vin de qualité, à goût très fin.

Gouleyant : léger et agréable - se laisse boire facilement.

Gras : charnu, plein, corsé, moelleux - riche en alcool et glycérine (qualité d'un très grand vin).

Généreux : fort en alcool, bien constitué, corsé, riche en esters.

Grossier : commun, vulgaire, lourd, sans qualité.

Gazeux : excès de gaz carbonique dû à une refermentation en bouteille, à une maladie.

Gâté : vin altéré par quelque maladie ou présentant divers défauts.

Harmonieux : vin dont les constituants sont en équilibre, en heureuse proportion.

Imbuvable : impropre à la consommation par suite d'altérations diverses (vin piqué).

Jeune : vin nouveau ou vin ayant conservé un caractère de jeunesse.

Joyeux : vin qui inspire la gaieté comme un vin mousseux par exemple.

Loyal : vin naturel, élaboré, suivant les procédés licites, sans fraude, ne présentant pas de vice caché.

Liquoreux : vin très doux, riche en sucre, capiteux.

Léger : vin bien équilibré, mais pauvre en alcool et en extraits, plaisant à boire (vins rosés).

Long : vin qui persiste en bouche après ingestion (impressions olfacto-gustatives).

Les vins blancs ont une persistance plus grande que les vins rouges. A titre indicatif, on peut donner l'échelle chronométrique suivante :

— *vin ordinaire :* 1 à 3 secondes
— *vin de qualité :* 4 à 5 secondes
— *grand vin :* 6 à 8 secondes
— *vin blanc sec :* 8 à 11 secondes
— *très grand vin :* 11 à 15 secondes
— *vin blanc liquoreux :* 18 secondes
— *grands Sauternes, Vouvray, Château-Chalon :* 20 à 25 secondes

Mur : se dit d'un vin qui a terminé son évolution principale.

Moelleux : vin plein et rond, avec une certaine richesse en sucres et en glycérine - peu acide. Un grand vin sec peut être moelleux (Meursault).

Maigre : vin pauvre en alcool et en extraits - ne remplit pas la bouche (c'est l'inverse de charnu). Une acidité volatile élevée donne aux vins de la maigreur.

Mielleux : vin dont la richesse en sucres, dominante, est en déséquilibre avec les autres constituants.

Mâche : vin plein, ayant du corps, remplit bien la bouche.

Muet : commun, sans caractère, ni agrément.

Mouillé : vin falsifié par addition d'eau.

Mou : manque de corps, de fraicheur.

Marchand : vin qui possède les caractéristiques analytiques et organoleptiques requises par les lois et règlements du commerce.

Nerveux : vin ayant du corps et une certaine acidité, sera de bonne conservation. Ce caractère peut être en relation avec le terroir.

Normal : vin sans défauts.

Naturel : sans addition de substances illicites.

Neutre : sans caractère particulier, commun (vin ne modifiant pas les autres vins auxquels il est mélangé).

Onctueux : moelleux, bonne viscosité - sensation grasse (sucres - glycérol).

Plat : manque de corps, d'alcool, d'acidité.

Pommadé : épais, riche en sucres - falsifié.

Piquant : impression vive et mordante apportée par le gaz carbonique (vins mousseux) et qui affecte le palais et la langue.

Glossaire

Alcool acquis Degré alcoolique réel du vin

Alcool en puissance Degré alcoolique potentiel du vin

Ampélographie Science des cépages

Anthocyane Polyphénol. Donne couleur au jeune vin rouge

AOC Appellation d'Origine Contrôlée. Catégorie supérieure des VQPRD

Appellation Est conféré à des vins soumis à certaines contraintes fixées par l'administration

Arôme primaire Arôme du fruit

Arôme secondaire Aro7me post fermentaire

Arôme tertiaire Arôme de vieillissement

Assemblage Mélange de vins de même origine

Attaque Première impression en bouche

Blanc de Blancs Vin blanc issu du pressurage de raisins blancs

Blanc de Noirs Vin blanc issu du pressurage de raisins noirs

Botryticine Antibiotique issu du botrytis

Botrytis cinerea Moisissure brune (liquoreux)

Bourbes Déchets solides que l'on sépare du moût (blanc)

(Bouteilles) sur lattes Stockage horizontal des bouteilles

(Bouteille) sur pointe Stockage vertical, le goulot en bas, des bouteilles (méthode champenoise)

Caudalie Mesure, équivalente à la seconde, de la persistance aromatique

Cépage

Cépage teinturier Cépage rouge à jus rouge sans qualité, sauf son pouvoir colorant

Chapeau Matières solides qui se forment dans la partie supérieure des cuves lors des fermentations

Chaptalisation Ajout de sucre dans le moût pour augmenter le degré alcoolique

Charpente Structure, construction du vin

Clone Plant dont le patrimoine génétique (sélectionné) doit être multiplié

Coller (un vin) Traitement destiné à clarifier le vin (voir p. 49)

Consume Vin ou eau-de-vie perdus par évaporation (dits part des anges)

Coupage Mélange de vins d'origine différente

Cuvée En Champagne : 1. soit les dix premières pièces (205 litres) issues du pressurage ; 2. soit l'assemblage des vins

Débourbage Séparation des bourbes et du moût (blanc)

Dégorgement Expulsion du dépôt formé par la deuxième fermentation des bouteilles de mousseux

Deuxième taille La troisième pièce issue du troisième pressurage

Ecoulage Vider une cuve (de fermentation)

Egrappoir/Erafloir Appareil destiné à l'éraflage du raisin

Erafler/Egrapper Séparer les baies de la rafle

Extrait Ensemble des éléments non liquides contenus dans un vin

Fermentation malolactique Dégradation de l'acide malique en acide lactique sous l'impulsion des ferments maliques

Flash pasteurisation Brève pasteurisation à 70 degrés

Fleur du vin Voile de levures ou de mycoderma qui se développe à la surface du vin

Fouloir Appareil destiné au foulage du raisin

Fouloir-érafloir Appareil combinant les deux fonctions

Franche de pied Se dit d'une vigne non greffée. On dit également vigne d'origine française

Gravelle Cristaux de bitartrates en suspension dans les bouteilles (blanc)

Greffon Rameau aérien greffé sur la racine

Isobare D'égale pression (gaz)

Liqueur de dosage (ou d'expédition) Liqueur sucrée que l'on ajoute aux vins mousseux avant de les boucher

Liqueur de tirage Liqueur que l'on ajoute au vin pour provoquer la prise de mousse (méthode champenoise)

Longueur en bouche Persistance aromatique

Macération carbonique Macération précédent la fermentation des vins de primeur et des vins légers

Moût de goutte Jus de raisin non fermenté qui s'écoule naturellement

Moût de presse Jus de raisin non fermenté issu du pressurage

Mutage Arrêt provoqué de la fermentation alcoolique

Œnologie Science du vin

Œnologue Personne qui connaît et applique l'œnologie

Ouiller, ouillage Ajouter du vin dans un fût pour combler le vide dû à l'évaporation

Oxydases Diastases oxydantes. A l'origine des casses brunes et autres maladies du vin

Palissage Technique de conduite de la vigne sur fil de fer et échalas

Passerillé Desséché

Pasteurisation Chauffer un vin à 70 degrés pour tuer les éléments biologiques (ferments, etc.)

Phylloxérique de phylloxéra, puceron qui détruisit la vigne dès 1865

Pigeage Enfoncer le chapeau

Polyphénol Tanins, anthocyanes et autres matières colorantes et amères

Porte-greffe Racine de la vigne

Pourriture noble Pourriture brune occasionnée par le *Botrytis cinerea* (vin liquoreux)

Première taille Les deux pièces issues du deuxième pressurage

Prise de mousse Correspond à la deuxième fermentation en bouteilles (méthode champenoise)

Rafle Réseau ligneux qui supporte les baies

Réducteur Se dit d'une matière avide d'oxygène

Remontage Immersion du chapeau par remontage du vin situé au-dessous de lui et versé au-dessus de lui

Sélection clonale Sélection d'aptitudes destinée à la multiplication de quelques clones retenus

Sélection massale Sélection visuelle des meilleurs plants

Soutirage Tirer le vin d'une cuve ou d'un fût

Tanin Composé phénolique amer et astringent

Thermolisation Pasteurisation partielle à 45 degrés

Tri, trie Ramassage (vendange) sélectif du raisin (vin liquoreux)

VDQS Vin De Qualité Supérieure. Catégorie inférieure des VQPRD

Véraison Moment où la baie prend couleur

Vinage Adjonction d'alcool à un vin ou à un moût

Vin de goutte Vin qui s'écoule de la cuve de fermentation

Vin marchand Vin commercialisable, sain

Vin de pays Désignation légale de vins ordinaires astreint à certaines règles

Vin viné Vin muté par adjonction d'alcool (apéritif)

Vin de table Terme légal pour vin ordinaire

VQPRD Vin de Qualité Produit dans des Régions Délimitées et respectant les normes européennes de production

Vin de presse Vin issu du pressurage du marc

Liste des producteurs et des domaines

Domaine de l'Arillière
71960 Fuissé

Comte Armand
21220 Gevrey Chambertin

Château Ausone
33330 Saint-Émilion

Bertan-Maillot
66650 Banyuls-sur-mer

Champagne Besserat de Belle Fon
51100 Reims

Château de Beaucastel
84350 Courthézon

Château de Beaulieu
49190 Beaulieu-sur-Layon

Champagne Bonnaire
Cramant
51200 Épernay

Léon Boullault
Domaine des Dorices
La Touche
44330 Vallet

Boniface & Fils
Saint-André-les Marches
73800 Montmélian

Domaine du Bonneau du Martray
Pernand Vergelesses
21420 Savigny-lès-Beaune

Simon Bize
21420 Savigny-lès-Beaune

Champagne Bollinger
51160 Ay

J.F. Coche-Dury
21190 Meursault

Cave « La Chablisienne »
89800 Chablis

Domaine du Clair Daü
21160 Marsanny-la-Côte

Domaine Chandon de Briailles
21420 Savigny-lès-Beaune

Jean Cros
Castelnau de Montmiraii
81140 Cahuzac-sur-Verc

Château Coutet
Barsac
33720 Pedensac

Château Carmensac
33112 Saint-Laurent et Benon

Château Cos d'Estournel
33250 Saint-Esthèphe

Domaine de Chevalier
33850 Léognan

Cave Coopérative du Haut Poitou
86170 Neuville de Poitou

Auguste Clape
Cornas
07130 Saint Péray

Cave Coopérative de Die
26150 Die

Cave Coopérative de Lugny
71260 Lugny

Cave Coopérative Saint Dézirat
07420 Andance

J. C. Daguenau
Domaine des Berthiers
58150 Pouilly-sur-Loire

Georges Duboeuf
71570 La Chapelle de Guinchay

René Dauvissat
89800 Chablis

Delagrange-Bachelet
Chassagne-Montrachet
21190 Meursault

Vincent Delaporte
Chavignol
18300 Sancerre

Domaine Dujac
Moery Saint-Denis
21220 Gevrey Chambertin

Domaine Dubreuil-Fontaine
Pernand Vergelesses
21420 Savigny-lès-Beaune

Joseph Drouhin
7, rue de l'Enfer
21201 Beaune

Château Ducru-Beaucaillou
Saint-Julien-Beychevelle
33250 Pauillac

Domaine de Durban
84190 Beaumes-de-Venise

Domaine des Férauds
83550 Vidauban

Pierre Ferraud
69220 Belleville-sur-Saône

Château de Fieuzal
33850 Léognan

Domaine le Fesles
49320 Saint-Saturnin

Château Figeac
33330 Saint-Émilion

Château de Fesle
49380 Thouarcé

J.L. Grippat
07300 Tournon

E. Guigal
Ampuis
69420 Conrieu

Jean Guéritte
41120 Bougères-sur-Bièvre

Château de Géraud
Pomport
24240 Sigoulès

Château Grand Puy Lacoste
33250 Pauillac

Champagne Gosset
51160 Ay

Château Giscours
33460 Margaux

Jean Hugel
68340 Riquewihr

Gaston Huet
37210 Vouvray

Château Hauras
Cérons
33720 Podensac

Château de Haute Serre
Cieurac
46320 Lalbenque

Château Haut Bailly
33850 Léognan

Paul Jaboulet Aîné
26600 Tain l'Hermitage

Louis Michel
89800 Chablis

Château Magdelaine
33330 Saint Émilion

Prince Poniatowski
Clos Baudoin
37210 Vouvray

Gérard Pétillat
03500 Saint-Pourçain sur Sioule

Château Prieuré Lichine
33460 Cantenac-Margaux

Pinon
Lhomme
72340 La Charte sur le Loir

Château de Pez
33250 Saint-Estèphe

Château Palmer
33460 Margaux

Domaine de la Pousse d'Or
Volnay
21190 Meursault

Rolet Père & Fils
39600 Arbois

Domaine des Raguenières
Benais
37140 Bourgueil

Ruinart Père et Fils
51053 Reims

Domaine Armand Rousseau
21220 Gevray Chambertin

Château Rougemont
Toulenne
33210 Langon

Château Rieussec
33210 Langon

Domaine de la Romanée Conti
Vosne Romanée
21700 Nuits-Saint-Georges

Madame Raymond Ragnaud
Ambleville
16300 Barbezieu

Château Reynon
Beguey
33410 Cadillac

Pierre Selz
67140 Mittelgerheim

Domaine Sainte-Anne
30200 Bagnol-sur-Sèze

Sicarex Méditerranée
30240 Le Grau du Roi

Château Simone
13590 Meyreuil

Château Suduiraut
33210 Sauternes

Domaine de Saint-Jean
83930 Villecroze

Domaine de la Torraccia
20137 Lecci de Porto Vecchio

Domaine Tempier
83330 Le Plan du Castellet

René Thevenin Monthélie
Saint Romain
21190 Meursault

Tollot Beaut & Fils
21200 Chorey-lès-Beaune

Château Trotanoy
33500 Pomerol

F.E. Trimbach
68150 Ribeauville

Château Trinquevedel
Tavel
30150 Roquemaure

Michel Vosgien
Bulligny
54170 Colombey-les-Belles

Jean Vacheron
18300 Sancerre

Jean Vesselle
Bouzy
51150 Tours sur Marne

LISTE DES APPELLATIONS D'ORIGINE

Région d'Alsace

Vin d'Alsace ou Alsace
Vin d'Alsace ou Alsace accompagné d'un nom
  géographique ou d'un nom de cépage :
  Gewürztraminer
  Riesling
  Pinot gris ou Tokay d'Alsace
  Muscat
  Pinot ou Clevner
  Sylvaner
  Chasselas ou Gutedel
  Pinot noir
Vin d'Alsace Edelzwicker
Alsace Grand Cru

Région de Bordeaux

Barsac
Blaye ou Blayais
Bordeaux
Bordeaux Clairet
Bordeaux Côtes de Castillon
Bordeaux Côtes de Francs
Bordeaux Haut-Benauge
Bordeaux Rosé
Bordeaux supérieur rosé
Bordeaux supérieur Clairet
Bordeaux supérieur Côtes de Castillon
Bordeaux mousseux
Bourg ou Bourgeais
Cadillac
Canon Fronsac
Cérons
Côtes de Blaye
Côtes de Bordeaux Saint-Macaire
Côtes de Bourg
Entre-Deux-Mers
Entre-Deux-Mers Haut-Benauge
Fronsac
Graves
Graves supérieur
Graves de Vayres
Haut-Médoc
Lalande de Pomerol
Listrac
Loupiac
Lussac-Saint-Emilion
Margaux
Médoc
Montagne-Saint-Emilion
Moulis ou Moulis en Médoc
Néac
Parsac-Saint-Emilion
Pauillac
Pomerol
Premières Côtes de Blaye
Premières Côtes de Bordeaux
Premières Côtes de Bordeaux, suivie d'un
  nom de commune
Puisséguin-Saint-Emilion
Sainte-Croix-du-Mont
Saint-Emilion
Saint-Emilion Premier Grand Cru Classé
Saint-Emilion Grand Cru Classé
Saint-Emilion Grand Cru
Saint-Estèphe
Sainte-Foy-Bordeaux
Saint-Georges Saint-Emilion
Saint-Julien
Sauternes

Région de Bourgogne, Mâconnais, Beaujolais

Aloxe-Corton
Auxey-Duresses
Bâtard-Montrachet
Beaujolais supérieur
Beaujolais
Beaujolais-Villages
Beaujolais, suivie de l'un des 39 noms de
  communes autorisées
Beaune
Bienvenues-Bâtard-Montrachet
Blagny
Bonnes Mares
Bourgogne
Bourgogne Aligoté (et Bouzeron)
Bourgogne Clairet ou Bourgogne Rosé
  Marsannay ou Marsannay la Côte
Bourgogne Marsannay ou Bourgogne
  Marsannay la Côte (rouge)
Bourgogne Ordinaire ou Bourgogne Grand
  Ordinaire Rosé ou Clairet
Bourgogne Grand Ordinaire
Bourgogne Hautes Côtes de Nuits, Bourgogne
  Clairet ou Rosé Hautes Côtes de Nuits
Bourgogne Ordinaire
Bourgogne passe tout grains
Bourgogne mousseux
Brouilly
Chablis
Chablis Grand Cru
Chablis Premier Cru
Chambertin
Chambertin Clos de Bèze
Chambolle-Musigny
Chapelle-Chambertin
Charlemagne
Charmes-Chambertin
Chassagne-Montrachet
Cheilly-lès-Maranges
Chenas
Chevalier-Montrachet
Chiroubles
Chorey-lès-Beaune
Clos de la Roche
Clos de Tart
Clos de Vougeot
Clos Saint-Denis
Corton
Corton Charlemagne
Côte de Beaune
Côte de Beaune-Villages
Côte de Beaune, précédée de l'un des noms de
  communes indiquées ci-après :
  Auxey-Duresses
  Blagny
  Chassagne-Montrachet
  Cheilly-lès-Maranges
  Chorey-lès-Beaune
  Dezize-lès-Maranges
  Ladoix
  Meursault
  Monthélie
  Pernand-Vergelesses
  Puligny-Montrachet
  Saint-Aubin
  Sampigny-lès-Maranges
  Santenay
  Savigny-lès-Beaune
Côte de Brouilly
Côte de Nuits-Villages
Crémant de Bourgogne
Criots-Bâtard-Montrachet
Dezize-lès-Maranges
Echezeaux
Fixin
Fleurie
Gevrey-Chambertin
Givry
Grands Echezeaux

Griotte-Chambertin
Julienas
Ladoix
Latricières-Chambertin
Mâcon
Mâcon-Villages
Mâcon supérieur
Mâcon, suivie de l'un des 43 noms de
  communes autorisées
Mazis-Chambertin
Mazoyères-Chambertin
  Mercurey
Meursault
Meursault-Blagny
Montagny
Monthélie
Montrachet
Morey-Saint-Denis
Morgon
Moulin-à-Vent
Musigny
Nuits ou Nuits-Saint-Georges
Pernand-Vergelesses
Petit Chablis
Pinot Chardonnay-Mâcon
Pommard
Pouilly-Fuissé
Pouilly-Loché
Pouilly-Vinzelles
Puligny-Montrachet
Richebourg
Romanée (La)
Romanée-Conti
Romanée-Saint-Vivant
Ruchottes-Chambertin
Rully
Saint-Amour
Saint-Aubin
Saint-Romain
Saint-Véran
Sampigny-lès-Maranges
Santenay
Savigny-lès-Beaune
La Tâche
Volnay
Vosne-Romanée
Vougeot

Région de Champagne

Champagne
Rosé des Riceys
Coteaux Champenois

Région du Jura et de Savoie

Arbois
Arbois-Pupillin
Arbois mousseux
Château-Chalon
Crépy
Côte du Jura
Vin de Savoie, suivie d'un nom de cru (19
  reconnus)
Vin de Savoie mousseux ou pétillant, suivie
  d'un nom de cru : Ayze
Côte du Jura mousseux
l'Etoile
l'Etoile mousseux
Seyssel
Seyssel mousseux

Région des Côtes du Rhône

Château Grillet
Châteauneuf-du-Pape
Châtillon en Diois
Clairette de Die
Clairette de Die mousseux

Condrieu
Cornas
Coteaux du Tricastin
Côtes du Rhône
Côtes du Rhône, suivie du nom de la
   commune d'origine :
   Rochegude
   Saint-Maurice-sur-Eygues
   Vinsobres
   Cairanne
   Rasteau
   Roaix
   Rousset-les-Vignes
   Saint-Pantaléon des Vignes
   Séguret
   Vacqueyras
   Valréas
   Visan
   Laudun
   Chusclan
Côtes du Rhône-Villages
Côte Rotie
Côtes du Ventoux
Crozes-Hermitage
Hermitage
Gigondas
Lirac
Saint-Joseph
Saint-Péray
Saint-Péray mousseux
Tavel

Région du Val de Loire
Anjou et Anjou Gamay
Anjou Coteaux de la Loire
Anjou pétillant
Anjou mousseux
Blanc Fumé de Pouilly ou Pouilly Fumé
Bourgueil
Bonnezeaux
Cabernet d'Anjou; Cabernet de Saumur
Chinon
Coteaux de l'Aubance
Coteaux du Layon
Coteaux du Layon, suivie du nom de la
   commune d'origine :
   Beaulieu-sur-Layon
   Faye d'Anjou
   Rablay-sur-Layon

Saint-Aubin de Luigné
Rochefort
Saint-Lambert du Lattay
Chaume
Coteaux du Layon-Chaume
Coteaux du Loir
Coteaux de Saumur
Crémant de Loire
Jasnières
Mennetou-Salon
Montlouis
Montlouis pétillant
Montlouis mousseux
Muscadet
Muscadet des Coteaux de la Loire
Muscadet de Sèvre et Maine
Pouilly-sur-Loire
Pouilly Fumé de Pouilly ou Pouilly Fumé
Quarts de Chaumes
Quincy
Reuilly
Rosé d'Anjou
Rosé d'Anjou pétillant
Sancerre
Saint-Nicolas de Bourgueil
Savennières
Savennières-Coulée de Serrant
Savennières-Roches-aux-Moines
Saumur
Saumur pétillant
Saumur mousseux
Touraine
Touraine Azay-le-Rideau
Touraine Amboise
Touraine Mesland
Touraine pétillant
Touraine mousseux
Vouvray
Vouvray pétillant
Vouvray mousseux
Rosé de Loire

Régions de Provence et Corse
Bandol ou Vin de Bandol
Bellet ou Vin de Bellet
Côtes de Provence
Cassis
Palette
Vin de Corse

Vin de Corse Patrimonio
Vin de Corse Coteaux d'Ajaccio
Vin de Corse Sartène
Vin de Corse Calvi
Vin de Corse Coteaux du Cap Corse
Vin de Corse Figari
Vin de Corse Porto Vecchio

Région du Languedoc-Roussillon
Clairette de Bellegarde
Clairette du Languedoc
Collioure
Côtes du Roussillon
Côtes du Roussillon-villages
Côtes du Roussillon-villages Caramancy
Faugères
Fitou
Saint-Chinian

Région du Sud-Ouest
Béarn
Bergerac
Bergerac sec
Blanquette de Limoux
Cahors
Côtes de Bergerac
Côtes de Bergerac moelleux
Côtes de Bergerac Côtes de Saussignac
Côtes de Buzet
Côtes de Duras
Côtes de Montravel
Côtes du Frontonnais
Gaillac
Gaillac Premières Côtes
Gaillac doux
Gaillac mousseux
Haut Montravel
Irouleguy
Jurançon
Jurançon sec
Limoux Nature
Madiran
Monbazillac
Montravel
Pacherenc du Vic Bilh
Pécharmant
Rosette
Vin de Blanquette

LISTE DES APPELLATIONS CLASSEES EN V.D.Q.S.

Midi
Corbières et Corbières Supérieures
Côtes du Cabardes et de l'Orbiel
Côtes de la Malepere
Minervois
Costières du Gard
Picpoul de Pinet

Côteaux du Languedoc
Coteaux de la Méjanelle
Saint-Saturnin
Montpeyroux
Saint-Christol
Quatourze
La Clape
Saint-Drezery
Saint-Chinian
Faugères
Cabrières
Coteaux de Vérargues
Pic-Saint-Loup

Saint-Georges d'Orques

Vallée du Rhône
Côtes du Luberon
Coteaux d'Aix-en-Provence
Coteaux des Baux
Côtes du Vivarais
Coteaux de Pierrevert

Sud-Ouest
Côtes du Marmandais
Vins du Tursan
Vins d'Estaing
Vins d'Entraygues et du Fel
Vins de Marcillac
Lavilledieu
Côtes de Saint-Mont

Centre et Centre Ouest
Vins d'Auvergne et Côtes d'Auvergne
Vins de l'Orléanais
Cheverny

Saint-Pourcain-sur-Sioule
Coteaux d'Ancenis
Coteaux du Giennois
Gros Plant du Pays Nantais
Coteaux de Châteaumeillant
Vins du Thouarsais
Coteaux du Vendomois
Coteaux de Valençay
Vins du Haut-Poitou
Sauvignon de Saint-Bris

Savoie-Dauphiné
Vins du Bugey

Lyonnais
Vins du Lyonnais
Côtes du Forez
Côtes Roannaises

Lorraine
Vins de Moselle
Côtes de Toul

VINS DE PAYS

Ardèche
Coteaux-de-l'Ardèche

Aude
Coteaux-de-la-Cabrerisse
Coteaux-de-la-cité-de-Carcassonne
Coteaux-de-Miramont
Coteaux-de-Meyriac
Coteaux-de-Termenès
Côtes-de-parignan
Cucugnan
Hauterive-en-pays-d'Aude
Haute-vallée-de-l'Aude
Val-d'Orbieu
Val-de-Cesse
Val-de-Dagne
Val-du-Torgan
Vallée du paradis

Bouches-du-Rhône
Petite-Crau
Sables-du-golfe-du-Lion

Corse
L'île-de-beauté

Drôme
Coteaux-des-Baronnies

Gard
Cotaux-cévenols
Coteaux-Flaviens
Coteaux-du-pont-du-Gard
Coteaux-du-Salavès
Coteaux-du-Vidourle
Mont-bouquet
Sables-du-golfe-du-Lion
Serre-de-Coiran

Uzège
Val-de-Montferrand
Vistrenque

Gers
Côtes-du-Condomois
Côtes-de-Gascogne
Côtes-de-Montestruc

Hérault
Bessan
Caux
Cessenon
Colline-de-la-Moure
Coteaux-d'Enserune
Coteaux-de-Laurens
Coteaux-du-Libron
Coteaux-de-Murviel
Coteaux-de-Peyriac
Coteaux-du-Salagou
Côtes-du-Brian
Côtes-du-Thau
Côtes-de-Thongue
Gorges-de-l'Hérault
Haute-vallée-de-l'Orb
Sables-du-golfe-du-Lion
Val-de-Montferrand
Vicomté-d'Oumelas

Isère
Balmes-dauphinoises
Coteaux-du-Grésivaudan

Loire-Atlantique
Pays-de-Retz
Marches-de-Bretagne

Lot
Coteaux-de-Glanes
Coteaux-du-Quercy

Lot-et-Garonne
Côtes-du-Condomois
Agenais

Maine-et-Loire
Marches-de-Bretagne

Pyrénées-Orientales
Coteaux-des-Fenouillèdes
Pays-catalan
Vals-d'Agly

Savoie
Coteaux-du-Grésivaudan
Balmes-dauphinoises

Savoie et Haute-Savoie
Allobrogie

Tarn
Côtes-du-Tarn

Tarn-et-Garonne
Agenais (extension)
Coteaux-du-Quercy
Saint-Sardos

Var
Les-Maures
Coteaux-varois

Vendée
Fiefs-vendéens
Marches-de-Bretagne

CLASSIFICATION DES MEDOC (1855 et 1973)

1ᵉʳ Grands crus classés (1973)
Château Lafite (à Pauillac)[1]
Château Margaux (à Margaux)[1]
Château Mouton-Rothschild (à Pauillac)
Château Latour (à Pauillac)[1]
Château Haut-Brion (à Pessac) (graves)[1]

2ᵉ Grands crus classés
Château Rausan-Ségla (à Margaux)
Château Rauzan-Gassies (à Margaux)
Château Léoville-Las-Cases (à Saint-Julien)
Château Brane-Cantenac (à Cantenac)
Château Léoville-Poyferré (à Saint-Julien)
Château Léoville-Barton (à Saint-Julien)
Château Dufort-Vivens (à Margaux)
Château Lascombes (à Margaux)
Château Gruaud-Larose (à Saint-Julien)
Château Pichon-Longueville (à Pauillac)
Château Pichon-Longueville de Lalande (à Pauillac)
Château Ducru-Beaucaillou (à Saint-Julien)
Château Cos d'Estournel (à Saint-Estèphe)
Château Montrose (à Saint-Estèphe)

3ᵉ Grands crus classés

Château Giscours (à Labarde)
Château Kirwan (à Cantenac)
Château d'Issan (à Cantenac)
Château Lagrange (à Saint-Julien)
Château Langoa (à Saint-Julien)
Château Malescot-Saint-Exupéry (à Margaux)
Château Cantenac-Brown (à Cantenac)
Château Palmer (à Cantenac)
Château La Lagune (à Ludon)
Château Desmirail (à Margaux)
Château Calon-Ségur (à Saint-Estèphe)
Château Ferrière (à Margaux)
Château Marquis-d'Alesme-Becker (à Margaux)
Château Boyd-Cantenac (à Cantenac)

4ᵉ Grands crus classés
Château Saint-Pierre (à Saint-Julien)
Château Branaire-Ducru (à Saint-Julien)
Château Talbot (à Saint-Julien)
Château Duhart-Milon (à Pauillac)
Château Pouget (à Cantenac)
Château La Tour Carnet (à Saint-Laurent)
Château Beychevelle (à Saint-Julien)
Château Prieuré (à Cantenac)

Château Marquis de Terme (à Margaux)
Château Lafon Rochet (à Saint-Estèphe)

5ᵉ Grands crus classés
Château Pontet Canet (à Pauillac)
Château Batailley (à Pauillac)
Château Haut-Batailley (à Pauillac)
Château Grand-Puy-Lacoste (à Pauillac)
Château Grand-Puy-Ducasse (à Pauillac)
Château Lynch-Bages (à Pauillac)
Château Lynch-Moussas (à Pauillac)
Château Dauzac (à Labarde)
Château Mouton-Baronne-Philippe (à Pauillac)
Château du Tertre (à Arsac)
Château Haut-Bages-Libéral (à Pauillac)
Château Pédesclaux (à Pauillac)
Château Belgrave (à Saint-Laurent)
Château Camensac (à Saint-Laurent)
Château Cos-Labory (à Saint-Estèphe)
Château Clerc-Milon-Mondon (à Pauillac)
Château Croizet-Bages (à Pauillac)
Château Cantemerle (à Macau)

(¹) Classé 1ᵉʳ grand cru en 1855.

CLASSIFICATION DES SAUTERNES ET BARSAC (1855)

Premier grand cru
Château d'Yquem (Sauternes)

Premiers crus
Château La Tour Blanche (Bommes)
Château Lafaurie-Peyraguey (Bommes)
Château Rayne-Vigneau (Bommes)
Château Rabaud-Promis (Bommes)
Château Sigalas-Rabaud (Bommes)
Château Suduiraut (Preignac)

Château Coutet (Barsac)
Château Climens (Barsac)
Château Guiraud (Sauternes)
Château Rieussec (Fargues)
Clos Haut-Peyraguey (Bommes)

Deuxièmes crus
Château Myrat[1] (Barsac)
Château Doisy Dubroca (Barsac)
Château Broustet (Barsac)

Château Nairac (Barsac)
Château Caillou (Barsac)
Château Suau (Barsac)
Château Malle (Preignac)
Château Romer (du Hayot) (Fargues)
Château Filhot (Sauternes)
Château Lamothe (Despujols) (Sauternes)
Château Lamothe (Guignard) (Sauternes)
Château Doisy-Daëne (Barsac)
Château Doisy-Védine
Château d'Arches (Sauternes)
(¹) Ne produit plus de vin depuis 1976.

CLASSIFICATION DES GRAVES (1959)

Château Haut-Brion (Pessac)
Château Pape Clément (Pessac)
Château La Mission Haut-Brion (Talence)
Château La Tour Haut-Brion (Talence)
Château Laville Haut-Brion (Talence)

Château Couhins (Villenave d'Ornon)
Château Haut-Bailly (Léognan)
Château Carbonnieux (Léognan)
Château Domaine de Chevalier (Léognan)
Château Fieuzal (Léognan)

Château Malartic-Lagravière (Léognan)
Château Olivier (Léognan)
Château Smith-Haut-Lafite (Martillac)
Château Latour-Martillac (Martillac)
Château Bouscaut (Cadaujac)

CLASSIFICATION DES SAINT-EMILION (1955)

Premiers grands crus classés

Classe A :
Château Ausone
Château Cheval-Blanc
Classe B :
Château Beauséjour
Château Belair
Château Canon
Château Figeac
Clos fourtet
Château La Gaffelière
Château Magdelaine
Château Pavie
Château Trottevieille

Grands crus classés

Château l'Angélus
Château l'Arrosée
Château Baleau
Château Balestard-la-Tonnelle
Château Bellevue
Château Bergat
Château Cadet-Bon
Château Cadet-Piola
Château Canon-la-Gaffelière
Château Cap-de-Mourlin
Château Capelle-Madeleine
Château Chauvin
Château Corbin

Château Corbin-Michotte
Château Coutet
Château Couvent-des-Jacobins
Château Curé-Bon
Château Dassault
Château Furie-de-Souchard
Château Fonplegade
Château Fonroque
Château Franc-Mayne
Château Grand-Barrail-Lamarzelle-Figeac
Château Grand-Corbin-Despagne
Château Grand-Corbin
Château Grand-Mayne
Château Grand-Pontet
Château Grandes-Murailles
Château Guadet-Saint-Julien
Château Haut-Corbin
Château Haut-Sarpe
Château Jean-Faure
Château La Carte
Château La Clotte
Château Lamarzelle
Château Larmande
Château Laroze
Château Lasserre
Château La-Tour-du-Pin-Figeac
Château La Clusière
Château La Couspaude

Château La Dominique
Château Laniote
Château Larcis-Ducasse
Château La-Tour-Figeac
Clos de la Madeleine
Château Le Chatelet
Château Le Couvent
Château Le Prieuré
Château Matras
Château Mauvezin
Château Moulin-du-Cadet
Château L'Oratoire
Château Pavie-Decesse
Château Pavie-Macquin
Château Pavillon-Cadet
Château Petit-Faurié-de-Soutard
Château Ripeau
Château Sansonnet
Château Saint-Georges-Côte-Pavie
Château Soutard
Château Tertre-Daugay
Château Trimoulet
Château Trois-Moulins
Château Troplong-Mondot
Château Villemaurine
Château Yon-Figeac
Clos des Jacobins
Clos Saint-Martin

CLASSIFICATION COUTUMIERE DES POMEROL

Cru hors classe

Château Pétrus

Premiers grands crus

Château Certan (Giraud)
Château Vieux-Certan
Château la Conseillante
Château Petit-Village

Château La Fleur-Pétrus
Château Trotanoy
Château l'Evangile
Château Lafleur
Château Gazin

Grands crus

Château Nénin

Château Rouget
Château Latour-Pomerol
Château La Pointe
Château Lagrange
Château La Croix
Château Bauregard
Château Certan-de-May
Château l'Eglise-Clinet

Crédits photographiques

Académie du Vin (Steven Spurrier), 15, 17, 19, 20, 23, 25, 41b, 180-5, 187, 197, 198, 199; Agence photographique TOP, 1, 2, 38, 39, 48(d), 55, 60, 72; Comité national des vins de France (CNVF), 51, 58, 74 g, 75, 76, 80, 83; Michael Freeman, 33, 41 h, 126 h, 133, 135; The High Commissioner for New Zealand, 137; Denis Hughes-Gilbey, 8-9, 11, 12, 16, 30, 31, 33, 34, 35, 36, 37, 40, 45, 46, 48 g, 49, 50, 52, 53, 54, 56, 57, 59, 61, 62, 64, 65, 69, 70, 71, 73, 74 d, 77, 81, 82, 88, 91, 92, 93, 94, 96, 97, 98, 99, 100, 101, 106, 188, 189, 190, 191, 192, 193, 194, 195, 204, 205, 208, 209; Chris Jansen Photography, 139; Lightbox Library, 63, 86, 89, 138; Geoffrey Roberts Associates, 29, 124, 126, 127, 134, Vinos de Espana, 118, 119, 120, 121.

Nous remercions le Laboratoire départemental et régional d'analyses et de recherche de Tours; le Centre technique expérimental de l'Institut technique du vin de Tours; le Comité interprofessionnel des vins de Touraine pour la documentation relative au Vocabulaire de la dégustation (pages 212-215).
Le dessin de la page 27 est extrait de l'ouvrage *Essai sur la dégustation des vins* (Vedel A., Charle G., Charnay P. et Tourneau J., Société d'information viti-vinicole, Mâcon).

Index

Les numéros de pages en *italique* renvoient aux légendes des illustrations.
Abréviation : Ch. = Château

Bibliographie

Amerine, M.A. et Singleton, V.L. *Wine: An Introduction*, nouvelle édition, University of California Press, Berkeley, 1978

Anderson, B. *Vino: The Wine and Winemakers of Italy*, Little, Brown and Co., Boston, 1980; Hutchinson, Londres, 1980

Bezzant, N. and Burroughs, D. *The New Wine Companion*, Heinemann, Londres, 1980

Blanchet, Suzanne *Les vins du Val de Loire*, Jema S.A., Saumur, 1982

Broadbent, Michael *The Great Vintage Wine Book*, Alfred A. Knopf sous l'égide de Christie's Wine Publications, New York, 1980: *Pocket Guide to Wine Tasting*, Mitchell Beazley sous l'égide de Christie's Wine Publications, Londres, 1982

Brunel, Gaston *Guide des Vignobles et Caves des Côtes du Rhône*, J.C. Lattès, Paris, 1980

Debuigne, Gérard *Dictionnaire Larousse des Vins*, Larousse, Paris, 1969

Dion, Roger *Histoire de la vigne et du vin en France des origines au XIXe siècle*, Paris, 1959

Dovaz, Michel *Les Grands Vins de France*, Julliard, Paris, 1979; *Encyclopédie des Crus Classés du Bordelais*, Julliard, Paris, 1981; *Encyclopédie des Vins de Champagne*, Julliard, Paris, 1983

Duyker, Hubert *Grands vins de Bourgogne*, F. Nathan, Paris, 1980; *Bons vins de Bordeaux*, F. Nathan, Paris, 1982

Enjalbert, Henri *Les grands vins de Saint-Emilion, Pomerol et Fronsac*, Bardi, Paris, 1983

Feret, Claude *Bordeaux et ses vins*, Féret et Fils, Bordeaux, 1982

Forbes, Patrick *Champagne: The Wine, the Land and the People*, Gollancz, Londres, 1972, Reynal, New York, 1968

Hanson, Anthony *Burgundy*, Faber, Londres, 1982 et Boston, 1983

Jeffs, Julian *Sherry*, 3e édition, Faber, Londres, 1982 et Boston, 1982

Johnson, Hugh *Pocket Encyclopedia of Wine*, Mitchell Beazley, Londres, 1977; Simon & Schuster, New York, 1977; *Wine*, Nelson, Sunbury-on-Thames, 1973; Simon & Schuster, New York, 1975; *The World Atlas of Wine*, nouvelle édition, Mitchell Beazley, Londres; 1977; Simon & Schuster, New York, 1978; *L'Atlas mondial du vin*, Laffont, Paris, 1977

Léglise, Max *Une initiation à la dégustation des grands vins*, Défense et illustration des Vins d'Origine, Lausanne, 1976

Lichine, Alexis *(New) Encyclopedia of Wines and Spirits*, 4e édition, Alfred A. Knopf, New York, 1974; Cassell, Londres, 1979; *Encyclopédie des vins et des alcools*, collection « Bouquins », Laffont, Paris, 1980; *Guide to the Wines and Vineyards of France*, Alfred A. Knopf, New York; 1979; Weidenfeld and Nicolson, Londres, 1979; *Vins et vignobles de France*, Laffont, Paris, 1981

Livingston-Learmonth, J. et Master, M. *The Wines of the Rhone*, Faber, Londres, 1979 (nouvelle édition 1983) et Boston, 1983

Penning-Rowsell, E. *The Wines of Bordeaux*, Penguin Books, Londres, 1979

Peppercorn, D. *Bordeaux*, Faber, Londres et Winchester, Mass, 1982

Peynaud, Emile *Le goût du vin*, Dunod, Paris, 1980

Pijassou, René *Le Médoc*, Tallendier, Paris, 1978

Read, Jan *The Wines of Spain and Portugal*, Faber, Londres, 1972, (nouvelles éditions 1983); Monarch Books, New York, 1978

Robertson, George *Port*, Faber, Londres, 1978 et Boston, 1983

Robinson, Jancis *The Great Wine Book*, A & C Black, Londres, 1979

Sale, Jacques *Dictionnaire Larousse des alcools*, Larousse, Paris, 1982

Sarfati, Claude *La dégustation des vins*, Université du Vin, 1981

Schoonmaker, Frank *Encyclopedia of Wine*, Hastings, New York, 1979; A & C Black, Londres, 1979

Sutcliffe, Serena *The Wine Drinker's Handbook*, David & Charles en association avec Pan Books, Newton Abbot, 1982

Vandyke-Price, Pamela *The Taste of Wine*, Macdonald, Londres, 1975; Random House, New York, 1975

Vedel, A. Charle, G. Charnay, P., et Tourneau, J. *Essai sur la dégustation des vins*, Société d'Edition et d'Information vitivinicoles, Mâcon, 1972

Woutaz, Fernand *Dictionnaire des Appellations*, Litec, Paris, 1982